Jojo Moyes est romancière et journaliste. Elle vit en Angleterre, dans l'Essex. Après avoir travaillé pendant dix ans à la rédaction de l'*Independent*, elle décide de se consacrer à l'écriture. Ses romans, traduits dans le monde entier, ont été salués unanimement par la critique et lui ont déjà valu de nombreuses récompenses littéraires. *Avant toi* a créé l'événement et marqué un tournant dans sa carrière d'écrivain. Ce best-seller a rencontré un succès retentissant qui lui a valu d'être adapté au grand écran.

Du même auteur, chez Milady, en grand format :

Avant toi
La Dernière Lettre de son amant
Jamais deux sans toi
Après toi
Sous le même toit

Au format poche :
Avant toi
La Dernière Lettre de son amant
Jamais deux sans toi

Jojo Moyes

SOUS LE MÊME TOIT

Traduit de l'anglais (Grande-Bretagne) par Emmanuelle Ghez

Milady

Milady est un label des éditions Bragelonne

Titre original : *Night Music*

Initialement publié en Grande-Bretagne en 2008 chez Hodder & Stoughton,
une entreprise du groupe Hachette.

ISBN : 978-2-8112-1891-1

Bragelonne – Milady
60-62, rue d'Hauteville – 75010 Paris

E-mail : info@milady.fr
Site Internet : www.milady.fr

Pour Charles et pour tous ceux qui ont envisagé un jour de faire entrer des ouvriers dans leur maison.

C'est un dragon qui nous dévore tous un jour ou l'autre : ces maisons obscènes, écailleuses, cette soif insatiable et ce désir de posséder, de toujours posséder, et en dépit de tout, ce besoin d'être propriétaire, de peur d'être la propriété de quelqu'un.

D.H. Lawrence

Nous n'avons jamais trouvé notre place dans la maison espagnole. Techniquement, nous en étions les propriétaires, mais la propriété suppose un certain contrôle, et personne autour de nous n'aurait pu prétendre que nous en avons eu le moindre sur les événements dont elle a été le théâtre. Les documents écrits avaient beau attester le contraire, nous n'avons jamais eu le sentiment d'être réellement chez nous. Dès le début, ce lieu nous a paru bien trop encombré. Cette maison était habitée par les rêves d'autres que nous, les murs imprégnés de jalousie, de méfiance, de convoitise. Son histoire n'était pas la nôtre. Rien, pas même nos propres aspirations, ne nous liait à cette demeure.

Petite, je pensais qu'une maison n'était qu'une maison, et rien de plus. Un endroit dans lequel on mangeait et jouait, dans lequel on discutait et dormait, quatre murs entre lesquels on se contentait de poursuivre le cours de son existence. J'y accordais peu d'importance. Bien plus tard, j'ai appris qu'une propriété pouvait représenter bien plus que cela, et devenir, aux yeux de celui qui la convoitait, le but ultime, une projection de lui-même ou de l'image qu'il cherchait à renvoyer. J'ai appris qu'elle pouvait inspirer aux gens des comportements honteux ou déshonorants, que même un minuscule lopin de terre pouvait se transformer en obsession.

Lorsque je quitterai la maison, je serai locataire.

Chapitre premier

Laura McCarthy referma la porte de derrière, enjamba le chien endormi qui bavait paisiblement sur le gravier, puis, d'un pas vif, traversa le jardin. Tandis que le plateau généreusement garni tanguait sur son bras, elle entrouvrit le portail, se glissa agilement dans l'interstice et s'engouffra dans les bois en direction du ruisseau, qui, en cette fin d'été, s'était de nouveau tari. En deux pas seulement, elle franchit le pont de planches que Matt avait construit l'année précédente pour combler le fossé. Bientôt, les pluies reprendraient et le bois serait glissant. Il lui était arrivé plusieurs fois de déraper ; un jour, tout le contenu du plateau avait même fini à l'eau, offrant un festin aux créatures invisibles. Parvenue de l'autre côté, de la boue plein les semelles, elle se fraya un chemin vers la clairière. En cette fin d'après-midi, le soleil était encore chaud, baignant la vallée d'une lumière douce, chargée de pollen. Au loin, elle aperçut une grive et entendit les cris étrangement stridents des étourneaux qui s'élevaient en nuée avant de se poser sur un autre bosquet. Elle redressa le couvercle d'un des plats, libérant par inadvertance un riche parfum de tomate qui lui fit presser le pas. La maison n'avait pas toujours été aussi décrépite, aussi fâcheusement lugubre. Le père de Matt lui avait raconté des histoires de parties de chasse sur la pelouse, de soirs d'été où la musique flottait autour de chapiteaux blancs, où des couples élégamment vêtus, perchés sur des terrasses en pierre, sirotaient du punch, tandis que leurs éclats de rire se perdaient dans la forêt. Matt se souvenait d'un temps où les écuries étaient pleines de chevaux somptueux, dont certains n'étaient destinés qu'aux convives du week-end, tandis que les amateurs d'aviron profitaient du hangar à bateaux installé au bord du lac. Autrefois, il se montrait intarissable sur le sujet, tenant à prouver que cette demeure familiale n'avait rien à envier à celle de Laura. Il suggérait ainsi que leur avenir commun égalerait ce qu'elle avait quitté. Ces histoires lui donnaient un aperçu de leur vie future. Elle les adorait. Elle savait exactement à quoi ressemblerait la maison une fois qu'elle aurait eu carte blanche – il n'y avait pas une seule fenêtre qu'elle n'avait mentalement habillée, pas un centimètre carré de sol dont elle n'avait imaginé le nouveau revêtement. Elle connaissait par cœur les différentes vues sur le lac qu'offrait chacune des pièces orientées vers l'est. Elle s'arrêta devant la porte latérale et, par habitude, chercha la clé dans sa poche. On ne prenait plus la peine de la verrouiller désormais ; dans le coin, tout le monde savait qu'il n'y avait rien à y voler. La maison s'était affaissée, sa peinture s'écaillait, reléguant sa splendeur passée aux oubliettes. Au rez-de-chaussée, plusieurs carreaux manquants avaient été remplacés par des bouts de planches de bois dépareillées. Le gravier était envahi d'orties qui lui brûlèrent les tibias.

— Monsieur Pottisworth, c'est moi… Laura.

Il était sage d'alerter le vieil homme de son arrivée – le linteau était encore criblé d'impacts de balles, témoignant des oublis passés de Laura. Heureusement, comme son mari le lui avait fait remarquer, le vieux casse-pieds n'avait jamais été une fine gâchette.

— Je vous ai apporté votre dîner.

Elle attendit qu'un grognement lui réponde à l'étage, puis monta, le bois grinçant sous ses pieds. En femme sportive, elle eut à peine besoin de reprendre son souffle après plusieurs volées de marches raides. Malgré tout, elle attendit un moment avant d'ouvrir la porte de la chambre. Elle laissa échapper un soupir résigné puis posa la main sur la poignée. La fenêtre était entrouverte, mais l'odeur de vieillard à l'hygiène douteuse la frappa de plein fouet, charriant avec elle des relents de tissus d'ameublement imprégnés de crasse, de camphre et de cire d'abeille éventée. Un vieux fusil reposait à côté du lit, et le petit poste de télévision couleur que le couple lui avait apporté deux ans plus tôt se trouvait sur une petite table. Les années de négligence ne suffisaient pas à faire oublier les dimensions élégantes de la pièce, la façon dont le cadre du bow-window scindait le ciel en deux. Toutefois, le visiteur ne pouvait jamais s'attarder longtemps sur les qualités esthétiques du lieu.

— Vous êtes en retard, fit remarquer la silhouette étendue sur le vieux lit en acajou sculpté.

— De quelques minutes seulement, répliqua-t-elle d'une voix délibérément enjouée avant de poser le plateau sur la table de chevet. Je ne pouvais pas partir. J'étais au téléphone avec ma mère.

— Qu'est-ce qu'elle voulait ? Vous ne lui avez pas dit que j'attendais, mort de faim ?

Le sourire de Laura faiblit à peine.

— Croyez-le ou non, monsieur Pottisworth, vous n'êtes pas mon seul sujet de conversation.

— Je parie que c'est Matt. Qu'est-ce qu'il a encore fait ? Elle vous a appelée pour vous reprocher d'avoir fait un mauvais mariage, c'est ça ?

Laura se tourna vers le plateau. M. Pottisworth ne vit pas le léger raidissement de sa nuque.

— Je suis mariée depuis dix-huit ans, dit-elle. Je ne crois pas que mon choix d'époux soit une grande nouvelle.

Il y eut un reniflement sonore.

— Qu'est-ce que c'est ? Je parie que c'est froid.

— Du ragoût de poulet avec une pomme de terre au four. Et c'est loin d'être froid. J'avais mis un couvercle.

— Je parie que c'est froid. Le déjeuner était froid.

— C'était une salade.

Un visage marbré surmonté de sporadiques cheveux gris émergea de sous l'édredon. Deux yeux de serpent, étrécis, se posèrent sur elle.

— Pourquoi portez-vous un pantalon aussi moulant ? Vous voulez que tout le monde sache comment vous êtes faite ?

— C'est un jean. Ça se porte ainsi.

— Vous êtes une petite allumeuse, voilà tout. Vous m'embrouillez l'esprit par la luxure pour mieux me tuer ensuite avec vos ruses féminines machiavéliques. Des veuves noires, voilà comment on appelle les femmes comme vous. Je ne suis pas idiot.

Elle l'ignora.

— Je vous ai apporté de la sauce brune pour la pomme de terre. Vous la voulez à part ?

— Je vois vos tétons.

— À moins que vous ne préfériez du fromage râpé ?

— À travers ce haut. Je les vois très nettement. Vous essayez de me tenter ?

— Monsieur Pottisworth, si vous n'arrêtez pas, je ne viendrai plus vous apporter à dîner. Alors arrêtez de regarder mes… mes… tétons. Tout de suite.

— Alors arrêtez de porter des sous-vêtements indécents. De mon temps, une femme respectable portait un tricot de corps. Un bon vieux tricot de corps en coton.

Il se redressa sur ses oreillers, le souvenir faisant tressaillir ces mains noueuses.

— Mais on avait quand même une bonne sensation, ajouta-t-il.

Laura McCarthy tourna le dos au vieil homme et compta jusqu'à dix. Elle baissa rapidement les yeux vers son tee-shirt, essayant de comprendre ce qu'il voyait exactement de son soutien-gorge. La semaine précédente, il avait pourtant affirmé que sa vue baissait.

— Vous avez envoyé votre garçon pour mon déjeuner. Il m'a à peine adressé la parole.

Le vieillard avait commencé à manger. Un son similaire à un tuyau qu'on débouche emplit la pièce.

— Oui, eh bien, les adolescents ne sont pas très bavards.

— Grossier, voilà ce qu'il est. Dites-le-lui.

— Je n'y manquerai pas.

Elle s'affaira dans la pièce, débarrassant des verres et des tasses pour les mettre sur le plateau vide.

— Je suis très seul dans la journée. Byron a été ma seule compagnie cet après-midi, et il ne parle que de ses haies et de ses lapins.

— Je vous l'ai dit. Vous pourriez avoir une personne des services sociaux. Quelqu'un qui rangerait un peu, vous ferait la conversation. Tous les jours, si vous le vouliez.

— Les services sociaux, répéta-t-il avec une grimace, laissant couler un filet de sauce sur son menton. Je n'ai pas besoin que ces gens viennent fourrer leur nez dans mes affaires.

— Comme vous voulez.

— Vous ne savez pas à quel point c'est dur, d'être tout seul…, commença-t-il.

Laura cessa alors de l'écouter. Elle connaissait par cœur sa litanie plaintive : personne ne comprenait à quel point c'était dur de ne plus avoir de famille, d'être cloué au lit, vulnérable, à la merci d'étrangers…

Elle avait eu droit à toutes les variations possibles sur ce thème, de sorte qu'elle aurait pu les réciter elle-même.

— Bien sûr, je n'ai que vous et Matt, un pauvre vieil homme comme moi. Personne à qui léguer mes biens matériels… Vous ne savez pas combien ça fait mal d'être aussi seul.

Sa voix faiblit, il était au bord des larmes. Elle s'adoucit alors.

— Vous n'êtes pas seul, je vous l'ai dit. Tant que nous sommes à côté, vous n'êtes pas seul.

— Je vous témoignerai ma gratitude au moment de partir. Vous le savez, n'est-ce pas ? Ces meubles dans la grange – ils sont à vous dès que je disparais.

— Ne parlez pas ainsi, monsieur Pottisworth.

— Ce ne sera pas tout. Je suis un homme de parole. Et je suis conscient de tout ce que vous avez fait pour moi pendant toutes ces années… C'est mon riz au lait ? fit-il alors en jetant un coup d'œil au plateau.

— C'est un bon crumble aux pommes.

Le vieil homme reposa son couteau et sa fourchette.

— Mais nous sommes mardi.

— Eh bien, je vous ai fait du crumble aux pommes. J'étais à court de riz au lait et je n'ai pas eu le temps d'aller au supermarché.

— Je n'aime pas le crumble aux pommes.

— Mais si.

— Je parie que vous vous êtes servie dans mon verger.

Laura prit une profonde inspiration.

— Je suis sûr que vous n'êtes pas aussi bonne que vous le prétendez. Vous seriez prête à mentir pour obtenir ce que vous voulez, hein ?

Elle serra les dents avant de lui répondre.

— J'ai acheté les pommes au supermarché.

— Je croyais que vous n'aviez pas eu le temps d'y aller.

— Je les ai achetées il y a trois jours.

— Alors vous auriez pu prendre du riz au lait par la même occasion. Je me demande bien ce que votre homme pense de vous. Vous devez avoir d'autres façons de le satisfaire…

Il lui adressa un sourire salace, dévoilant brièvement ses gencives derrière ses lèvres humides.

Laura venait de finir la vaisselle lorsqu'il rentra. Elle était penchée au-dessus de la table de repassage fumante, en train de dompter les cols et les poignets de chemises.

— Ça va, mon amour ?

Matt McCarthy s'approcha pour l'embrasser et remarqua ses joues rouges, sa mâchoire crispée.

— Non, ça ne va pas du tout. J'ai eu ma dose.

Il retira sa veste de travail, dont les poches bâillaient sous le poids des mètres-ruban et des outils, puis la balança sur le dossier d'une chaise. Il était exténué, et l'idée de devoir apaiser l'ire de sa femme l'agaçait.

— Monsieur P. l'a reluquée, dit Anthony avec un sourire narquois.

Leur fils regardait la télévision, les pieds sur la table basse. Son père les poussa d'une main en passant.

— Il a fait quoi ? dit-il d'un ton dur. Je vais aller dire un mot à ce…

Elle reposa violemment le fer.

— Oh, assieds-toi, pour l'amour du ciel. Tu sais comment il est. Et puis, ça n'a rien à voir avec ça. C'est sa façon de me faire courir à droite à gauche comme si j'étais sa domestique, chaque jour que Dieu fait. Cette fois-ci, j'ai eu ma dose. Pour de bon.

Lorsqu'elle avait compris que le vieil homme ne lâcherait pas l'affaire, elle était repartie chez elle chercher du riz au lait en boîte puis avait retraversé les planches en bois en pestant sur tout le chemin.

— C'est froid, avait-il dit en trempant un doigt dans le bol.

— Non, je l'ai réchauffé il y a dix minutes.

— C'est froid.

— Eh bien, monsieur Pottisworth, ce n'est pas facile de transporter de la nourriture depuis chez nous sans qu'elle perde un peu de chaleur.

Il avait grimacé en réponse.

— Je n'en veux plus. J'ai perdu l'appétit.

Il lui avait jeté un regard furtif, surprenant peut-être le tressaillement de sa joue. Elle s'était alors demandé si l'on pouvait tuer quelqu'un avec un plateau et une cuillère à dessert.

— Posez-le là. Je le prendrai peut-être plus tard. Quand je serai désespéré, avait-il ajouté en croisant les bras sur sa poitrine.

— Maman dit qu'elle va appeler les services sociaux, dit Anthony. Elle pense qu'ils pourront s'occuper de lui.

Matt, qui s'apprêtait à s'asseoir sur le canapé à côté de son fils, protesta, inquiet.

— Ne sois pas idiote. Ils le placeront en maison de retraite.

— Et alors ? Comme ça, ce sera à d'autres de se le coltiner, d'examiner ses escarres imaginaires, de laver ses draps et de lui apporter ses deux repas par jour. Parfait !

Soudain alarmé, Matt se leva.

— Il n'a pas un sou. Il lui faudra hypothéquer sa maison, tu ne comprends pas ? Remue tes méninges, ma vieille.

Laura lui faisait face. C'était une belle femme qui allait sur ses quarante ans, mince et élancée, mais son visage, rougi par la colère, était à présent celui d'une fillette récalcitrante.

— Je m'en fiche. Je te le dis, Matt, j'ai eu ma dose.

Il fit un pas rapide vers elle et l'enlaça.

— Viens, ma chérie. C'est bientôt fini pour lui.

— Neuf ans, Matt, dit-elle sèchement contre son torse. Neuf ans que je lui obéis au doigt et à l'œil. Quand on a emménagé, tu as dit qu'il ne passerait pas l'année.

— Mais pense à ce magnifique terrain, au jardin, aux écuries… Pense à la belle salle à manger que tu as imaginée. Pense à nous, en famille heureuse, sur le seuil…

Il laissa cette vision idyllique flotter devant elle, en replanta les racines dans l'imagination de sa femme.

— Écoute, le vieux est cloué au lit. C'est une ruine. Il n'en a plus pour longtemps, c'est évident. Et il a qui, à part nous ? fit-il avant de déposer un baiser sur sa tête. Les prêts sont en place et j'ai même fait dessiner les plans par Sven. Je te les montrerai plus tard, si tu veux.

— Tu vois, maman ? Vu sous cet angle, il n'y a pas de mal à lui montrer tes tétons de temps à autre, si ?

Anthony ricana, puis se mit à pousser des petits cris quand un tee-shirt fraîchement lavé vint lui fouetter l'oreille.

— Encore un peu de patience, dit Matt d'une voix tendre. Approche, ma chérie. Tiens bon, d'accord ?

Il la sentit s'adoucir et sut qu'il la tenait. Il lui serra la taille, laissant ses doigts suggérer qu'une compensation d'ordre privé s'ensuivrait cette nuit-là. Elle l'étreignit en retour et il se mit alors à regretter d'avoir fait ce détour, plus tôt dans la journée, pour voir la barmaid du *Long Whistle*.

T'as intérêt à y passer bientôt, vieux salaud, prévint-il Pottisworth en pensée. *Je ne sais pas combien de temps je pourrai encore tenir comme ça.*

* * *

Non loin de là, de l'autre côté de la vallée, dans la chambre principale de la grande maison, le vieillard gloussait devant un feuilleton comique. Tandis que le générique de fin défilait, il consulta l'heure et balança son journal au bout du lit. Dehors, une chouette hululait et un renard aboyait, défendant peut-être son territoire. Les animaux et les humains étaient semblables, pensa-t-il avec ironie, quand il s'agissait de revendiquer leurs biens. Le renard, avec son urine et ses crocs, n'était guère différent de Laura McCarthy, avec ses deux repas par jour, ses draps propres et autres manies. Tous marquaient leur domaine d'une façon ou d'une autre. Il fut pris d'une soudaine envie de chocolat. Avec une agilité qui aurait surpris ses voisins, il descendit de son lit et trottina jusqu'au placard où il cachait les douceurs que Byron lui rapportait quand il se rendait en ville. Il ouvrit la porte et fouilla derrière les livres et les dossiers divers jusqu'à trouver l'emballage de plastique lisse. Il saisit ce qu'il devina être un KitKat et le tira, anticipant le plaisir du chocolat fondant dans sa bouche, et se demandant s'il était bien nécessaire de remettre son dentier. Il referma d'abord la porte du placard. Inutile de dire quoi que ce soit à Laura, il valait mieux qu'elle le croie invalide. Les femmes dans son genre avaient besoin de se sentir utiles. Il sourit en repensant à la façon dont elle avait rougi lorsqu'il lui avait parlé de son jean moulant. Elle était facile à asticoter. Le meilleur moment de sa journée. Le lendemain, il la provoquerait d'une autre façon, en lui conseillant de monter à cheval pour s'amuser – ça la mettrait hors d'elle. Son sourire suffisant encore aux lèvres, il fit demi-tour et entendit le générique d'une autre de ses émissions préférées. Il leva les yeux. Perdu dans la musique, il ne vit pas le bol de riz au lait posé au sol, coagulant là où il l'avait laissé un peu plus tôt. Son vieux pied osseux atterrit d'abord sur le talon, et il glissa doucement sur le parquet. Du moins, c'est ce que le médecin légiste conclut lorsque les dernières heures de Samuel Pottisworth furent péniblement décrites devant le tribunal. Le bruit sourd que fit sa tête en heurtant le sol aurait pu être entendu deux étages au-dessous. Cependant, comme Matt McCarthy le fit remarquer, dans des bois aussi profonds, qui étouffaient le moindre son, on ne remarquait rien. Dans ces lieux, tout pouvait arriver.

Chapitre 2

— Dis : « S'il te plaît. »

Theresa le foudroya du regard. Matt se déplaça légèrement. Il planta ses yeux dans les siens. Son mascara avait coulé et lui donnait un air un peu vulgaire. De toute façon, Theresa l'était toujours, même dans sa tenue la plus élégante. C'était une des choses qu'il aimait chez elle.

— Dis : « S'il te plaît. »

Elle ferma les yeux, comme en proie à une lutte intérieure.

— Matt…

— Dis : « S'il te plaît. »

Il se redressa sur les coudes de sorte qu'aucune partie de son corps ne soit en contact avec elle, excepté ses pieds.

— Allez, dit-il doucement. Il faut demander.

— Matt, je…

— « S'il te plaît. »

Theresa ondula des hanches, dans un effort désespéré pour qu'elles rencontrent celles de Matt, mais celui-ci s'écarta davantage.

— Dis-le.

— Oh, tu…

Elle retint sa respiration lorsqu'il baissa la tête et fit courir ses lèvres le long de son cou, sur ses clavicules, le corps encore suspendu au-dessus d'elle pour la torturer. C'était délicieusement facile de la pousser à bout, plus facile qu'avec n'importe quelle autre de la maintenir à son point culminant. Elle ferma les yeux et se mit à gémir. Il goûta sa sueur, qui formait un film frais sur sa peau. Elle était dans cet état depuis presque trois quarts d'heure.

— Matt…

— Dis-le.

Il approcha les lèvres de son oreille, et sa voix se transforma en grondement sourd, tandis qu'il humait le parfum de ses cheveux et les senteurs musquées qui circulaient entre eux. Il aurait été si facile pour lui de lâcher prise, de s'abandonner aux sensations. Mais il prenait un malin plaisir à garder le contrôle.

— Dis-le.

Theresa entrouvrit les yeux, et il comprit qu'elle capitulait.

— S'il te plaît, murmura-t-elle du bout des lèvres.

Elle l'agrippa alors, et tout semblant de bienséance disparut.

— Oh… S'il te plaît, s'il te plaît, s'il te plaît.

Trois quarts d'heure.

Matt consulta sa montre. Puis, d'un mouvement fluide, il se redressa et descendit du lit.

— Bon sang, c'est déjà l'heure ? Désolé, bébé, dit-il en cherchant ses vêtements sur le sol. Je dois y aller.

Les cheveux de Theresa retombèrent sur son visage.

— Quoi ? Tu ne peux pas partir !

— Où sont passées mes bottes ? J'étais sûr de les avoir laissées là.

Elle le dévisagea d'un air incrédule, l'épiderme encore brûlant.

— Matt ! Tu ne peux pas me laisser comme ça !

— Ah. Les voilà.

Matt enfila ses bottes de travail, puis lui pinça la joue.

— Je dois y aller. Ce serait vraiment grossier de ma part d'arriver en retard.

— En retard ? En retard pour quoi ? Matt !

Il aurait très bien pu lui accorder ces deux minutes supplémentaires. Peu d'hommes en avaient conscience, mais l'imminence de l'étreinte était parfois plus délectable que l'étreinte elle-même. Matt descendit les marches d'un pas léger, un grand sourire aux lèvres. Il entendit Theresa pester contre lui jusqu'au moment où il atteignit la porte d'entrée. On célébra les obsèques de Samuel Frederick Pottisworth dans l'église du village. Des nuages menaçants s'étaient accumulés l'après-midi ; il faisait si noir que la nuit semblait déjà tombée. C'était le dernier des Pottisworth. Par conséquent, ou bien parce qu'il n'inspirait guère d'affection, il y eut peu de monde à ses obsèques. Les McCarthy, le médecin du défunt, son aide-soignante et son notaire étaient assis aux premiers rangs, espacés les uns des autres comme pour donner l'illusion que toutes les places étaient occupées sur les bancs de bois. Quelques rangs plus loin, conscient de sa réputation au village, Byron Firth, dont les chiens étaient sagement allongés à ses pieds, ne prêtait pas attention aux regards insistants et aux chuchotements des vieilles dames dans l'allée d'en face. Il avait l'habitude. Il s'était fait aux expressions méfiantes et aux apartés que sa présence suscitait chaque fois qu'il avait l'insolence de pointer son nez en ville, et avait appris depuis longtemps à leur opposer un visage de marbre. D'ailleurs, des affaires bien plus sérieuses occupaient son esprit. Au moment de sortir de chez lui, il avait surpris sa sœur au téléphone avec son petit ami : elle avait l'intention, semblait-il, d'emménager chez lui avec Lily. Assumer seul le loyer de leur maison était au-dessus de ses moyens, et, avec ses chiens, il avait peu de chances de trouver une colocation. Surtout, le vieil homme étant décédé, Byron se trouvait désormais au chômage. La succession continuerait à lui payer ses gages, mais pas éternellement. Il consulta distraitement les petites annonces dans le journal.

Une poignée de villageois étaient venus uniquement par plaisir. Mme Linnet, la femme de ménage du coin, mettait un point d'honneur à ne jamais manquer un seul enterrement. Elle pouvait en dresser une liste remontant à 1955, les classer en fonction de la participation, du choix des cantiques, de la qualité des roulés à la saucisse et des rôtis de porc. Elle avait amené avec elle deux de ses patronnes ; même si ces vieilles dames n'avaient pas connu le défunt, ça leur faisait une sortie, ainsi qu'elle l'avait expliqué au pasteur. D'autant plus que les McCarthy avaient sûrement prévu un beau buffet : Mme McCarthy savait recevoir son monde, comme tous ceux de son espèce.

Enfin, au fond de la salle, Asad et Henry, debout tout près l'un de l'autre, feignaient de suivre, le nez plongé dans le livre de cantiques.

— Regarde-les, tous sur leur trente et un, assis au premier rang comme s'ils faisaient partie de la famille, marmonna Henry dans sa barbe.

— Si ça peut soulager leur peine, dit Asad, qui, du fait de sa haute taille, devait se voûter pour être sûr qu'ils puissent tous deux suivre les paroles dans le livret. Elle est très jolie aujourd'hui. C'est un nouveau manteau, on dirait.

En laine rouge vif, à la coupe militaire, il se détachait dans l'obscurité de la petite église.

— Ils espèrent sûrement tirer un peu d'argent. Hier, elle m'a dit que son mari avait versé un acompte pour une quatre roues motrices flambant neuve.

— Elle le mérite. Toutes ces années aux petits soins pour cet odieux bonhomme. Moi, je ne l'aurais pas fait.

Asad secoua la tête. Les traits de son visage, gracieux et un peu tristes, révélaient ses origines somaliennes. Il renvoyait, en toutes circonstances, une image de dignité, disait Henry. Même en pyjama imprimé.

— De quel odieux bonhomme parles-tu exactement ? chuchota Henry.

Le cantique prit fin. La petite assemblée se rassit, avec le bruit sourd des vieux missels heurtant le bois, pour la dernière partie de l'office.

— Samuel Pottisworth, dit le pasteur, fut… fidèle à lui-même tout le long de sa vie.

Il sembla hésiter, puis poursuivit.

— C'était l'un des membres les plus… anciens de notre congrégation.

— McCarthy lorgne cette maison depuis des années, chuchota Henry. Regarde-le, à côté d'elle – comme si de rien n'était.

Asad lui lança un regard interrogateur, puis tourna la tête vers le couple installé quelques rangs devant eux.

— Figure-toi qu'il était avec Theresa, la barmaid du pub, à peine une demi-heure avant d'arriver ici. Ted Garner est passé acheter des bonbons au magasin juste avant la fermeture. Il prétend avoir vu son van garé devant la maison de la fille.

Henry fit la grimace.

— Il y avait peut-être des travaux à faire chez elle, dit Asad avec optimisme. Il paraît que ça défile, chez elle.

Henry ajusta ses lunettes de lecture.

— Elle avait peut-être besoin qu'on lui débouche ses tuyaux.

— Et il est censé être très doué pour ce genre de choses…

Les deux hommes se mirent à glousser et luttèrent pour se donner une contenance quand le pasteur leva les yeux de ses notes, les sourcils haussés, avec un air perplexe et las.

À y regarder de plus près, il semblait plutôt dire : « Allez, aidez-moi un peu. »

Asad se redressa.

— Mais les médisances, ce n'est pas notre truc, murmura-t-il.

— Non, c'est justement ce que je disais à Mme Linnet quand elle est venue acheter des cachets contre la migraine – la deuxième boîte en trois jours : « Pas de médisances dans notre boutique. »

En dépit des circonstances, Matt McCarthy avait du mal à afficher une tête d'enterrement. Il avait envie de sourire. De chanter même. Plus tôt dans la matinée, un des couvreurs lui avait demandé à deux reprises ce qui le rendait si heureux.

— Vous avez gagné au Loto ou quoi ?

— En quelque sorte, avait répondu Matt.

Ensuite, il s'était éclipsé pour la quinzième fois, ses plans sous le bras, pour inspecter la façade de la maison.

Il n'aurait pu espérer un meilleur dénouement. Laura avait atteint son seuil de tolérance avec le vieux, et Matt s'était inquiété toute la soirée. Si elle avait refusé de continuer à porter ses repas à Pottisworth, tout serait tombé à l'eau. En fait, la nouvelle l'avait tellement enthousiasmé lorsque Laura lui avait téléphoné, bouleversée, la voix tremblante, qu'il avait tenu à être à ses côtés au moment où le médecin arriverait pour constater le décès. Laura s'était agrippée à lui, le croyant revenu pour la soutenir dans l'épreuve, mais, tout au fond de lui, chose inavouable, il avait du mal à croire que le vieux salaud avait cassé sa pipe pour de bon. Qui savait s'il n'allait pas se relever et réclamer « une petite tranche de rôti » dès que Matt aurait eu le dos tourné? L'office était terminé. Le petit groupe endeuillé sortit dans la grisaille, s'interrogeant sur la suite des festivités. Il était évident que personne n'allait escorter le vieillard jusqu'au cimetière.

— J'ai trouvé très aimable à vous et à Mme McCarthy d'organiser les funérailles de M. Pottisworth, dit Mme Linnet en posant une main légère comme une plume sur le bras de Matt.

— C'était la moindre des choses, dit-il. M. Pottisworth faisait partie de la famille. Surtout pour ma femme. Il va lui manquer, c'est sûr.

— Peu de gens ont droit à un tel élan de générosité de la part de leurs voisins dans leurs derniers jours, ajouta Mme Linnet. Et qui peut dire ce qui motive de tels gestes? Il avait vraiment beaucoup de chance.

Asad Suleyman, l'un des rares hommes du village à côté desquels Matt se sentait petit, s'était approché. Matt leva brusquement les yeux vers lui, mais l'expression d'Asad, comme d'habitude, était indéchiffrable.

— Eh bien, vous connaissez Laura, dit-il. Dans sa famille, on aime faire les choses dans les règles. Les formalités, c'est son truc, à ma femme.

— On se demandait, monsieur McCarthy, si vous alliez témoigner votre sympathie à M. Pottisworth d'une quelconque façon aujourd'hui…, poursuivit Mme Linnet par-dessous le rebord de son chapeau de feutre.

Derrière elle, deux autres vieilles dames attendaient avec impatience, serrant leur sac à main contre leur poitrine.

— De la symp… ? Bien sûr. Vous êtes toutes les bienvenues, mesdames. Nous devons offrir à ce cher M. Pottisworth un adieu convenable, non ?

— Et vous, monsieur Suleyman ? Devez-vous retourner à la boutique ?

— Oh, non.

Henry Ross était apparu derrière lui.

— On ferme plus tôt le mercredi. Cela n'aurait pu tomber mieux pour nous, monsieur McCarthy. Nous serions ravis de témoigner notre… euh… sympathie.

— Nous sommes tout à vous, renchérit Asad, rayonnant.

Mais rien n'aurait pu gâcher la journée de Matt.

— Formidable ! Dans ce cas, tout le monde à la maison ! On va porter un toast en l'honneur de ce monsieur. Je vais prévenir le pasteur. Mesdames, attendez-moi près de ma voiture, je vais vous conduire.

La maison que Matt McCarthy avait construite, ou plutôt rénovée avec l'argent de sa femme, était autrefois une petite remise à voitures, en bordure des bois, avant que son allée soit séparée de celle de la maison espagnole. À l'extérieur, elle était en harmonie avec le style architectural des environs : une façade néo-georgienne, de longues et élégantes fenêtres et une façade en silex. L'intérieur, en revanche, était moderne. Il y avait des spots encastrés, un grand salon ouvert au plancher stratifié, ainsi qu'une salle de jeu équipée d'un billard que Matt et son fils délaissaient depuis plusieurs années. La bâtisse était au beau milieu de la campagne, les bois isolaient les deux maisons l'une de l'autre. À deux kilomètres de là se trouvait le village de Little Barton, avec son pub, son école et son épicerie. Mais la longue allée sinueuse, qui permettait autrefois un passage aisé depuis la route la plus proche, était à présent envahie par la végétation, pleine d'ornières, à l'abandon ; ainsi, Matt et sa femme avaient fait l'acquisition de robustes véhicules à quatre roues motrices, qui leur permettaient de partir de chez eux sans encombre. De temps à autre, Matt parcourait les cinq cents mètres de chemin les plus accidentés pour aller chercher des visiteurs : à deux reprises, d'élégantes voitures de sport avaient eu leurs tuyaux d'échappement arrachés, et Matt, qui n'était pas naïf en affaires, n'aimait pas démarrer une relation professionnelle par des excuses. Il avait eu envie, à plusieurs reprises, de combler l'allée de blocaille, mais Laura l'en avait dissuadé, lui disant que c'était tenter le sort.

— Tu feras ce que tu voudras quand la maison sera à toi. Ça ne rime à rien de dépenser autant d'argent pour les autres.

À présent, la table était pleine de bons vins – beaucoup trop, vu le nombre de personnes qui s'étaient présentées, mais Matt McCarthy ne tenait pas à passer pour mesquin. Et un peu de vernis facilitait les affaires. C'était bien connu.

— Alors tu as assisté à l'enterrement ?

— Il fallait bien que quelqu'un le fasse, pour être sûr que le vieux ne se relève pas.

Il tendit à Mike Todd, l'agent immobilier du coin, un large ballon de vin rouge.

— Derek est arrivé ? J'imagine qu'il voudra me parler de la mettre sur le marché une fois la succession réglée. Tu sais, le terrain est vraiment fabuleux, mais ça va coûter une fortune de remettre cette épave en état. La dernière fois que je suis passé, c'était… il y a quatre ans ? Et ça tombait déjà en ruine.

— C'est vrai qu'elle est en piteux état.

— C'est quoi déjà, l'inscription latine au-dessus du portail ? « *Cave* » ? Ça veut dire « Prenez garde », c'est ça ? Un bon conseil, je trouve.

Matt se pencha vers lui.

— N'y compte pas trop, Mike.

— Tu sais quelque chose que j'ignore ?

— Disons que tu pourrais bien mettre la mienne en vente avant de t'occuper de l'autre.

Mike hocha la tête.

— Je m'en doutais. Et puis… j'aurais sûrement une belle commission avec la tienne. Il y a une forte demande pour ce genre de maison. Tu savais que le *Sunday* avait classé notre patelin sur la liste des lieux les plus courus ?

— Tu risques d'être débordé, alors. Mais tu m'obtiendras un bon taux, hein ?

— Je m'occupe toujours bien de toi, Matt, tu le sais. À ce propos, j'ai quelque chose pour toi. Une femme a fait une offre sur l'ancienne grange derrière l'église. C'est un énorme chantier qui l'attend, et je lui ai dit que je connaissais l'entrepreneur parfait pour ça. On pourrait tous les deux faire notre beurre là-dessus.

Il prit une longue gorgée de vin et fit claquer ses lèvres.

— De plus, si tu as l'intention de retaper cette épave, toute entrée d'argent sera bonne à prendre.

Il y eut bien plus de monde à cet apéritif qu'à l'office funéraire, Laura ne manqua pas de s'en étonner. Elle vit par la fenêtre que le ciel s'était éclairci et sentit presque l'odeur de moisi qui s'élevait des bois. Elle y avait promené son chien plus tôt, et, en ce mois de septembre, on détectait déjà dans l'air ce subtil changement annonciateur de l'automne. Elle se concentra de nouveau sur le cake aux fruits qu'elle avait disposé sur une assiette et s'apprêtait à apporter au salon. Si les convives s'éternisaient, ce qui, hélas, risquait fort d'arriver, elle devrait jouer les hôtesses jusqu'à une heure avancée de la soirée. Il en allait ainsi des petites communautés. Les gens menaient tous des vies si solitaires qu'ils sautaient sur le moindre événement pour boire jusqu'à plus soif. À ce rythme, il lui faudrait demander aux cousins de rouvrir l'épicerie du village pour elle.

— Ça va, ma beauté ?

Matt l'enlaça par la taille. Durant toute la semaine, il s'était montré charmant, enjoué, détendu, attentionné. Elle devait s'avouer, non sans un sentiment de culpabilité, que la mort de M. Pottisworth avait été une bénédiction.

— Je me demande dans combien temps on pourra les flanquer dehors, murmura-t-il.

— Les vieilles dames auront bientôt besoin d'être reconduites chez elles, à mon avis. Mme Linnet en est à son troisième gin et se met à délirer, et Mme Bellamy roupille sur un tas de manteaux à l'étage.

— Elles vont se mettre à draguer les cousins si ça continue comme ça.

Laura sourit et posa une pelle à gâteau sur le plat. Puis elle se retourna pour lui faire face. Il était aussi beau que le jour de leur rencontre. La patine de son visage, les sillons qui couraient aux coins de ses yeux ne le rendaient que plus séduisant. Parfois, cela la faisait tiquer ; ce jour-là, sous l'effet du vin et libérée d'un poids, elle s'en réjouissait.

— Tout va changer maintenant, pas vrai ? dit-elle.

— Oh que oui.

Il se pencha vers elle pour l'embrasser, et elle laissa ses mains glisser autour de sa taille, sentant son corps familier contre le sien, ses muscles tendus, résultat d'un dur labeur. Elle se dit qu'elle ne s'était jamais trouvée près de lui sans qu'une pointe de désir la traverse. Elle lui rendit son baiser, éprouva un bref et rassurant sentiment de possession dans la pression de ses lèvres contre les siennes. Dans ces moments-là, tout en valait la peine, elle le retrouvait tel qu'au début. Tout ce qui appartenait au passé n'était qu'aberration.

— J'interromps quelque chose ?

Matt leva la tête.

— Si tu ne l'as toujours pas compris, Anthony, alors les cours de biologie qu'on t'a payés n'auront servi à rien.

Laura s'extirpa de l'étreinte de son mari et s'empara du plateau où était posé le gâteau.

— Ton père et moi étions en train de discuter de l'avenir, dit-elle. Du merveilleux avenir qui nous attend.

À certains moments, Matt McCarthy se sentait plutôt fier de sa femme. Tout en rajustant discrètement son pantalon, il la regarda se diriger vers le salon et dressa mentalement la liste de ses attributs : taille encore fine, jambes fuselées, démarche élégante. Pas mal pour son âge.

— Tu ne sors pas ? demanda-t-il à son fils. Je pensais que tu serais parti depuis longtemps.

Anthony n'affichait pas son habituel sourire complice, mais son père ne le remarqua pas immédiatement.

— Shane m'a ramené après le foot.

— Sympa de sa part.

— J'ai vu ton van dans l'allée de Theresa Dillon.

Matt hésita.

— Ah bon ?

— Je ne suis pas idiot. Et maman non plus, contrairement à ce que tu crois.

Tout l'entrain de Matt s'évanouit. Il s'efforça de garder un ton léger.

— Je ne sais pas de quoi tu parles.

— Bon.

— Tu m'accuses de quelque chose ?

— Tu as dit à maman que tu venais directement du magasin de bricolage. C'est à plus de vingt kilomètres de l'église.

Nous y voilà, pensa Matt. Sa colère fut légèrement atténuée par la fierté que lui inspira son fils : il était loin d'être bête et n'avait pas peur de son père. Il avait du cran.

— Écoute-moi bien, inspecteur Clouseau. Je me suis arrêté chez Theresa parce qu'elle m'avait demandé un devis pour un changement de fenêtre. Non pas que ce soient tes oignons.

Son ridicule bonnet de laine incliné sur le front, l'adolescent ne dit rien. Il se contenta de dévisager Matt, lui faisant comprendre que son excuse n'était pas crédible.

— Après son appel, je me suis rendu compte que la course que j'avais à faire pouvait attendre demain, ajouta-t-il.

Anthony baissa les yeux.

— Tu me crois vraiment capable de traiter ta mère de cette façon ? Après tout ce qu'elle a fait pour nous et pour ce vieux monsieur ?

Peut-être le tenait-il cette fois : il y avait de l'incertitude dans le regard de son fils. Matt lui avait fait une réponse instinctive – ne jamais admettre, ne jamais justifier. Le genre de réponse qui l'avait tiré d'affaire un nombre incalculable de fois.

— Je ne sais pas. Si tu le dis.

— Exactement. La prochaine fois, fais marcher ta tête avant d'ouvrir la bouche.

Il le tenait pour de bon.

— Tu as passé toute ta vie au village, ajouta Matt. J'avais dit à ta mère qu'on aurait dû te faire connaître des endroits plus animés.

Il lui donna une tape sur la tête.

— Les gens d'ici n'ont pas de vie, alors ils se mettent à inventer des histoires, ils s'imaginent des trucs farfelus. Bon sang, tu t'écoutes un peu ! Tu es aussi médisant que toutes ces vieilles dames.

— Je l'ai déjà vue avec toi, tu oublies ? répliqua Anthony, agacé.

— Et alors, je n'ai pas le droit de flirter un peu ? De parler à une jolie femme ? Je devrais marcher la tête baissée pour ne croiser aucun regard ? Peut-être qu'on devrait demander à Mme Linnet de me confectionner une burqa.

Anthony secoua la tête.

— Écoute, fiston. Tu as peut-être seize ans, mais tu dois encore grandir un peu. Si tu crois que ça plairait à ta mère que je sois son petit caniche, tu ne connais pas grand-chose à la nature féminine. Bon, si tu te trouvais une occupation, au lieu de jouer les Miss Marple ? Et fais-toi couper les cheveux, bon sang.

Lorsque son père claqua la porte de la cuisine, Anthony courba le dos en signe de défaite.

L'après-midi glissa vers le crépuscule, puis vers l'obscurité, le lourd manteau de nuit tomba sur la maison, sur les arbres et les champs, écrasant tout sous un noir profond. Derrière les fenêtres éclairées des McCarthy, aucun de ceux qui s'étaient invités n'avait manifesté la moindre intention de partir. Ni aucun signe de deuil, d'ailleurs. À mesure qu'avait baissé le niveau des bouteilles, les anecdotes autour de Samuel Pottisworth s'étaient faites de plus en plus irrévérencieuses ; on en était même venu à évoquer les longs caleçons de laine qu'il portait été comme hiver, ou les remarques salaces dont il gratifiait sa jolie aide-soignante. On ne savait plus qui avait eu l'idée de poursuivre les festivités dans la grande maison. Mais, l'ivresse aidant, et sous les éclats de rire, on avait fini par ouvrir les portes-fenêtres. Laura cherchait son mari lorsqu'elle comprit dans quelle direction partait le groupe désordonné. Dehors, l'air était d'une douceur inhabituelle, traversé par les hurlements nocturnes de bêtes sauvages et la lueur vacillante des torches ; les bois bruissaient sous les pas des promeneurs et les cris des vieilles dames cherchant leur chemin dans le noir. Les premières feuilles d'automne crissaient sous leurs semelles.

— Et il ne s'est pas privé pour draguer ma femme, fit remarquer Matt. Ce vieux pervers. Faites attention avec ces planches, mesdames.

— Matt, dit Laura en arrivant à son niveau. Arrête ça, s'il te plaît.

— Oh, allez, ma chérie. Tu ne vas pas prétendre que c'était un enfant de chœur.

Il adressa un clin d'œil à Mike Todd, qui tenait son verre de vin en l'air comme s'il craignait de le renverser.

— Tout le monde ici le connaissait. Pas vrai, Mike ?

— Je ne crois pas que ce soit bien, insista Laura.

— De dire du mal des morts ? Je ne fais que raconter la vérité. Comme tout le monde ici, hein ? Et puis, c'est fait avec affection.

— Quand même…

La maison surgit devant eux, illuminée par le clair de lune que reflétaient les eaux calmes du lac. Dans la lueur bleutée, elle semblait spectrale, moins solide qu'en plein jour, la brume qui s'élevait de terre donnant l'impression qu'elle flottait. Sur le bloc de brique rouge formant le mur de l'aile est s'ouvraient des fenêtres de style gothique, tandis que les constructions les plus récentes, correspondant aux ailes nord et sud, étaient habillées du traditionnel silex du comté de Norfolk. Au-dessus du gigantesque bow-window de la chambre principale, deux remparts donnaient sur le lac. C'était un lieu grandiose mais sans charme, un bâtiment étrange et contradictoire, à l'image de ses anciens propriétaires. Mais il avait du potentiel. Laura retint un frisson involontaire. La grande maison. Celle qu'elle allait recréer, dans laquelle elle passerait le restant de ses jours. Celle qui prouverait à ses parents, à tout le monde, qu'elle avait eu raison d'épouser Matt.

— Regardez-la, lança Matt. Il l'aurait laissée tomber en ruine.

— Je me souviens du temps où ses parents y vivaient, dit Mme Linnet, agrippée au bras d'Asad. C'était magnifique, ils savaient l'entretenir. Il y avait des paons de pierre ici et là, des bateaux sur le lac, et toute cette façade était bordée de rosiers splendides. Avec un vrai parfum de rose, pas comme les fleurs d'aujourd'hui.

— Ça devait être quelque chose, dit Asad. Cette maison pourrait retrouver sa splendeur, si elle était entre de bonnes mains.

— Je n'aimerais pas y habiter. Au beau milieu des bois, comme ça...

Laura regarda son mari, qui se tenait légèrement à l'écart du groupe, perdu dans ses pensées, la tête inclinée en arrière. Il semblait reposé. Comme si une tension présente depuis longtemps s'était enfin relâchée. Elle se demanda brièvement si elle-même renvoyait cette impression, mais en douta.

— Matt, fit le notaire Derek Wendell à voix basse, je peux vous parler une minute ?

— Je vous ai raconté la fois où il a voulu vendre le champ de quinze hectares ? Celui à côté de la vieille grange ? intervint Mike Todd avec emphase. On lui avait offert un bon prix, bien au-dessus de ce qu'il en avait demandé. Tout était réglé. Et puis il a rencontré l'acheteur dans le bureau du notaire.

Il marqua un arrêt pour ménager un effet dramatique.

— Un vrai désastre.

— Continuez, Mike, le pressa Laura.

Elle se sentait pompette. Elle avait bu tout l'après-midi, ce qui lui arrivait rarement. D'ordinaire, elle se restreignait, n'aimant pas se réveiller avec la gueule de bois.

— Il a découvert que celui-ci était français. Ou du moins ses parents – le pauvre homme vivait là depuis vingt ans. Et c'en fut fini. « Je ne vendrai pas mon bien à un de ces vendus. Jamais un Français ne posera ses sales pattes sur la terre de mes ancêtres… » Ironiquement, aucun Pottisworth n'avait jamais pris les armes durant la guerre. Ils s'étaient tous débrouillés pour se faire réformer.

— Personne ne trouvait grâce à ses yeux, fit Matt en levant la tête vers la maison.

— Mais si, Mme McCarthy, avec tout ce qu'elle faisait pour lui…

— Même pas, fit Matt. Même pas Laura. Pas à ma connaissance.

Il s'était assis sur l'un des longs murets qui entouraient la maison, percé de marches menant vers l'ancienne allée. Il affichait un air décontracté de propriétaire, comme s'il posait pour un photographe.

— Matt, insista Derek Wendell, derrière son épaule à présent. Il faut vraiment que je vous parle.

Laura remarqua l'expression de l'homme avant que son mari y prête attention. Même dans son état d'ivresse cotonneuse, elle y lut quelque chose qui lui rendit son sérieux.

— C'est à propos du testament, c'est ça ? On ne pourrait pas discuter des détails plus tard ? répondit Matt en lui donnant une tape dans le dos. Vous n'arrêtez donc jamais de travailler, Derek ?

— Je n'ai pas mis les pieds dans cette maison depuis trente ans, annonça Mme Linnet derrière eux. La dernière fois, c'était pour les funérailles du vieux monsieur. Il y avait deux chevaux noirs qui tiraient le cercueil. J'ai voulu en caresser un, et il m'a mordue. Regardez, fit-elle en tendant la main. J'ai encore la cicatrice.

Les gens parlaient tous en même temps à présent, préférant raconter qu'écouter.

— Je me souviens de son enterrement, dit Matt. J'étais en haut de l'allée avec mon père. Il ne voulait pas franchir le portail, juste regarder le cortège passer de loin. Je me rappelle l'avoir vu pleurer, malgré tout ce qui s'était passé. Dix ans après avoir été mis à la porte, après s'être retrouvé à la rue, sans rien, il pleurait pour ce vieil homme.

Laura écoutait sans bouger. Derek, tout près de Matt dont il essayait de capter l'attention, se tourna brièvement vers elle et elle comprit immédiatement ce qu'il tentait de dire à son mari. Il lui sembla que le monde se détachait d'elle, tels des quartiers d'orange. Elle cligna des yeux, comme pour se convaincre que l'obscurité ou l'abus d'alcool avaient altéré son jugement. Mais ensuite Derek se pencha vers Matt et lui murmura quelque chose à l'oreille ; aux traits durcis de son mari, au « Quoi ? *Quoi ?* » qui vint déchirer la nuit odorante, elle sut que le vieillard était en effet resté fidèle à lui-même, comme le pasteur l'avait dit. Jusque dans la mort.

Chapitre 3

ELLE AVAIT DU MAL À JOUER DU VIOLON LORSQU'ELLE pleurait. L'angle formé par sa tête était tel que les larmes se ramassaient brièvement dans le petit creux situé entre le conduit lacrymal et le nez, avant de s'écouler sur son visage ou, pire, d'inonder l'instrument ; il fallait alors immédiatement l'essuyer pour éviter que le bois ne soit taché ou endommagé. Isabel s'interrompit pour saisir son grand mouchoir blanc et essuyer les gouttelettes qui s'étaient déposées sur la surface brillante. Pleurer et jouer. Il aurait fallu séparer ces deux activités. Mais, en jouant, elle avait le droit d'exprimer ses sentiments. Dans ces moments seulement, elle s'autorisait à ôter son masque de bravoure, elle n'était plus obligée d'être maman, belle-fille, employeuse efficace ou – horreur suprême – « jeune veuve stoïque ».

« Maman. »

Kitty l'appelait depuis plusieurs minutes. Elle avait tenté de faire abstraction de la voix de sa fille, s'accrochant aux dernières mesures de la *Cinquième* de Mahler pour retarder le moment où il lui faudrait rejoindre la vraie vie. Mais les appels de Kitty se faisaient de plus en plus insistants. « Maman ! » Elle ne jouerait pas correctement sans une concentration optimale. Elle décolla le violon de son menton, s'essuya les yeux, puis cria en essayant de mettre de la légèreté dans sa voix :

— Qu'y a-t-il ?

— M. Cartwright est là.

Cartwright… Cartwright…

Elle rangea son instrument dans son étui, puis ouvrit la porte du grenier et descendit lentement l'escalier. Ce nom ne lui disait rien, mais il n'était pas impossible qu'elle l'ait déjà entendu. Avant la mort de Laurent, elle n'avait pas eu besoin de connaître autant de noms.

— J'arrive, dit-elle.

Cartwright. *Monsieur* Cartwright. Une relation professionnelle sans doute. Pas un voisin. Ni un ami de Laurent. Ceux-là passaient encore de temps à autre, exigeant du réconfort lorsqu'ils venaient d'apprendre la nouvelle, comme si c'était à elle, à présent, assise avec eux sur son canapé, de gérer le chagrin des autres. Ce n'était pas non plus un de ses amis à elle, elle avait gardé peu de contacts depuis son départ de l'orchestre. Cartwright. Elle jeta un coup d'œil dans le salon et vit, avec un vague soulagement, que l'homme en costume gris foncé et cravate installé sur le sofa lui était familier. Il avait assisté à l'enterrement. Elle tenta de reprendre ses esprits, puis tourna son regard vers la cuisine, où Kitty préparait du thé.

— Mary ne peut pas s'en occuper ?

— C'est son après-midi de congé. Je te l'ai dit tout à l'heure.

— Oh.

Elle était de plus en plus distraite. Sa fille porta le thé à l'homme, qui s'extirpa difficilement du canapé bas et tendit la main droite. Avec ses chaussures lustrées, son allure guindée, il détonnait dans le léger chaos du salon. Elle vit soudain cette pièce à travers les yeux d'un visiteur. Des piles de livres et de magazines encombraient les tables. Sur l'accoudoir du sofa, on avait oublié un masque d'Halloween et un tas de linge. Une de ses culottes menaçait de tomber sur les coussins. Thierry était assis devant la télévision, indifférent au désordre ambiant.

— Madame Delancey, j'espère ne pas arriver à un mauvais moment.

— Non, pas du tout, le rassura-t-elle avec un geste conciliant de la main. Je suis ravie de vous voir. J'étais simplement… à l'étage.

Kitty s'assit en tailleur sur le fauteuil rouge damassé. Le tissu du siège était si élimé que le rembourrage gris s'en échappait par endroits, et Isabel vit sa fille tenter discrètement de le remettre à l'intérieur.

— M. Cartwright est venu parler d'argent, dit-elle. Ton thé est servi, maman.

— Bien sûr. Merci.

Comptable ? Conseiller financier ? Notaire ? Laurent avait toujours eu affaire à ce genre de personnes.

— Avez-vous besoin que je signe un papier ?

M. Cartwright se pencha en avant, ce qui n'était pas aisé étant donné que son séant était quinze centimètres plus bas que ses genoux.

— Pas exactement. En fait, il serait préférable que nous ayons cette conversation… ailleurs.

Il jeta un regard lourd de sens à Thierry, puis à Kitty. Le garçon éteignit le poste à contrecœur.

— Tu peux la regarder dans la chambre de Mary, mon chéri. Je suis sûre que ça ne la dérangerait pas.

— La télécommande est cassée, dit Kitty.

— Ah… peut-être…

Mais Thierry était déjà parti.

— Je reste ici, ajouta l'adolescente d'une voix calme. Parfois, il est plus facile de se rappeler les choses quand on est deux.

— Ma fille est très… pragmatique pour son âge.

M. Cartwright parut mal à l'aise, mais se rendit à l'évidence ; il n'avait pas le choix.

— Voilà plusieurs semaines que j'essaie de vous joindre, commença-t-il. Je pense que vous devriez avoir un aperçu global de votre situation financière maintenant que… euh… que la poussière est retombée.

Son choix de mots le fit rougir. Il posa son attaché-case sur ses genoux, en souleva le rabat d'un geste sûr – c'était peut-être là le moment le plus agréable de sa journée – et en sortit une liasse de documents, qu'il étala soigneusement sur la table basse. Il interrompit son geste lorsque ses yeux se posèrent sur « La Pile ».

— Maman ne s'occupe pas du courrier, expliqua Kitty. On attend que le tas soit à la limite de l'effondrement.

— Je vais le trier, Kitty. J'ai juste pris un peu de retard.

Isabel adressa un sourire gêné à M. Cartwright, qui fut incapable de dissimuler son effarement à la vue de la pile vacillante d'enveloppes encore scellées.

— C'est pour ça que vous n'avez pas eu de réponse, ajouta Kitty.

— Eh bien, il serait… sage d'y jeter un œil, suggéra-t-il d'un ton prudent. Il y a peut-être des factures.

— Oh, pas de problème de ce côté-là, dit Kitty. J'ouvre tout ce qui est rouge, je remplis les chèques et maman les signe.

L'homme prit un air désapprobateur. Le même air qu'affichaient les autres mamans en apprenant que la nounou s'occupait de leurs repas, ou qu'Isabel ne connaissait pas les prénoms des amis de ses enfants. Une expression qu'elle lisait également sur les visages de ceux qui leur rendaient visite depuis la mort de Laurent, lorsqu'ils découvraient la pagaille de la maison. Il arrivait même à Mary d'adopter cette expression quand Isabel restait clouée au lit à gémir au lieu de l'aider à préparer les enfants pour l'école. Cette période, durant laquelle elle avait eu le sentiment d'être à moitié folle, de voir Laurent sur tous les visages, maudissant le ciel de le lui avoir enlevé, était révolue. Mais son chagrin était loin de s'être tari. M. Cartwright prit un stylo et referma sa mallette.

— Je n'ai pas de bonnes nouvelles à vous annoncer.

Isabel eut presque envie de rire. *Mon mari est mort*, pensa-t-elle. *Mon fils est encore sous le choc et s'enferme dans le mutisme. Ma fille a vieilli de vingt ans en neuf mois et refuse d'admettre que les choses vont mal. J'ai dû renoncer à la seule chose que j'aime faire, à la seule chose à laquelle je m'étais juré de ne jamais renoncer, et vous croyez pouvoir m'annoncer de mauvaises nouvelles ?*

— Maintenant que du temps a passé et que le… euh… l'aspect légal des choses a été réglé, j'ai examiné attentivement les finances de Laurent et il semble qu'il n'était pas aussi… solide que nous aurions pu le croire.

— Solide ?

— J'ai bien peur que la situation dans laquelle il vous a laissée soit moins confortable que vous ne le pensiez.

Ça n'a rien de catastrophique, eut-elle envie de lui dire. *L'argent n'a jamais été important pour moi.*

— Mais nous avons la maison. Et son assurance vie. Ça ne doit pas être si grave.

M. Cartwright parcourait le document qu'il avait entre les mains.

— Voici un résumé, dit-il. En haut à gauche, c'est son capital, et en face une liste de ce que M. Delancey devait rembourser quand il… s'est éteint.

— Il est mort, rectifia Isabel. Je déteste cette expression, ajouta-t-elle tout bas, sous le regard réprobateur de Kitty. Il… Il est mort. Mon mari est mort.

À quoi bon prendre des gants ? Autant le dire crûment, avec des mots aussi durs que la réalité qu'ils décrivaient.

M. Cartwright resta silencieux pendant qu'Isabel ravalait la boule dans sa gorge. Les joues rouges, elle s'empara du document.

— Je suis désolée, dit-elle distraitement. Je ne suis pas à l'aise avec les chiffres. Vous pourriez m'expliquer ?

— Pour le dire simplement, madame Delancey, votre mari avait lourdement hypothéqué cette maison pour maintenir votre train de vie. Il espérait que votre propriété continuerait d'acquérir de la valeur. Cela peut arriver et, dans ce cas, votre situation n'est pas si mauvaise. Mais il y a un problème plus important : lorsqu'il a prolongé l'hypothèque, il n'a pas assez alimenté son assurance vie pour couvrir la nouvelle somme. En fait, il s'est servi sur l'une de ses polices.

— Et ce nouveau travail ? dit-elle d'un air vague. Il disait que son nouveau job lui vaudrait de gros bonus. Je ne comprenais pas bien... Je n'ai jamais vraiment compris ce qu'il faisait, ajouta-t-elle avec un sourire contrit. Il était dans les... marchés émergents ?

Son visiteur la regardait comme si tout se passait d'explications.

— Je ne... Pourriez-vous nous expliquer en quoi cela va nous affecter ? demanda-t-elle.

— La maison n'est pas payée. Le versement de l'assurance vie ne couvrira que la moitié de ses dettes, et d'importants remboursements d'emprunts resteront en suspens, des remboursements dont je ne suis pas certain que vous serez en mesure de les régler. Jusqu'à présent, l'argent de votre compte joint et de vos comptes d'épargne les couvrait, mais j'ai bien peur qu'il n'en reste pas grand-chose. Vous toucherez un pourcentage de la pension de votre mari, et peut-être y aura-t-il quelques bénéfices, mais il vous faudra trouver d'autres moyens de rembourser l'hypothèque restante si vous souhaitez conserver votre maison.

C'était comme un croassement de corbeau, un son hideux qui vous perçait les tympans. À un moment, elle avait cessé d'entendre des mots sensés et ne percevait plus qu'un jargon informe. Assurance. Remboursements. Décisions financières. Toutes ces choses qu'elle se sentait incapable d'affronter. Sentant la migraine venir, elle inspira profondément.

— Dans ce cas, monsieur Cartwright, que puis-je faire ?

— Faire ?

— Ses investissements ? Ses économies ? Il doit bien y avoir quelque chose que je puisse vendre pour rembourser l'hypothèque.

Sans doute était-ce la première fois de sa vie qu'elle prononçait ce mot. Elle s'adressa intérieurement à Laurent.

Je n'ai jamais cherché à comprendre ces choses. C'était ton rôle, pas le mien.

— Je dois vous dire, madame Delancey, qu'au cours des mois précédant sa mort, monsieur Delancey a fait de lourdes dépenses. Il a vidé plusieurs comptes. Tout comme son assurance vie, l'argent restant servira à régler ses dettes contractées par cartes de crédit et ses… euh… arriérés de pension alimentaire dus à son ex-femme. Comme vous le savez, en tant qu'épouse, vous n'aurez pas de droits de succession à payer sur ses biens immobiliers, mais je suggère qu'en attendant vous réduisiez autant que possible vos dépenses.

— Qu'est-ce qu'il a fait de tout cet argent ? demanda Kitty.

— J'ai bien peur qu'il ne vous faille consulter ses relevés de carte bancaire pour vous faire une idée. La plupart des talons de chèque sont vierges.

Isabel tenta de se rappeler ce qu'ils avaient fait au cours des derniers mois. Mais sa mémoire, depuis la mort de Laurent, s'était embrumée. Les années passées avec lui s'étaient muées en une réserve fluctuante de souvenirs. Ils avaient mené la belle vie, pensa-t-elle avec tristesse. De longues vacances dans le sud de la France, plusieurs sorties au restaurant par semaine. Elle ne s'était jamais demandé d'où venait l'argent.

— Ça veut dire plus de frais scolaires ? Plus de nounou ?

Elle avait presque oublié la présence de Kitty. Elle vit alors que sa fille prenait des notes. M. Cartwright se tourna vers l'adolescente avec soulagement, comme si elle parlait la même langue que lui.

— Ce serait sage, oui.

— Et vous dites, en gros, qu'on va perdre la maison.

— Je crois que votre… que Mme Delancey n'a plus de revenu régulier. Vous vous en sortiriez sans doute mieux en vivant dans un quartier moins onéreux et en réduisant vos dépenses domestiques.

— Quitter cette maison ? demanda Isabel, abasourdie. Mais c'est celle de Laurent. C'est ici que nous avons élevé nos enfants. Il est présent dans chaque pièce. Nous ne pouvons pas partir.

Kitty affichait l'expression déterminée qu'elle adoptait petite lorsqu'elle s'était blessée et qu'elle se retenait de pleurer de toutes ses forces.

— Kitty, ma chérie, monte dans ta chambre. Ne t'inquiète pas. Je vais régler ça.

Kitty n'hésita qu'un bref instant avant de quitter la pièce, les épaules contractées par la méfiance. M. Cartwright la regarda partir avec un air gêné, comme s'il se sentait responsable de sa peine. Isabel attendit que la porte soit refermée.

— Il doit bien y avoir un autre moyen, insista-t-elle. Vous vous y connaissez en questions financières. Il doit bien y avoir une solution pour que mes enfants restent au côté de leur père. Ils l'adoraient. Ils l'ont probablement plus côtoyé qu'ils ne m'ont côtoyée ; je travaillais tellement... Je ne peux pas leur faire ça, monsieur Cartwright.

Son visiteur avait viré au rose. Il regarda les documents, puis les feuilleta distraitement.

— Êtes-vous sûr qu'il n'avait aucun capital en France ? demanda-t-elle.

— Je crains qu'il n'ait que des dettes là-bas. Il se trouve qu'il avait cessé de verser à son ex-femme sa pension presque un an avant sa mort. Je suis à peu près sûr que les informations dont nous disposons forment un tableau assez juste de la situation.

Elle se souvint de Laurent se plaignant de cette pension alimentaire. Ils n'avaient pas eu d'enfant, grognait-il. Il ne comprenait pas pourquoi cette femme ne pouvait s'assumer seule.

— Écoutez, madame Delancey, je ne vois vraiment pas d'autre moyen de régler vos dettes. Même en vous séparant de la nounou et en sortant vos enfants de l'école privée, cela ne suffira pas à venir à bout de ce qu'il vous reste à rembourser.

— Je vendrai quelque chose, dit-elle. Peut-être qu'il possédait des objets de valeur. Il doit y avoir quelques éditions originales dans la bibliothèque.

Elle posa les yeux sur les livres de poche défraîchis rangés de façon aléatoire et admit intérieurement que c'était peu probable.

— Je ne peux pas leur infliger ça. Ils ont déjà assez souffert.

— Vous n'aimeriez pas reprendre le travail ?

Vous n'imaginez pas à quel point, pensa-t-elle.

— Je crois que, pour le moment, les enfants ont besoin d'un parent… présent, répondit-elle en s'éclaircissant la gorge. Et ce que je gagnais avec l'orchestre n'a jamais suffi à couvrir les dépenses domestiques.

M. Cartwright murmura quelque chose dans sa barbe tout en continuant à consulter ses documents.

— Il y a bien une possibilité, annonça-t-il.

— Je savais que vous auriez une idée, dit-elle avec impatience.

Il parcourut sa liste du doigt.

—Je crains qu'il n'y ait rien de financier que vous puissiez encaisser. Mais, à ma connaissance, le bien le plus précieux que vous possédiez en dehors de votre maison est… votre violon.

—Quoi ?

Il avait saisi sa calculette à présent, et pianotait agilement sur les touches.

—J'ai cru comprendre qu'il s'agissait d'un Guarneri ? Vous l'avez fait assurer pour une somme à six chiffres. Si vous le vendez pour la même somme, cela ne couvrira pas les frais de scolarité de vos enfants, mais vous devriez pouvoir garder la maison.

Il lui tendit la calculette.

—J'ai compté la commission, mais vous devriez tout de même pouvoir régler l'hypothèque avec un peu de marge. C'est la meilleure solution.

—Vendre mon violon ?

—Ça représente une coquette somme. Et vous en avez cruellement besoin.

Après son départ, Isabel monta dans sa chambre et s'allongea sur son lit. Les yeux au plafond, elle se remémora toutes les nuits où elle avait senti le corps de Laurent au-dessus du sien, les soirées passées à lire ou à discuter de tout et de rien, en ignorant que de telles frivolités domestiques pouvaient être un luxe, les fois où ils s'étaient étendus à côté de leurs bébés endormis, les avaient admirés puis avaient échangé des regards émerveillés. Elle fit glisser sa main sur le couvre-lit en soie. C'était désormais un luxe insensé. Le couvre-lit lui-même, avec son rouge profond et ses broderies, la renvoyait à quelque chose d'outrageusement sexuel, comme s'il se gaussait de sa solitude. Elle serra les bras autour de son corps, essayant d'endiguer le chagrin qui montait en elle, le sentiment d'incomplétude qui la frappait dès qu'elle se retrouvait seule dans ce grand lit. À travers la cloison, elle entendit le son étouffé de la télévision et imagina son fils affalé devant le poste, probablement plongé dans un jeu vidéo. Au début, elle avait espéré que ses enfants s'intéresseraient à la musique, mais, comme leur père, ils avaient montré peu d'aptitudes, et encore moins d'envie.

Peut-être est-ce tout aussi bien. Peut-être n'y a-t-il de place que pour un seul rêveur dans cette famille. Laurent m'a trop gâtée. Il m'a permis d'être la plus chanceuse.

Elle entendit Mary rentrer, puis une brève conversation entre Kitty et la nounou. Consciente qu'elle ne pouvait plus se permettre de s'abandonner ainsi, Isabel se leva, arrangea les draps, puis descendit lentement l'escalier. Elle trouva Kitty assise en tailleur devant la table basse. En face d'elle, « La Pile » était divisée en plusieurs petits tas d'enveloppes brunes, classées par adresses.

— Mary est allée au supermarché.

L'adolescente posa une autre enveloppe.

— Je me suis dit qu'on devait en ouvrir quelques-unes.

— Je vais le faire. Tu n'as pas à t'occuper de ça, ma chérie.

Isabel se pencha pour caresser la tête de sa fille.

— Ce sera plus facile à deux.

Il n'y avait aucune rancœur dans sa voix, juste un esprit pratique qui fit naître chez Isabel un mélange de gratitude et de culpabilité. Laurent appelait Kitty sa « petite femme ». À présent, dans la fleur de ses quinze ans, sa fille avait naturellement adopté ce rôle.

— Dans ce cas, je vais nous préparer du thé, proposa Isabel.

Mary travaillait pour eux depuis que Kitty était bébé. Parfois, Isabel avait l'impression que la nounou connaissait ses enfants mieux qu'elle. L'énergie et la sérénité de la jeune femme leur avaient permis de rester soudés dans l'épreuve, sa stabilité avait insufflé de la normalité dans le surréalisme de leur situation. Isabel ignorait comment elle allait se débrouiller sans elle. L'idée de faire la cuisine et le repassage, de changer les draps et d'effectuer la kyrielle d'autres tâches que Mary assumait tous les jours la désespérait.

Il faut que je sois forte, se dit-elle. *Il y a pire dans la vie. Dans un an peut-être, nous rirons de nouveau.*

Lorsqu'elle revint avec les deux tasses, elle embrassa la tête de sa fille, débordante de gratitude pour sa simple présence. Kitty sourit légèrement, puis agita quelque chose devant ses yeux.

— Il faut payer ça au plus vite.

Elle tendit à sa mère une facture de gaz.

— Ils menacent de tout nous couper. Mais c'est écrit tout en bas qu'on peut payer par téléphone si on a une carte.

Le relevé de carte qu'Isabel venait d'ouvrir l'informait qu'elle ne s'était pas acquittée du paiement minimum pour les deux derniers mois et avait ajouté une somme indécente au total déjà astronomique de sa dette. Isabel glissa l'enveloppe sous la pile. Il n'y avait pas d'argent, M. Cartwright l'avait dit.

—Je vais régler ça, rassura-t-elle sa fille.

Elle paierait les factures. Trouverait l'argent. Tout irait bien.

Que suis-je censée faire ? La première solution leur brisera le cœur. La seconde me brisera le cœur.

—Je ne reconnais pas celle-ci, dit Kitty.

Elle posa devant sa mère une épaisse enveloppe blanche, où apparaissait une écriture manuscrite déliée et élégante.

—Mets ce type d'enveloppes de côté, ma chérie. Ça vient sans doute de ses relations en France qui viennent d'apprendre la nouvelle.

—Non, c'est adressé à papa. Et c'est écrit « personnel ».

—Alors mets-la ici, avec celles qui sont imprimées. Tout ce qui a l'air urgent, tu me le passes. On laisse de côté le reste pour l'instant. Je n'ai pas la force de m'en occuper aujourd'hui.

Isabel était exténuée. Dans un état de fatigue permanent. Elle eut envie de s'enfoncer dans les coussins avachis du canapé et de fermer les yeux.

—On va s'en sortir, hein, maman ?

Isabel se redressa d'un coup.

— Oh, bien sûr.

Elle savait prendre un air convaincant lorsqu'il le fallait, en forçant les muscles de son visage à esquisser un sourire encourageant. Soudain, un document posé devant elle attira son attention. La signature de Laurent était apposée en bas de la page. L'image de son mari stylo à la main flotta alors sous ses yeux, le geste nonchalant, sa façon d'écrire sans même regarder le papier.

Je ne reverrai plus jamais ses mains, pensa-t-elle. *Ses doigts carrés, ses ongles nacrés. Je ne les sentirai plus jamais sur moi. Elles ne me tiendront plus jamais.*

C'était ainsi depuis neuf mois : le manque la frappait sans prévenir, sans prendre de gants. Il n'y avait rien de doux dans le chagrin. Il se fracassait sur vous comme une vague puissante sur la rive, vous inondait, menaçait de vous engloutir. Comment ces mains avaient-elles pu cesser d'exister ?

— Maman, il faut que tu voies ça.

Elle puisa toutes les forces qu'il lui restait pour se concentrer sur sa fille. Elle se sentait bizarre, comme incapable de se composer un visage neutre.

— Mets toutes les factures ensemble, ma chérie.

Laurent, hurlait-elle intérieurement. *Comment as-tu pu nous laisser ?*

— Tu sais quoi ? Et si on finissait demain ? J'ai besoin… d'un verre de vin.

Elle perçut le tremblement dans sa propre voix.

— Non, il faut que tu regardes ça.

Kitty agitait un autre papier devant elle.

Encore des documents officiels à signer. Comment choisir ? Pourquoi devrions-nous sacrifier quoi que ce soit ?

— Pas maintenant, Kitty.

Isabel fit un effort pour contrôler sa voix.

— Mais regarde… Tiens.

Sa fille lui glissa entre les mains la lettre tapée à la machine.

— Je ne sais pas si c'est sérieux, mais il est écrit que quelqu'un t'a légué une maison.

— Tout cela n'est pas un peu… dramatique ?

Fionnuala prenait sa pause au milieu des répétitions du City Symphonia. Elles étaient assises au bistrot où elles avaient déjeuné des centaines de fois, tout près de l'auditorium d'où leur parvenaient les sons d'une contrebasse en train d'être accordée, et quelques mesures expérimentales au hautbois. Isabel se sentit tour à tour délicieusement chez elle et désespérément perdue. Cette fois, elle déplorait la perte de sa vie d'avant, de celle qu'elle avait été.

Il y a un an à peine, j'étais encore innocente, je ne savais pas ce qu'était la vraie douleur.

Elle enviait terriblement son amie désormais, qui bavardait tranquillement, inconsciente de l'abîme dans lequel Isabel avait sombré.

C'est moi qui aurais dû être là, à me plaindre du chef d'orchestre, la tête encore plongée dans l'adagio.

— Ce serait jeter le bébé avec l'eau du bain, tu ne crois pas ? dit Fionnuala en sirotant son vin. Bon sang, ça fait du bien.

Isabel secoua la tête.

— Ce sera mieux pour les enfants. Une belle maison de campagne, de bonnes écoles publiques, un petit village. Tu sais à quel point les parcs de Londres sont affreux. Mary disait toujours qu'elle devait passer une demi-heure à ramasser des bris de verre avant de laisser les enfants jouer.

— Je me demande simplement s'il ne serait pas plus sage d'aller visiter l'endroit avant, de prendre le temps de réfléchir.

— Nous n'avons pas de temps, Fi : nous n'avons plus d'argent. Et de toute façon je l'ai vue, il y a des années quand j'étais enfant. Je me souviens que mes parents m'y avaient emmenée pour une garden-party. C'est un endroit grandiose, dans mon souvenir.

Isabel avait presque réussi à se convaincre.

— Mais t'installer dans le Norfolk, vraiment ? Vous ne serez même pas près d'une plage. Et c'est un changement tellement radical. Tu ne connaîtras personne là-bas. Tu n'as jamais beaucoup aimé la campagne. J'ai du mal à t'imaginer avec des bottes en caoutchouc.

Fionnuala alluma une cigarette avant de poursuivre.

— Ne le prends pas mal, Isabel, mais tu es parfois un peu… impulsive. Tu devrais revenir travailler et voir si tu t'en sors. Je suis sûre qu'on te trouverait des engagements en plus. Tu es premier violon, bon sang. Ou alors tu pourrais enseigner.

Isabel haussa un sourcil.

— Bon, d'accord, l'enseignement n'a jamais été ton fort, lui concéda son amie. Mais ce choix semble tellement extrême. Et les enfants, qu'en pensent-ils ?

— Ça leur va, dit-elle spontanément.

— Mais c'est notre maison, c'est la maison de papa, avait objecté Kitty. Tu avais promis de trouver une solution…

Isabel s'était émerveillée de son propre calme.

Laurent m'aurait pardonné. Il ne m'aurait pas demandé de me séparer de mon violon, qu'il m'avait offert, avant d'envisager une autre solution.

— Pourquoi ce serait toi qui prendrais toutes les décisions ? On est trois dans cette famille.

Le sentiment d'injustice avait embrasé les joues de Kitty.

— Pourquoi est-ce qu'on ne vendrait pas la nouvelle maison ? Elle doit valoir une fortune, avait-elle proposé.

— Parce que… même une fois que j'aurais payé les droits de succession, nous aurions encore trop de dettes. Notre maison de Londres a beaucoup plus de valeur, et tout ce qu'on obtiendra de la vente sera à nous, rien n'ira aux impôts. Je ne te demande pas de tout comprendre, Kitty, avait-elle ajouté d'une voix plus douce, mais ton père… nous a laissés sans un sou. Pire que sans un sou. Et nous sommes obligés de vendre cette maison pour survivre.

Ce ne sera pas si mal. Tu pourras toujours revenir pour voir tes amis. Et la nouvelle maison est grande – tu pourras les inviter à dormir. Pendant toutes les vacances, si tu veux.

Le visage de Thierry était resté indéchiffrable.

—Il n'y a pas que l'argent, mes chéris, avait-elle dit, essayant de les rallier à sa cause. Il faut que nous bougions.

—Je crois quand même que tu fais une erreur, dit Fionnuala en trempant un morceau de pain dans l'huile d'olive pour essuyer son assiette vide. Tu es encore ébranlée, ce n'est pas le moment de prendre des décisions radicales.

Mary avait eu l'air de penser la même chose. Mais Isabel devait sauter le pas sans tarder. Sous peine de s'écrouler. La maison héritée lui offrait une solution pragmatique. C'était le seul moyen dont elle disposait pour sauvegarder quelque chose de sa vie, pour cesser d'être hantée par l'absence. Dans ses moments de divagation, elle s'était dit que Laurent lui avait envoyé cette maison, qu'il l'avait fait pour annuler ses dettes. Et les petits s'adaptaient facilement, se répétait-elle. Il n'y avait qu'à penser aux enfants de réfugiés, de diplomates ou de militaires. Ils déménageaient tout le temps. Quoi qu'il en soit, il était bon pour Thierry et Kitty de prendre des distances avec leur ancienne vie. Ça pourrait même lui faire du bien à elle aussi.

—J'admets que la maison a besoin d'être modernisée, avait dit le notaire.

Elle avait voulu le rencontrer, ayant du mal à croire qu'il ne s'agissait pas d'une mauvaise blague.

—Mon grand-oncle y habitait, alors elle ne peut pas être en si mauvais état, avait-elle répliqué.

—Malheureusement, je n'ai pas plus de détails que ceux inscrits sur l'acte, avait-il dit. Mais toutes mes félicitations, il semblerait que ce soit un des biens les plus importants de la région.

En tant que seul parent vivant, elle héritait de la maison par succession *ab intestat*.

—Il t'a fallu une éternité pour devenir premier violon. Et tu es tellement douée, insista Fionnuala. En plus, tu ne rencontreras jamais personne dans ce trou perdu.

—Qu'est-ce qui te fait croire que j'en ai envie ?

—Pas tout de suite, évidemment. Mais à un moment… Enfin, je n'insinue pas…

—Non, dit Isabel avec fermeté. Il n'y avait que Laurent pour moi. Personne d'autre ne pourra jamais… (Sa voix faiblit.) C'est un nouveau départ, se reprit-elle. Cette maison en est un.

—Bon, je suppose que ça compte.

Fionnuala posa une main sur celle d'Isabel et la serra.

—Oh, mince, je dois y aller. Désolée, Isabel, mais c'est Burton qui dirige, et tu connais son sale caractère.

Tandis qu'Isabel cherchait son porte-monnaie, Fionnuala l'arrêta.

—Non, non, c'est pour moi. Je suis pleine aux as en ce moment. Demain, on enregistre la bande originale d'un film. Quatre heures vissée sur une chaise pour seulement quarante minutes de jeu. J'ai travaillé la partition l'autre jour – une vraie merveille.

Elle jeta un peu d'argent sur l'addition.

— Tu me prépareras un festin quand je viendrai te rendre visite. Tu chasseras une perdrix. Tu m'impressionneras avec tes nouveaux talents de campagnarde.

Elle se pencha par-dessus la table pour embrasser son amie. Puis elle s'écarta et étudia le visage d'Isabel.

— Quand penses-tu rejouer ?

— Je ne sais pas. Quand les enfants seront... de nouveau heureux. Mais ce n'est qu'à quelques heures de train. Nous ne partons pas non plus pour les Hébrides.

— Bon, essaie de faire vite. Tu nous manques. Tu *me* manques. Le gars qui te remplace est désespérant. Il garde la tête baissée et s'attend à ce qu'on suive. On le regarde tous bêtement comme s'il allait nous donner des explications en langage des signes. (Elle étreignit de nouveau son amie.) Oh, Isabel, je suis sûre que tout se passera bien, avec ta nouvelle maison et tout le reste. Désolée de ne pas t'avoir soutenue tout à l'heure. Je suis sûre que tu prends la bonne décision.

Oui, c'est la bonne décision, pensa Isabel tandis que son amie disparaissait à travers les portes battantes, son étui à violon glissé sous le bras. *C'est la meilleure solution pour tout le monde.*

Par moments, elle y croyait vraiment.

Chapitre 4

Henry donna un coup de coude à Asad derrière le comptoir et lui désigna sa montre. Mme Linnet hésitait depuis vingt-trois minutes devant un paquet de thé. Un nouveau record.

— Vous avez besoin d'aide, madame Linnet ? demanda-t-il.

Elle interrompit son soliloque. Celui-ci avait concerné, sans aucune logique particulière, une émission de télévision, les plans de travail en granit, la patte folle de sa voisine, et une femme avec qui elle avait travaillé autrefois et dont la stérilité était certainement due au port nocturne de collants.

— Ces sachets de thé pour eau dure me font hésiter. Faut-il avoir de l'eau dure pour les utiliser ? Je sais qu'on a du calcaire. Ma bouilloire en est tapissée.

— Du calcaire ? reprit Asad.

Henry se retenait de rire. La pluie tambourinait sur le toit de plus en plus fort, et ils sursautèrent tous les trois lorsqu'un coup de tonnerre éclata au-dessus de leurs têtes.

— Je m'apprêtais justement à en faire. Je vous en sers une tasse, madame Linnet, comme ça, vous pourrez juger pas vous-même de l'efficacité de nos sachets anticalcaire.

Henry fit un clin d'œil à Asad et se dirigea vers l'arrière-boutique.

— Si vous n'êtes pas trop pressée, bien sûr.

L'après-midi était calme. La pluie torrentielle et les vacances scolaires restreignaient la clientèle aux cas d'extrême urgence. Les autres commerçants du coin grognaient, d'autant plus que les clients réguliers lorgnaient désormais du côté des supermarchés et des livraisons à domicile. Mais les propriétaires de *Suleyman et Ross*, nullement endettés et profitant d'une confortable pension de retraite que des années de travail en ville leur avaient garantie, considéraient de tels après-midi comme autant d'occasions de bavarder en toute décontraction avec leurs clients. Ils n'avaient pas repris la boutique dans le but de faire des bénéfices, mais leurs bas prix, leur large choix de marchandises et l'attention personnelle qu'ils offraient leur avaient valu la fidélité des villageois. En outre, ces qualités les protégeaient peut-être d'éventuels préjugés qui auraient pu conduire certains à moins de tolérance vis-à-vis des deux hommes, connus désormais sous le nom diplomatique – malgré l'évidence – de « cousins ». La vitrine du magasin était recouverte d'un film trouble, cachant le rideau de pluie continuel. Asad alluma la radio et un air de jazz se mit à flotter autour d'eux. Mme Linnet poussa un petit cri de joie et agita les doigts.

— Oh ! s'exclama-t-elle. Je suis folle de Dizzy, mais mon Kenneth ne supporte pas le jazz moderne. Il le trouve trop… rythmique, ajouta-t-elle à voix basse. Mais, vous autres, vous avez ça dans la peau, non ?

Asad était trop poli pour laisser s'installer le silence.

— Nous autres ?

Elle hocha la tête.

— Les gens de couleur, dit-elle d'une voix hésitante. Vous… vous avez le rythme dans la peau. C'est… vous savez… dans les gènes.

Asad y réfléchit un instant.

— Cela explique, madame Linnet, pourquoi un jour comme aujourd'hui j'arrive à peine à me contenir.

Ce fut avec un soulagement visible que Deirdre Linnet se dirigea vers la porte. Une voix familière ordonna à des chiens de ne pas bouger, et Byron Firth entra en passant une main dans ses cheveux mouillés.

— Bonjour, Byron, fit Asad en souriant.

— Il me faut une carte, annonça le nouvel arrivant.

— Elles sont de ce côté, répondit Asad. C'est pour quelqu'un en particulier ?

— Lily, précisa l'autre d'une voix douce. Ma nièce. C'est son anniversaire.

Bien que légèrement plus petit qu'Asad, il semblait encombré par son corps, et mal à l'aise, comme si les regards l'indisposaient. Peut-être était-ce la raison pour laquelle il travaillait dans les bois, pensa Asad. Par souci d'invisibilité.

—Bonjour, monsieur Firth, dit Henry en apportant le thé dans la boutique et en promenant son regard sur le ciré dégoulinant et les bottes crottées de Byron. Je vois que vous communiez avec la nature. Et je crois pouvoir affirmer que, aujourd'hui, c'est elle qui l'emporte.

—Où sont les cartes faites main, Henry ? demanda Asad en examinant les étagères. On en avait quelques-unes, non ?

—On ne commande plus de cartes par tranches d'âge, répondit Henry. Les quatre ans et les cinq ans partaient, et on se retrouvait avec tout un stock de onze ans sur les bras.

—Ah, voilà.

Asad tendit au client une carte rose, décorée de sequins.

—C'est une femme qui habite de l'autre côté de la ville qui les fabriquait. Celle-ci est la dernière. Comme l'enveloppe est un peu pliée, je peux vous faire une remise de cinquante pence, si elle vous plaît.

—Merci.

Byron tendit son argent et attendit qu'Asad glisse la carte dans une pochette en papier brun. Après un signe de tête aux propriétaires du magasin, il fourra son achat dans la poche de sa veste et sortit. Par la fenêtre brumeuse, on put apercevoir l'excitation des chiens quand leur maître se baissa vers eux. Mme Linnet étudiait les étiquettes avec une concentration inhabituelle.

— Cet homme est parti ? demanda-t-elle inutilement.

— M. Firth a quitté le bâtiment, oui, dit Henry.

— Vous ne devriez pas servir ce genre d'individus. Il me donne froid dans le dos, cet homme-là.

— Compte là-dessus, marmonna Henry dans sa barbe.

— Le passé lointain de M. Firth ne doit pas avoir d'influence sur le fait de lui vendre ou non une carte d'anniversaire pour sa nièce, lui opposa Asad. Il a toujours été courtois avec nous, quoique peu loquace. Madame Linnet, en bonne chrétienne, je suis sûre que vous connaissez bien les notions de pénitence et de pardon.

— Ce n'est que le début, si vous voulez mon avis. Ça va jaser, dit-elle sur un ton énigmatique. Nous allons attirer toutes sortes d'indésirables. Bientôt, ce seront les pédiatres.

Henry écarquilla les yeux.

— Que Dieu nous en garde.

La clochette annonça un nouveau client. Une jeune fille entra, une adolescente de quinze ou seize ans. Elle était trempée, sans manteau ni parapluie, les vêtements légèrement froissés, comme si elle avait fait un long voyage.

— Désolée de vous déranger, dit-elle en dégageant une mèche de ses yeux, mais vous ne sauriez pas où se trouve… (Elle consulta un bout de papier.) La maison espagnole ?

Il y eut un bref silence.

— Bien entendu, ma chère, dit Mme Linnet. Vous n'êtes pas loin du tout.

De toute évidence, elle avait laissé ses craintes de côté.

— Puis-je vous demander à qui vous souhaitez rendre visite ?

La fille parut décontenancée.

— Le vieux M. Pottisworth est décédé récemment, expliqua Mme Linnet. Plus personne ne vit là-bas désormais. Si vous venez pour l'enterrement, j'ai bien peur que vous n'arriviez trop tard.

— Oh, je sais, dit l'adolescente. On emménage.

— Où ça ? fit Henry depuis le seuil de l'arrière-boutique.

— Dans la maison espagnole. Cette jeune personne emménage dans la maison espagnole.

Mme Linnet put à peine se contenir devant l'énormité de la nouvelle. Elle tendit la main.

— Dans ce cas, nous serons presque voisines, ma chère. Je suis Deirdre Linnet, commença-t-elle en jetant un coup d'œil à la fenêtre embrumée. Je suppose que vous n'êtes pas venue toute seule ?

— Ma mère attend dans la voiture avec mon frère. En fait, je ferais mieux d'y aller parce que le camion de déménagement nous attend. Euh… donc, c'est par où ?

Asad lui désigna la route.

— Tournez à gauche en face du panneau indiquant la ferme de cochons, à droite au carrefour, puis continuez tout droit jusqu'au panneau indiquant « *Cave* ».

— « Prenez garde », ajoutèrent de concert Henry et Mme Linnet.

— Nous sommes ouverts jusqu'à 17 heures, dit Asad. N'hésitez pas si vous avez besoin de quoi que ce soit. Et soyez prudents sur le chemin. Il est un peu… accidenté.

La fille griffonnait sur son bout de papier.

— À gauche la ferme, à droite le carrefour, et puis tout droit. Merci, dit-elle.

— À bientôt, lança Henry en tendant une tasse de thé à Mme Linnett.

Ils la regardèrent s'éloigner dans la rue. Puis, après un délai à peine décent, ils se précipitèrent vers la fenêtre et essuyèrent la buée sur la vitre. Ils virent alors la jeune fille grimper sur le siège passager d'une vieille Citroën en piteux état. Derrière le véhicule, le camion de déménagement bloquait presque la rue, ses essuie-glaces laissant entrevoir par intermittence trois malabars à l'intérieur.

— Voyez-vous ça, dit Henry. De jeunes gens dans la grande maison.

— Elle est toute jeune, commenta Mme Linnet sur un ton désapprobateur, mais ce n'est pas une raison pour porter des chaussures aussi usées.

— Les chaussures doivent être le cadet de ses soucis, fit remarquer Henry. Je me demande quel accueil vont leur réserver les voisins.

Kitty gardait le silence pendant que sa mère manœuvrait difficilement sur le chemin de terre. De temps à autre, elle jetait un coup d'œil dans le rétroviseur pour surveiller le camion qui tanguait dangereusement derrière eux, et marmonnait une prière.

— Tu es sûre que c'est par là ? demanda-t-elle à sa fille pour la quatrième fois. Je ne me souviens pas de ce chemin.

— À droite au carrefour. C'est ce que j'ai noté.

Il y eut des secousses, puis un crissement lorsqu'ils franchirent une nouvelle ornière remplie d'eau. Kitty entendit les roues tourner brièvement dans le vide, tandis que le moteur gémissait, puis ils purent de nouveau avancer. Autour d'eux se dressaient des pins, filtrant ce qu'il restait de lumière du jour.

— Je n'arrive pas à croire que c'est tout en bas. Il nous faudra un tracteur pour sortir.

Kitty se réjouissait en secret que la route soit si hostile. Sa mère reviendrait peut-être à la raison et renoncerait à ce déménagement ridicule. Pendant des semaines, l'adolescente s'était accrochée au vain espoir de la voir admettre son erreur et découvrir que leur situation financière ne les obligeait pas à vendre leur maison. Mais non. Elle avait forcé Kitty à dire adieu à son école, à ses amis, en plein deuxième trimestre, et les avait emmenés dans un coin perdu. Elle soutenait que le contact n'était pas rompu pour autant, mais Kitty savait très bien qu'en ne participant plus aux potins et autres échanges de textos, elle n'existerait bientôt plus pour ses amis. Même si elle leur rendait visite toutes les deux semaines, elle serait reléguée à la marge, ne comprendrait plus les blagues du groupe, serait à la traîne. Les essuie-glaces oscillaient de droite à gauche, lentement, dans un crissement, comme si chaque mouvement était un effort.

Il y a un an, j'étais heureuse, pensa-t-elle.

Elle avait tenu un journal et relu tout ce qu'elle avait fait pour s'assurer que cela lui était réellement arrivé. Parfois elle se torturait avec ces récits : « Papa est venu me chercher à l'école. Après dîner, on a joué aux échecs et j'ai gagné. Super épisode de *Neighbours.* »

Elle se demandait parfois où elle serait un an plus tard. Il était peu probable qu'ils retournent à Londres. Encore moins probable qu'ils soient de nouveau heureux. Thierry, à l'arrière, ôta brièvement ses écouteurs.

— Presque arrivés, lui dit Isabel. Oh, allez, Dolores, je sais que tu peux le faire.

Kitty grimaça. C'était tellement embarrassant d'entendre sa mère s'adresser à sa voiture. Soudain, ils s'extirpèrent des arbres pour déboucher dans une large clairière.

— Il y a un panneau, fit remarquer Kitty.

— « *Cave* » ! lut Isabel. Hum. « Prenez garde ».

— C'est ça, dit Kitty avec soulagement. C'est ce qu'ils ont dit au magasin.

Isabel examina les lieux à travers le pare-brise embué. Sur la gauche, il y avait une maison de silex à deux étages, bien entretenue, qui ne ressemblait en rien à la photographie. La Citroën avança lentement, prit un tournant flanqué d'arbres, et elle fut enfin devant eux : une maison de brique rouge de trois étages, les murs à moitié recouverts de lierre, le toit cerné de remparts incongrus. De hautes fenêtres donnaient sur un jardin envahi par la végétation, dont seule la haie de buis marquait encore sa frontière avec la nature sauvage. La bâtisse affichait un méli-mélo de styles, comme si celui qui avait commencé à la construire s'était soudain ennuyé, ou avait vu la photo d'une autre maison et décidé de s'en inspirer. Un mur de silex menait aux remparts ; des fenêtres de style georgien étaient nichées dans les arches gothiques.

Isabel s'engagea dans l'allée et se gara près de l'entrée.

— Voilà, dit-elle. Nous y sommes, les enfants.

Kitty trouva l'endroit humide et peu accueillant. Elle repensa avec tristesse à sa maison de Maida Vale, avec ses chambres confortables, ses senteurs de cuisine, d'épices et de parfums, le bourdonnement rassurant de la télévision. *Elle est en ruine*, faillit-elle dire avant de se raviser. Elle ne voulait pas faire de peine à sa mère.

— Elle n'a pas l'air très espagnole.

— Si je me souviens bien, ça se voulait un style mauresque. Et voilà le lac. Il n'était pas aussi grand dans mon souvenir. Regardez !

Isabel avait tiré une grande enveloppe de la boîte à gants. Elle fouilla dedans et en sortit une clé et un bout de papier. Derrière la voiture, un immense magnolia commençait à fleurir, ses lanternes blanches brillant dans la pénombre.

— Alors, d'après le notaire, nous avons vendu trente hectares pour régler les frais de succession, et dix pour renflouer notre compte en banque. Ce qui nous laisse encore trois hectares et demi à gauche, là...

Le jour déclinant, il était difficile de distinguer le paysage au-delà des arbres.

— Et devant la maison. Nous avons donc toute la vue, les bois et le lac. Vous imaginez un peu ! Nous possédons presque autant de terrain que ce que vous voyez.

Génial, pensa Kitty. *Une mare boueuse et une forêt flippante. Tu n'as pas vu de film d'horreur récemment ?*

— Vous savez, si grand-mère avait été encore en vie, elle en aurait hérité. C'était son frère. Vous l'auriez imaginée vivre dans une maison comme celle-ci ? Après son minuscule appartement ?

Kitty n'imaginait personne vivre dans une maison comme celle-ci.

— Cette eau. Oh… C'est magique. Papa aurait adoré le lac – il aurait pu aller pêcher…

Isabel laissa sa phrase en suspens.

— Maman, il n'a jamais pêché de sa vie, objecta Kitty en ramassant le sac d'ordures à ses pieds. On ferait mieux de sortir. Les déménageurs sont là.

Thierry désigna les arbres qui entouraient la maison.

— Bonne idée, mon chéri. Va explorer le terrain.

Kitty vit que sa mère se réjouissait du fait que Thierry manifeste un semblant d'intérêt pour son nouvel environnement.

— Et toi, ma chérie ? Tu aimerais faire le tour du jardin ?

— Je vais plutôt t'aider, dit Kitty.

— Thierry, mets ton manteau et ne te perds pas dans les bois.

Le claquement des portières résonna dans la petite vallée tandis qu'elles cheminaient laborieusement sur le gravier mouillé en direction de la porte d'entrée. L'odeur les frappa en premier, celle de renfermé, typique d'un intérieur depuis longtemps à l'abandon ; quelques touches subtiles de moisissure cachée, une humidité évidente, et des effluves de bois pourri venant se mêler à l'air plus frais de l'extérieur. Un fourre-tout à l'épaule, Kitty laissa la puanteur lui attaquer les narines avec un mélange de fascination horrifiée et d'incrédulité. C'était pire que tout ce qu'elle aurait pu imaginer. Le sol du hall d'entrée était tapissé de lino craquelé, dont certains morceaux se décollaient pour révéler une surface d'une nature indéterminée. À travers une porte ouverte, elle distingua un salon, dont les murs étaient recouverts d'un papier peint imprimé qui devait dater de l'époque victorienne, et un buffet brinquebalant comme ceux que l'on trouvait dans les cuisines des années 1950. Deux fenêtres visiblement endommagées avaient été rafistolées à l'aide de planches, de sorte que le jour filtrait à peine dans la pièce. Du plafond pendait un fil électrique dénué d'ampoule. Cela n'avait rien d'une maison dans laquelle quiconque avait déjà vécu.

Maintenant, elle va comprendre, se dit Kitty. *Elle sera obligée de nous ramener à la maison. Il n'y a pas moyen qu'on reste ici.*

Mais Isabel fit un signe à sa fille.

—Allons voir l'étage. Ensuite, on visitera la cuisine et on se fera un thé.

Les deux étages supérieurs ne furent guère plus encourageants. Plusieurs des chambres semblaient ne pas avoir servi depuis des années. L'air était froid, chargé de cette absence, et des lambeaux de papier peint pendaient par endroits. Seules deux pièces semblaient vaguement habitables : la chambre principale, d'un jaune nicotine, qui comptait un lit, un poste de télévision et deux commodes remplies de vêtements sentant le tabac, et une chambre plus petite à côté, qu'on avait dû décorer dans les années 1970, soit bien plus récemment que tout le reste. La salle de bains attenante n'était que fissures et traces de calcaire, tandis qu'un liquide saumâtre s'échappait des robinets. Le sol du palier craquait sous les pieds, et des traînées de petites crottes laissaient deviner la présence de souris.

Elle ne peut pas ne pas voir, pensa Kitty tandis que s'enchaînaient les horribles découvertes. *Elle ne peut pas ne pas voir que c'est impossible.*

Mais, de toute évidence, Isabel ne le voyait pas. De temps à autre, elle marmonnait pour elle-même des mots comme « avec quelques jolis tapis… ». Kitty compta trois radiateurs rouillés dans toute la maison. Au palier du dernier étage, un morceau de plafond manquait, révélant une partie de la charpente à travers laquelle l'eau s'écoulait de façon lente mais continue, pour venir former des flaques au fond d'une bassine en fer-blanc judicieusement disposée en dessous. Mais ce fut la cuisine qui donna à Kitty l'envie de pleurer. Si cette pièce, comme dans tous les foyers, était censée en être le cœur, on devinait alors une maison sans amour, dont personne n'avait voulu. C'était un long rectangle, légèrement en contrebas par rapport au sol du rez-de-chaussée – on y accédait par quelques marches de pierre –, avec des fenêtres sales en enfilade sur un des murs. Elle était sombre et il y flottait une odeur de moisi et de graillon. À côté de l'évier se dressait un fourneau au couvercle cabossé et grisâtre, rendu poisseux par un mélange de substances diverses non identifiables. En face se trouvait un four électrique indépendant, moins répugnant mais montrant les mêmes signes de négligence. Certains des meubles semblaient dater des années 1950, et les étagères qui longeaient les murs contenaient un assortiment aléatoire d'ustensiles de cuisine, de paquets de nourriture, parsemés de poussière, d'excréments de souris et de quelques cadavres de cloportes.

— C'est charmant, dit Isabel en passant les doigts sur la vieille table en pin qui trônait au centre de la pièce. On n'a jamais eu de table de cuisine assez grande, hein, chérie ?

Au-dessus d'elles, les déménageurs donnaient de grands coups et soulevaient des meubles. Kitty dévisagea Isabel comme si celle-ci était devenue folle. À ses yeux, la maison ressemblait à une zone de guerre, et sa mère, elle, s'émerveillait devant une table en pin.

— Et regarde, ajouta Isabel en montrant le robinet toussotant. L'eau froide est limpide. Je suis sûre qu'elle est délicieuse. L'eau est supposée être meilleure à la campagne, non ? Je suis certaine d'avoir lu ça quelque part.

Kitty était trop bouleversée pour percevoir la faible note d'hystérie dans sa voix.

— Madame Delancey ?

Le plus costaud des déménageurs les avait rejointes.

— Nous avons déchargé le premier meuble dans le salon, mais c'est assez humide. J'ai pensé qu'il serait mieux de voir avec vous avant de continuer.

Isabel lui lança un regard hébété.

— De voir quoi avec moi ?

L'homme fourra les mains dans ses poches.

— Eh bien, c'est… Ce n'est pas en très bon… Vous préférez peut-être mettre vos affaires dans un garde-meuble. Séjourner ailleurs. En attendant d'arranger les choses.

Kitty eut envie de le prendre dans ses bras. Enfin quelqu'un de sensé.

— L'humidité, ce n'est pas très bon pour toutes ces antiquités.

— Oh, elles ont survécu à plusieurs siècles. Elles supporteront bien un peu d'humidité, répliqua Isabel avec désinvolture. Il n'y a rien de bien compliqué. Quelques radiateurs réchaufferont l'endroit.

L'homme regarda Kitty. Elle décela une pointe de pitié dans ses yeux.

— Comme vous voudrez, dit-il.

Kitty les imagina, lui et les autres, se moquant de cette folle qui obligeait sa famille à vivre dans une épave suintante et faisait l'éloge d'une table en pin. Elle repensa à leur maison de Londres : douillette, avec le chauffage central, des canapés bien rembourrés et d'immenses écrans plats.

— Bon, dit l'adolescente, où sont les trucs de cuisine ? Je suppose qu'on ferait mieux de commencer à nettoyer.

— Les trucs de cuisine ?

— Les produits ménagers. Et la nourriture. J'ai posé deux cartons devant la porte d'entrée avant de partir.

Il y eut un bref silence.

— C'était pour nous ? fit Isabel. Mince, je croyais que c'était à jeter. Je les ai laissés près des poubelles.

Qu'allaient-ils manger ? Kitty eut envie de hurler. Comment allaient-ils survivre à cette journée ? Lui arrivait-il de penser à autre chose qu'à sa fichue musique ?

Pourquoi est-ce que c'est à moi de gérer ce genre de choses ?

Kitty se détourna pour que sa mère ne voie pas à quel point elle la détestait à cet instant. Ses yeux s'étaient remplis de larmes de colère, mais elle se retint de les sécher, préférant les cacher à Isabel. Elle aurait aimé avoir le genre de mère avisée qui s'affairait immédiatement pour tout mettre en place. Ne pouvait-elle pas avoir un minimum d'esprit pratique ? Une vague de chagrin envahit la jeune fille. Elle pensa à son père, à Mary, qui auraient vu dans cette maison ce qu'elle était – une erreur monumentale – et auraient dit à Isabel que la question ne se posait même pas. Ils seraient rentrés chez eux. Mais, à présent, il n'y avait plus aucun adulte. Elle était seule.

— Je vais faire quelques provisions au magasin, dit-elle. Je prends la voiture.

Elle attendit quelques secondes que sa mère proteste, lui dise qu'il n'était pas question qu'elle la laisse conduire. Que c'était même impensable. Mais Isabel était perdue dans ses pensées, et Kitty, s'essuyant à présent les yeux de la paume, s'éloigna.

Isabel se tourna tandis que sa fille quittait la pièce d'un pas raide, sa démarche trahissant son exaspération. Elle entendit la porte claquer et la voiture démarrer. Elle s'approcha ensuite de la fenêtre et ferma les yeux pendant un long moment. Il ne pleuvait plus, mais le ciel était encore menaçant, comme s'il hésitait encore à leur offrir un répit.

Kitty mit presque vingt minutes pour gravir le chemin ; son père ne l'avait autorisée à conduire que sur de courtes distances, pendant les vacances, dans les champs d'amis ou sur une voie privée menant à la plage. À présent, la voiture dérapait et grognait sur les ornières tandis que l'adolescente s'agrippait au volant, priant pour ne pas tomber en rade, seule dans ces bois sinistres. Elle n'arrêtait pas de penser aux films d'horreur qu'elle avait vus, et s'imagina courant au milieu des arbres, des créatures monstrueuses à ses trousses. Arrivée en haut du chemin, elle laissa la voiture et finit la route à pied jusqu'au village.

— Re-bonjour.

Le grand Noir lui sourit quand elle ouvrit la porte.

— Avez-vous trouvé votre chemin ?

— Oh, oui.

Kitty ne put dissimuler la résignation dans sa voix. Elle ramassa un panier en osier et fit le tour de la petite boutique, savourant sa chaleur, les odeurs de pain et de fruits qui emplissaient l'air.

— Vous vous attendiez à autre chose, peut-être ?

La question aurait pu l'agacer, mais il y avait quelque chose de si doux chez cet homme qu'elle lui répondit en toute honnêteté.

— C'est affreux, dit-elle d'une voix désespérée. Tellement affreux. Je n'arrive pas à croire que des gens ont pu vivre dans cet endroit.

Il lui adressa un hochement de tête compatissant.

— Tout semble plus laid par ce temps. Vous la trouverez peut-être jolie sous une meilleure lumière. C'est la même chose pour les gens. Attendez.

Il lui prit le panier des mains.

— Asseyez-vous. Je vais demander à Henry de vous préparer une tasse de thé.

— Oh non, merci.

Soudain, elle pensa aux titres de journaux mentionnant des filles disparues et s'interrogea sur ses motivations. Elle ne savait rien de ces gens. Elle n'aurait jamais accepté à manger ou à boire de la part de n'importe quel vendeur londonien.

— Je… Je ferais mieux…

— Vous revoilà.

C'était l'autre homme, Henry, qui sortait de l'arrière-boutique.

— Comment vous débrouillez-vous ? En quoi peut-on vous aider ? On peut vous commander des articles, vous savez, si vous ne les trouvez pas sur nos étagères. Tout ce que vous voudrez. Bottes en caoutchouc, cirés… J'ai cru comprendre que vous en auriez besoin là où vous êtes.

Il parlait avec gentillesse, à voix basse, même s'il n'y avait qu'eux trois dans la boutique.

— On a de très bons pièges à souris. Ça ne tue pas ces sales bêtes, mais ça permet de les neutraliser. Vous pouvez les emmener faire un tour en voiture et les libérer dans la forêt. Ça leur fait une belle balade. La grande aventure des rongeurs.

Kitty leva les yeux vers le premier homme, qui avait commencé à remplir son panier de bougies et d'allumettes. Elle songea au trajet de retour qui l'attendait sur ce maudit chemin. Elle songea à son père tendant la main pour stabiliser le volant. À plusieurs reprises durant la montée, elle avait failli éclater en sanglots.

— Le premier panier est offert par la maison, dit Henry. Un cadeau de bienvenue, pas vrai, Asad ? Mais, si vous l'acceptez, ça vous met dans l'obligation légale de venir tout nous raconter au moins trois fois par semaine…

Il lui fit un clin d'œil. Son ami, Asad, regarda par-dessus son épaule.

— Et aussi d'écouter les ragots d'Henry.

— Tu es si cruel.

Kitty s'assit et esquissa un faible sourire, probablement le premier de la journée.

— Finalement, je prendrais bien une tasse de thé, dit-elle.

— Tout cela est tellement romantique, commenta Henry au moment où ils fermaient la boutique. Le mari disparu, la pauvreté, le violon… Un peu plus intéressant que les derniers arrivés, les Allenson.

— Tout le monde a besoin d'un expert en sinistre, Henry.

— Oh, je sais.

Henry donna deux tours de clé, puis fit jouer la poignée pour s'assurer que la porte était bien verrouillée.

— Tout de même, qui sait ce qui va leur arriver là-bas ? Surtout quand on pense à M. McCarthy. Quelle déconvenue pour lui !

— Tu ne suggères pas…

— Oh, je ne crois pas qu'il fera quoi que ce soit, mais ils risquent de se sentir un peu isolés. C'est une grande demeure au milieu de nulle part.

— Ça me fait encore plus aimer notre petite maison.

— Et notre chauffage central.

— Et toi.

Ils levèrent les yeux vers le sommet de la colline où une rangée oblique de pins décharnés barrait l'horizon, filant vers les bois dans lesquels Kitty s'était enfoncée. Asad tendit le bras, et Henry le prit. Ils se mirent en route au moment où les deux réverbères de Little Barton s'allumaient.

À certains moments de l'année, quand les arbres à feuillage caduc se retrouvaient nus et que seuls les pins étaient encore vêtus, on distinguait la maison espagnole depuis celle des McCarthy. Un verre de whisky entre les mains, Matt contemplait la lumière qui éclairait une des fenêtres de l'étage.

— Viens te coucher.

Laura admirait le dos musclé de son mari, l'exquise mécanique de ses épaules lorsqu'il portait le verre à ses lèvres. Matt ne vieillissait pas ; il possédait encore certains vêtements du début de leur relation. De temps à autre, confrontée à ses vergetures, à la descente inéluctable de sa poitrine, cette injustice la tourmentait. À cet instant, elle ressentit une pointe de désir, savourant brièvement sa chance.

— Viens, tu es debout depuis des lustres.

Elle baissa une des bretelles de sa chemise de nuit pour qu'elle retombe lascivement sur son sein. Ils ne s'étaient pas touchés depuis plusieurs semaines. Ça l'angoissait toujours quand les choses s'éternisaient ainsi.

— Matt ?

— Qu'est-ce qu'ils vont bien pouvoir en faire ? murmura-t-il.

Son humeur noire ne l'avait pas quitté, et elle éprouvait un mélange de désespoir et d'agacement devant l'obstination de son mari à laisser cette maison influencer leur vie.

— Arrête de te torturer avec ça. Tout peut encore arriver.

— Tout est déjà arrivé, répliqua Matt avec amertume. Le vieux salaud l'a léguée à des inconnus. Ils ne sont même pas du coin, pour l'amour du ciel.

— Matt, ça me met autant en rogne que toi. Après tout, c'est moi qui ai fait tout le travail. Mais je ne vais pas laisser cette histoire me déprimer pour le restant de mes jours.

— Il s'est foutu de nous. Il nous a laissés lui courir après pendant des années. Je suis sûr qu'il est en train de se marrer là-haut. Exactement comme le vieux Pottisworth s'était moqué de papa.

— Oh, tu ne vas pas recommencer avec ça…

Son désir retomba. S'il poursuivait ses lamentations, elle ne serait plus d'humeur à faire l'amour. Matt ne semblait pas l'avoir entendue.

— Il avait dû tout planifier depuis des mois, des années même. Ces gens-là avaient peut-être mijoté ce sale tour avec lui.

— Il ne savait pas. Personne ne savait. Il a été assez stupide pour ne pas rédiger de testament, alors l'héritage est allé au dernier vivant. Il n'y a pas d'autre explication.

— Il avait dû leur en parler il y a des années. Ils n'ont eu qu'à attendre tranquillement, sans rien faire, qu'il casse sa pipe. Peut-être même qu'il leur avait parlé de ses deux idiots de voisins qui lui apportaient à manger tous les jours. Ils ont dû bien rire.

La frontière était si mince entre désir et colère. Comme si un rien pouvait exciter les sens.

— Tu sais quoi ? dit-elle, agacée. Il est probablement en train de rire de toi en te voyant perdre ton temps devant la fenêtre comme un enfant qui boude. Si ça te rend si malheureux, pourquoi on n'irait pas leur rendre une petite visite demain, histoire de leur demander ce qu'ils comptent faire ?

— Je n'ai pas envie de les voir, répondit-il d'un ton obstiné.

— Ne sois pas ridicule. Il faudra bien faire leur connaissance un jour ou l'autre. Ce sont nos voisins les plus proches.

Matt ne dit rien.

Ne le lâche pas, songea Laura. *Qu'il n'ait pas d'excuse.*

— Si ça se trouve, ajouta-t-elle, ils n'en ont même plus envie, maintenant qu'ils ont vu tout le travail qu'il y a à faire. Ils ont mis en vente les terres cultivables. Si tu leur faisais une offre... Mes parents nous prêteraient de nouveau de l'argent.

Elle déplia la couette du côté de son mari.

— Viens, mon amour... Nous avons obtenu une grande partie du terrain à un prix très raisonnable. Voyons le bon côté des choses. C'est déjà beaucoup, non ?

Matt reposa son verre. Il se dirigea d'un pas lourd vers la salle de bains, ne s'arrêtant que pour crier par-dessus son épaule :

— À quoi bon la terre sans la maison ?

Chapitre 5

Isabel était frigorifiée. Elle ne se rappelait pas avoir déjà eu aussi froid. Ce froid-là pénétrait ses os, et, quoi qu'elle fasse, quel que soit le nombre d'épaisseurs de vêtements qu'elle mette, elle ne parvenait pas à se réchauffer. Finalement, frissonnant dans l'obscurité, elle s'était levée et avait enfilé ses vêtements par-dessus son pyjama. Puis elle avait étalé son long manteau de laine sur le lit, ainsi que tous les habits des enfants qu'elle avait pu trouver, et recouvert le tout d'un couvre-lit en chenille de coton dégoté dans une des commodes. Ils avaient fini tous les trois dans le même lit. Épuisée par le déchargement des cartons et incapable d'évaluer quelles pièces étaient les plus habitables, Isabel avait oublié d'allumer le chauffage dans la chambre principale, de sorte que, au moment où ils montèrent au premier, ce ne fut pas la promesse d'un repos bienheureux qui les accueillit, mais d'hostiles courants d'air s'échappant de quelque cavité invisible, des draps humides et le goutte-à-goutte ininterrompu de l'eau de pluie tombant dans la vieille baignoire en fer-blanc du palier. Se serrer les uns contre les autres leur avait semblé le meilleur moyen de se tenir chaud. Ses deux enfants endormis auprès d'elle, Isabel savait qu'ils avaient besoin du réconfort maternel le plus élémentaire, une des rares choses qu'elle pouvait leur offrir, rien qu'en existant.

Qu'ai-je donc fait ? se demanda-t-elle.

Elle écouta les carreaux des fenêtres vibrer dans leur encadrement, les craquements et grognements étranges de la maison, le bruit de mystérieuses créatures détalant sous le toit. Dehors, régnait un calme surnaturel, dénué de la ponctuation rassurante des voitures, des pas sur le trottoir. Le lac et les arbres absorbaient le moindre son. L'obscurité était oppressante, aucun bâtiment voisin ni réverbère ne venait la percer. C'était un environnement primitif, et elle était contente d'avoir ses enfants avec elle. Elle leur caressa tendrement le visage, consciente du répit que le sommeil leur apportait. Puis elle tendit le bras par-dessus la tête de Thierry pour vérifier que son étui à violon était là.

— Qu'ai-je donc fait ? murmura-t-elle.

Sa voix lui sembla irréelle, désincarnée. Elle tenta de se remémorer Laurent, d'entendre ses mots rassurants et, comme il refusait de lui apparaître, elle se maudit d'avoir emménagé là et se mit à pleurer. Au matin, pourtant, la situation lui parut moins pénible. Elle se réveilla seule dans le lit. Le temps était clément, offrant cette lumière de début de printemps qui insuffle de la beauté jusque dans les décors les plus usés. Dehors, des hirondelles se chamaillaient bruyamment dans les haies, volaient de temps à autre vers la fenêtre avant de se poser de nouveau dans la végétation. En bas, la radio grésillait, et un bourdonnement laissait deviner que Thierry faisait tournoyer une voiture télécommandée sur le parquet.

Cette maison est comme nous. Elle a été désertée, abandonnée. Maintenant, elle va veiller sur nous, et nous la ramènerons à la vie.

Voilà quelle fut sa première pensée lucide. L'idée la propulsa hors du lit, puis sous une éprouvante douche froide, car ni elle ni Kitty n'avait pu maîtriser le système archaïque et complexe qui régulait l'eau chaude, et enfin dans ses vêtements de la veille et de la nuit passée – elle ne savait plus quel carton contenait sa garde-robe. Elle descendit lentement les marches, notant au passage les innombrables problèmes qui lui avaient échappé lors de sa première visite : plâtre craquelé, encadrements de fenêtres pourris, lames de parquet manquantes, et ainsi de suite.

Une chose à la fois, se dit-elle, craignant d'être submergée. *Nous sommes ici, et nous sommes ensemble. C'est le plus important.* Quelques mesures s'étaient insinuées dans sa tête : l'ouverture de la *Symphonie du Nouveau Monde* de Dvořák. Un air approprié, un bon signe. La mélodie s'arrêta dès qu'elle mit un pied dans la cuisine.

— Kitty ! s'exclama-t-elle.

Sa fille travaillait depuis un certain temps. Les étagères étaient vidées, et si les surfaces étaient encore abîmées et craquelées, elles scintillaient, nettoyées de la poussière et des détritus. Le sol était légèrement plus clair que précédemment, et l'on apercevait le jardin à travers les vitres translucides. Dans l'évier rempli d'eau savonneuse, un gros tas d'ustensiles de cuisine trempait, tandis qu'une casserole d'eau frémissait sur la cuisinière électrique. Kitty était en train de ranger leurs quelques provisions sur les étagères. La radio murmurait sur le plan de travail, et une tasse de thé était posée sur la table. Isabel exulta devant la jeunesse retrouvée de la pièce, mais céda aussitôt à un accès de culpabilité à la pensée que sa fille en était la seule responsable.

— Cette pièce peut servir de chambre froide, dit Kitty en désignant une porte sur le côté. On n'aura qu'à y stocker les aliments qui ont besoin de rester au frais en attendant de pouvoir brancher le frigo.

— Il ne suffit pas de mettre la prise ?

— Bien sûr, mais il n'y a pas de douille. J'ai regardé partout. Oh, et j'ai installé un piège à souris ici. Ça permet de les capturer vivantes ; une fois qu'on en a attrapé quelques-unes, on leur fait faire un petit tour en voiture…

Isabel eut un frisson d'effroi.

— À moins que Thierry ne veuille en faire ses animaux de compagnie, proposa Kitty.

Son frère leva des yeux pleins d'espoir.

— Non, trancha Isabel.

— Je n'arrive pas à faire fonctionner le gril, poursuivit Kitty, mais il y a des céréales et du pain au beurre. Les types de l'épicerie du village le font eux-mêmes. Il est délicieux.

— Du pain maison. Formidable.

Isabel sentit une boule se former dans sa gorge.

Laurent, tu serais si fier d'elle, pensa-t-elle.

— Mais on n'a que de la confiture à mettre dessus.

— Ce sera parfait. Kitty, tu as fait un travail magnifique sur le fourneau. Peut-être qu'on arrivera à le faire marcher aujourd'hui. Je crois que c'est censé chauffer toute la maison.

L'excitation s'empara d'elle à l'idée d'être enfin au chaud.

— Thierry a essayé tout à l'heure, dit Kitty. Il a utilisé toute une boîte d'allumettes et rien n'y a fait. Oh, et puis le téléphone fonctionne. On avait un mauvais numéro.

Isabel examina sa nouvelle cuisine.

— Le téléphone ! Kitty, tu es géniale.

— C'est juste le téléphone. Pas de quoi s'emballer.

Kitty parvint à se soustraire à l'étreinte de sa mère avec un sourire. Deux heures plus tard, l'humeur était moins optimiste dans la maison. La chaudière refusait obstinément de démarrer, les menaçant d'une nouvelle journée sans chauffage ni eau chaude. Le fourneau ne s'allumait pas, et les instructions jaunies trouvées dans le tiroir à couverts ne leur furent d'aucune aide, comme si les schémas avaient été dessinés pour un tout autre système. Thierry était sorti ramasser du bois pour faire un feu, mais n'avait pu mettre dans l'âtre que des bûches humides, qui remplirent le salon de fumée noire.

— Peut-être que le conduit de cheminée est bouché.

Kitty toussa, puis un pigeon en décomposition tomba sur le bois. Ils se mirent tous à hurler et la jeune fille éclata en sanglots.

— Tu aurais dû regarder dans la cheminée, idiot ! cria-t-elle à son frère.

— Je crois qu'il était déjà mort, fit remarquer Isabel.

— Tu n'en sais rien. Il l'a peut-être tué.

Thierry brandit ses deux majeurs à l'intention de sa sœur.

— Quelle idée de mettre du bois humide ! Et en plus tu as fichu de la boue partout dans la maison.

Le garçon examina ses baskets pleines de terre.

— Ce n'est pas très..., commença Isabel.

— Tu n'aurais jamais fait ça si Mary avait été là, l'interrompit Kitty.

Thierry sortit d'un pas furieux, dédaignant la main tendue de sa mère. Elle l'appela, mais ne reçut en réponse qu'un claquement de porte.

— Chérie, était-il nécessaire d'être si méchante ?

Si Mary était là...

Les mots continuaient de la brûler.

— Oh, cet endroit est sans espoir. Tout est nul, déplora Kitty en se dirigeant vers la cuisine.

La fée du logis avait disparu. Isabel resta au milieu de la pièce enfumée et se prit le visage dans les mains. Elle n'avait jamais eu à subir de chamailleries dans son ancienne vie. Mary avait une quantité d'astuces pour faire diversion ou les persuader de bien se conduire l'un envers l'autre. Se disputaient-ils davantage à présent parce qu'il n'y avait plus qu'elle ? Ou bien l'avait-on protégée des disputes et des échanges de noms d'oiseaux ?

— Thierry ? Kitty ? les appela-t-elle depuis le hall d'entrée.

Elle n'avait aucune idée de ce qu'elle leur dirait s'ils venaient. Un peu plus tard, quand elle retourna prudemment à la cuisine, elle trouva Kitty penchée au-dessus de la table, un magazine et une tasse de thé devant elle. La jeune fille leva sur sa mère des yeux pleins de culpabilité et de défi. Il y avait une tache de suie sur sa joue.

— Je ne voulais pas m'en prendre à lui, dit-elle.

— Je sais, ma chérie.

— Il est encore bouleversé à cause de papa et tout le reste.

— Comme nous tous. Thierry a… sa façon à lui de le montrer.

— C'est juste que c'est endroit est infernal, maman. Tu es bien obligée de l'admettre. Il n'y a pas d'eau, il n'y a rien. On ne peut pas se chauffer, ni se laver. Thierry commence sa nouvelle école lundi. Comment tu vas faire pour laver ses vêtements ?

Isabel prit l'air de celle qui avait déjà réfléchi à ce problème.

— Nous irons dans une laverie. En attendant de faire installer la machine.

— Une laverie ? Maman, tu as vu le village ?

Isabel s'assit avec lassitude.

— Eh bien, j'irai dans la ville la plus proche. Il doit bien y avoir une laverie quelque part.

— Les gens ne vont plus dans les laveries. Ils ont des lave-linge.

— Dans ce cas, je laverai ses affaires à la main, puis je les sécherai au sèche-cheveux.

— On ne pourrait pas rentrer chez nous ? la supplia Kitty. On se débrouillera pour l'argent. Je pourrais arrêter l'école une année et trouver un travail. Je suis sûre que je peux faire quelque chose. On y arrivera.

Isabel sentit le piège de sa propre insuffisance se refermer sur elle.

— J'aiderai autant que possible, ajouta Kitty. Et Thierry aussi. Être pauvre à la maison, ça vaut toujours mieux que de rester ici. C'est affreux. On dirait… un squat pour clochards.

— Je suis désolée, ma chérie. C'est impossible. Maida Vale est déjà vendue. Et dès que tu considéreras cette maison comme notre nouveau foyer, ce sera plus facile pour tout le monde. Essaie de dépasser les problèmes et de prendre conscience de la beauté qui nous entoure. Imagine ce qu'on pourrait en faire. Écoute, fit-elle d'une voix conciliante, tous les déménagements démarrent par des ennuis. Tu sais quoi ? Je vais appeler un plombier et on va faire fonctionner l'eau chaude. Ensuite, on fera venir un ramoneur. En un rien de temps, on aura oublié ces débuts catastrophiques.

C'était un plan.

— Puisque le téléphone marche, je vais m'en occuper tout de suite, ajouta-t-elle.

Un sourire encourageant aux lèvres, Isabel sortit de la cuisine d'un pas vif, sans vraiment savoir si elle se hâtait d'aller résoudre un problème ou de fuir le visage terriblement déçu de sa fille.

* * *

La veste matelassée à imprimé oriental de sa mère brillait de façon incongrue dans la maison triste et délabrée. Kitty referma son magazine, posa la tête dans ses mains et inspecta ses cheveux à la recherche de pointes fourchues. Quand cette activité commença à l'ennuyer, elle se demanda à quoi d'autre elle pourrait s'attaquer dans la cuisine. Sa mère s'était extasiée devant ses multiples talents, son esprit pratique et son intelligence. Rester occupée était en réalité le seul moyen que Kitty avait trouvé pour ne pas pleurer. Lorsqu'elle travaillait, elle vivait un semblant d'aventure. Elle pouvait constater le changement qu'elle avait apporté à leur environnement. Elle pouvait, selon les mots de la conseillère d'éducation, prendre le contrôle. Mais, dès qu'elle s'arrêtait, elle pensait à son père, à leur maison de Londres, à Mary. La nounou, en larmes, les avait serrés dans ses bras le jour du départ, comme s'il s'était agi de ses propres enfants. Toutes ces choses lui donnaient envie de crier après sa mère, parce qu'il n'y avait plus personne d'autre à blâmer. Sauf qu'on ne pouvait pas lui faire de reproches, car elle était encore en deuil. Et fragile, comme une enfant, avait dit Mary.

— C'est souvent ainsi avec les artistes, lui avait-elle expliqué un soir. Ils n'ont pas besoin de grandir. Toute leur énergie est dirigée vers leur passion.

Kitty n'avait jamais su si cette remarque était une critique. Mais Mary avait eu raison et, petite, la fille d'Isabel s'était mise à détester le Guarneri, à tel point qu'il lui arrivait fréquemment de le cacher, pour ensuite regarder sa mère, avec une fascination coupable, mettre la maison sens dessus dessous, pleine d'angoisse, pour le retrouver. Cet instrument avait gouverné leurs vies. Ils n'avaient pas le droit de déranger leur mère quand elle répétait, ni de mettre la télévision trop fort, ni de la faire culpabiliser lorsqu'elle partait en tournée. Kitty ne devait pas lui en vouloir de ne jamais jouer dans le jardin avec elle, de ne jamais l'aider dans ses travaux manuels, parce qu'il fallait qu'elle protège ses mains. Les moments de son enfance les plus durablement gravés dans sa mémoire étaient ceux qu'elle avait passés assise derrière la porte du bureau à écouter sa mère jouer, comme pour se rapprocher d'elle. Elle savait qu'elle avait failli être enfant unique car Isabel n'était pas sûre de pouvoir concilier les besoins de deux enfants avec sa carrière. Et, même après l'arrivée imprévue de Thierry, elle n'avait jamais participé aux événements scolaires, aux matchs de netball, parce qu'elle était en concert. Ils comprendraient lorsqu'ils seraient grands, leur disait leur père, s'ils avaient la chance de se découvrir une véritable passion. Mary l'avait accompagné à tellement d'événements que la plupart des gens la prenaient pour son épouse. Une vague de ressentiment submergea Kitty.

Je déteste cette maison. Je la déteste parce que papa et Mary ne sont pas là, et parce que je ne peux même pas être moi-même.

Le plombier promit de venir le lendemain matin, en les prévenant que son travail serait facturé en intervention d'urgence. Il poussa un lourd soupir quand Isabel lui avoua ne pas savoir d'où le problème venait, la maison étant restée longtemps inoccupée.

—Je ne promets rien, scanda-t-il. Avec ces vieilles installations, ça s'est peut-être grippé.

Elle s'excusa, puis s'en voulut.

Le ramoneur se montra plus aimable, siffla lorsqu'elle lui indiqua l'adresse et lui fit remarquer que la dernière fois qu'il avait ramoné cette cheminée remontait à presque quinze ans.

—Le vieux était radin, fit-il. Il a vécu dans une seule pièce pendant des années, à ce qu'on dit. Il a laissé tout le reste tomber en ruine autour de lui.

Isabel admit que la maison était un peu… « fatiguée ». Elle le remercia chaleureusement lorsqu'il lui promit de passer l'après-midi même.

—Je vous apporterai un ou deux sacs de bûches, si vous voulez. Je m'occupe de beaucoup de maisons dans le coin.

La perspective d'un feu lui remonta le moral. Elle reposa le combiné, se demandant si ses meubles n'allaient pas paraître minuscules et trop peu nombreux dans ce vaste intérieur.

Un bon feu déridera tout le monde, se dit-elle.

Elle réfléchit à un moyen d'égayer le lugubre salon. La chaleur aiderait, bien sûr, mais il leur fallait une pièce accueillante, quitte à en laisser d'autres vides. L'extrémité sud de la maison semblait un peu moins humide et un peu plus habitable. Elle rassembla divers éléments – un tapis, deux tableaux, une petite table et un vase – avant de les disposer dans la pièce, essayant de la rendre plus chaleureuse et plus vivante. Les tapis ne suffirent pas à camoufler toutes les lames du parquet, mais en recouvrant les zones les plus défraîchies, ils réduisirent l'impression de vide et de vétusté. Les tableaux dissimulèrent les fissures des murs et un fauteuil positionné de façon stratégique cacha les traces d'humidité au-dessus de la plinthe. Elle secoua les rideaux, et la poussière ainsi libérée la fit tousser. Ensuite, elle évalua ses efforts. Cela ne ressemblait pas vraiment à Maida Vale, mais c'était un début. Dehors, Thierry, petite silhouette inconsolable dont le pantalon vert se détachait sur le paysage gris et brun, marchait le long du lac. Il tenait un grand bâton dont il fouettait les plantes à une cadence régulière. Il avait la tête baissée, et son souffle dessinait de petits nuages. Elle le vit se frotter les yeux avec sa manche à plusieurs reprises. Ses petites victoires à elle lui parurent soudain bien dérisoires, pathétiques même. Elle se souvint d'une remarque qu'un violoncelliste lui avait faite quand elle était enceinte de

Kitty : « Tant que l'un de vos enfants n'est pas heureux, vous ne pourrez pas l'être. »

Je dois fournir plus d'efforts, songea Isabel. *Je dois faire de cet endroit un foyer où ils ne souffriront pas sans cesse de l'absence. Je suis tout ce qu'ils ont.*

Le ramoneur, M. Granger, arriva à l'heure promise, se mordit les lèvres puis ramona trois cheminées en faisant étonnamment peu de désordre et de saleté étant donné la quantité de suie qu'il libéra. Les cheminées, dit-il à Thierry avec un clin d'œil, étaient comme les narines. Elles avaient besoin d'un nettoyage régulier. Il souligna ses paroles en soufflant dans son mouchoir avec un bruit de trompette, avant d'exhiber le résultat tout noir devant une Kitty dégoûtée et un Thierry amusé. Plus tard dans l'après-midi, tandis que l'obscurité tombait déjà et que les enfants étaient occupés avec M. Granger, qui leur apprenait à allumer « un feu digne de ce nom », Isabel vagabonda à l'étage. La veille, elle avait remarqué qu'une porte du palier ouvrait sur une partie plate du toit qui débouchait sur les remparts, et avait donc pris avec elle le gros trousseau de clés qui était accroché dans la cuisine. Elle avait prévu de n'y rester qu'un bref instant, pour profiter de la vue et admirer le crépuscule, mélange de bleu glacier et de rose pêche marquant le début du printemps et qui se reflétait sur le lac. L'extérieur de la maison était moins triste et plus engageant que l'intérieur. Elle n'était là que depuis quelques secondes lorsqu'elle comprit ce dont elle avait besoin. Elle retourna à l'intérieur, sortit son violon de l'étui et remonta sur le toit. Debout près des remparts, elle cala l'instrument sous son menton, ne sachant pas avant de commencer ce qu'elle allait jouer. Elle se surprit à entamer le premier mouvement du *Concerto en si mineur* d'Elgar. Autrefois, elle détestait ce morceau, le trouvait excessivement sentimental. Au Symphonia, tout le monde s'accordait sur son caractère assommant et désuet. Mais là, contre toute attente, il lui parlait, s'imposait à elle. Alors elle s'y abandonna.

Ça fait presque un an que tu es mort, dit-elle à Laurent. *Je vais jouer pour toi. Un requiem pour les choses que nous avons perdues tous les deux.*

Les notes s'envolèrent d'elles-mêmes, devinrent profondes et passionnées, et elle les entendit résonner dans la campagne glaciale, charriées dans l'air immobile par les ailes des goélands. Elle commit quelques erreurs, mais ne s'en soucia pas. Elle n'avait pas besoin de partition, ni d'être dirigée : le concerto, qu'elle n'avait pas joué depuis des années, infiltra ses doigts dans une étrange osmose. Au dévastateur troisième mouvement, elle était ailleurs, étrangère à tout excepté à ses sentiments, qui faisaient vibrer l'archet et les cordes.

Laurent.

Elle entendit sa voix au milieu de la mélodie, se laissa emporter par sa propre virtuosité.

Laurent.

Cette fois, il n'y eut pas de larmes, toutes les émotions qu'elle retenait – le chagrin, la colère et la frustration – étaient traduites en sons, la musique les rachetait, les apaisait.

Le ciel s'assombrit, l'air se rafraîchit. Les notes montèrent en flèches, se déployèrent et s'envolèrent comme des oiseaux, des espoirs, des souvenirs.

Laurent, lui répéta-t-elle. *Laurent. Laurent...* Jusqu'à ce que les mots et même la pensée se noient dans le son.

Asad traînait le cageot de fruits vers la porte tandis que Henry, à l'intérieur, se hâtait pour la lui ouvrir.

— Je viens d'avoir Mme Linnet au téléphone. Elle dit que la nouvelle propriétaire a mis sa musique à tue-tête et qu'on peut l'entendre dans toute la vallée. Elle s'est plainte de ne pas pouvoir écouter son émission de radio. D'après elle, on dirait une armée de chats qu'on étrangle. Elle compte porter plainte pour nuisance sonore si ça devient une habitude. Une vraie rabat-joie, celle-là, ajouta-t-il avec un grand sourire.

Asad posa le cageot à côté de l'étagère à fruits.

— Ce n'est pas un disque. Elle s'est arrêtée deux fois. J'écoutais pendant qu'ils déchargeaient les fruits. Si tu vas dehors, tu vas l'entendre.

— Elle joue encore ?

— Tu n'as qu'à tendre l'oreille.

Les deux hommes sortirent. Le ciel s'assombrissait, la rue du village était déserte. Les fenêtres des maisons qui bordaient la route projetaient de longs rectangles de lumière. Ici et là, on tirait des rideaux. Henry secoua la tête.

— Je n'entends rien.

— Attends, fit Asad. Peut-être que le vent a changé de direction. Là…

Ses yeux étaient rivés sur ceux d'Henry.

— Tu entends ?

Henry ne bougeait pas d'un cil, comme si c'était une condition indispensable à une bonne écoute. Puis, lentement, tandis que les notes lointaines d'un violon se faisaient entendre, un sourire se dessina sur son visage. Les deux hommes se délectèrent de ce plaisir inattendu, dans un endroit où de telles choses se faisaient rares. Asad, transporté dans un ailleurs, peut-être loin d'un froid village anglais, esquissa à son tour un sourire.

— Tu crois qu'elle serait capable de jouer le thème principal de *Cats* ? dit Henry quand la musique s'évanouit. J'adorerais qu'elle le joue pour moi. On pourrait lui demander si elle organise des récitals.

Les sacs-poubelles étaient rassemblés sous un frêne, présence incongrue au milieu de la verdure bourgeonnante, dans la fraîcheur de rosée qui l'imprégnait. Lorsqu'il les repéra sur le chemin de terre, Matt ralentit et coupa le moteur de son van, maudissant les pollueurs sauvages. Il sortit du véhicule, se dirigea vers les sacs et les balança à l'arrière. C'était de pire en pire dans le coin, pensa-t-il avec amertume ; les gens préféraient couper par les bois plutôt qu'aller jusqu'à la décharge pour jeter leurs ordures. Sa journée s'achevait en beauté, après les problèmes qu'il avait rencontrés sur les deux sites qu'il supervisait. D'abord le charpentier, qui avait failli perdre un doigt et serait probablement en arrêt pour un bout de temps, et ensuite cet appel plaintif de Theresa, lui reprochant de l'avoir laissée six semaines sans « vrai moment ensemble ». Elle ne comprenait pas vite, celle-là. Elle commençait à devenir une gêne. Il s'était arrêté pour s'essuyer les mains sur un chiffon quand il l'entendit : une longue note étirée qui traversa la vallée, proche du cri d'un animal sauvage ou d'un oiseau, un son inédit dans le coin. Il s'immobilisa, tendit l'oreille pour confirmer ce qu'il avait entendu, puis distingua la musique. Du classique, un truc comme ça. Matt était d'une humeur trop exécrable pour s'en émouvoir. Du vacarme venant de la grande maison.

— Il ne manquait plus que ça, marmonna-t-il en grimpant dans son van.

Il tendit la main vers la clé de contact et jeta un regard noir aux contours lointains de la bâtisse, à peine visibles derrière les cimes, et le dépit le rongea de plus belle. Pourtant, au lieu de démarrer, il resta assis. Et écouta.

— Ça, c'est la mèche, vous voyez ? C'est ça qu'il faut allumer. Vous ouvrez cette petite fenêtre, là, et vous frottez l'allumette… C'est comme ça que le mien fonctionne, en tout cas. Le vôtre n'a pas l'air très différent.

M. Granger examinait les entrailles du fourneau lorsqu'on frappa à la porte. Isabel, qui avait arrêté de jouer quand les enfants l'avaient appelée, s'agaça de cette interruption au moment où les secrets de la bête allaient enfin lui être révélés.

— Vous attendez du monde ?

Isabel s'essuya les mains sur son pantalon.

— Je ne connais personne. Kitty ? Thierry ? cria-t-elle. Vous allez ouvrir ? Monsieur Granger, vous pouvez me réexpliquer ce que ça signifie quand la flamme devient jaune ?

Il y eut des bruits sourds à l'étage, puis Isabel entendit la porte d'entrée s'ouvrir et des pieds fouler les marches grinçantes.

— Le conduit est normal, déclara M. Granger. J'ai fourré la tête là-dedans, et on peut presque voir la lumière du jour. Ça devrait fonctionner.

La porte de la cuisine s'ouvrit et un homme en habits de travail, veste kaki délavée, plusieurs stylos dépassant de sa poche poitrine, entra. Les enfants d'Isabel apparurent derrière lui.

— Comment ça va, Matt ? dit M. Granger. Ça ne vous ressemble pas d'avoir fini avant la tombée de la nuit. Vous êtes venu aider notre nouvelle voisine, c'est ça ? Il y a de quoi faire, ici.

Il y eut un bref silence, puis l'homme esquissa un sourire et tendit la main. Isabel la serra et fut frappée par les callosités de sa paume.

— Bonjour, dit-elle, un peu désarmée. Isabel Delancey. Et voici mes enfants, Kitty et Thierry.

— Matt McCarthy.

Il avait clairement conscience de son pouvoir de séduction. L'expression « mâle alpha » traversa l'esprit d'Isabel. Elle ne savait plus où elle l'avait entendue.

— Je leur ai appris à faire un beau feu, figurez-vous.

— On va en allumer un dans la chambre, maintenant, dit Kitty d'une voix enjouée.

— Oh oui, faisons ça dans chaque pièce, ma chérie ! s'enthousiasma sa mère en lui lançant une boîte d'allumettes. Réchauffons cette maison comme il se doit.

— Attendez. Vous devez être sûrs d'avoir assez de bûches. À ce rythme-là, vous allez finir le stock en une soirée.

M. Granger laissa échapper un petit éclat de rire.

— Ils sont habitués au chauffage central, Matt. On dirait bien que j'ai créé deux petits pyromanes.

— Vous n'êtes pas d'ici, alors ?

Matt McCarthy la dévisageait et Isabel se demanda si elle avait de la suie sur le visage. Elle se retint de l'essuyer.

— En effet, dit-elle, souriant pour cacher son embarras. Nous venons de Londres. Nous ne sommes vraiment pas doués pour ce genre de choses. M. Granger nous a aidés.

— Je regardais ce vieux fourneau, expliqua l'homme. Elle voudrait le faire marcher. Des gelées sont annoncées pour après-demain. Ils vont être frigorifiés avec tous ces courants d'air.

— Il n'a pas servi depuis des années, fit remarquer Matt McCarthy sur un ton légèrement péremptoire. Mais il a l'air en plutôt bon état. Vous avez mis du fioul ?

— Du fioul ? répéta Isabel.

— Du fioul, confirma Matt.

— Vous voulez dire du carburant ?

— C'est juste un problème de fioul ? fit M. Granger en riant. Il fallait le dire, que vous n'aviez pas nourri la machine. Voilà le problème. Vous croyez qu'elle carbure à quoi ? À l'air frais ?

— Je ne sais pas. Je n'en avais jamais eu avant. Au bois ? Au charbon ? Je n'y avais pas pensé, admit Isabel.

Le ramoneur lui donna une tape dans le dos qui la fit tressaillir.

— Il faudra en commander. Chez Crittendens – ce sont les plus rapides. Dites-leur que c'est urgent. Ils vous fourniront en un jour ou deux. Les autres vous feront poireauter une semaine.

— Que dois-je remplir ? demanda-t-elle en regrettant de paraître si ignorante.

— La cuve.

Matt McCarthy sourit véritablement pour la première fois. Mais ce sourire ne lui parut pas très amical. Elle se faisait cette remarque quand il reprit la parole, d'une voix plus enjouée.

— Vous la trouverez à l'arrière, près de la grange. Mais demandez à votre mari d'y jeter un œil avant – c'est un peu rouillé.

— Merci, dit-elle un peu sèchement. Mais il n'y a que nous.

— Je n'aime pas voir une femme et ses enfants sans eau chaude, s'inquiéta M. Granger. Ce n'est pas bien. Bon, au moins vous avez votre feu pour ce soir.

L'homme s'essuya les mains et remit son chapeau, prêt à partir.

— Merci beaucoup, dit Isabel en cherchant son porte-monnaie dans son sac.

— Oh, ne vous en faites pas pour ça pour l'instant. On se revoit à la fin de la semaine quand tout sera en ordre. Je serai dans le coin, alors je vous appelle vendredi matin. Pour voir comment vous vous débrouillez. Et je vous apporterai un stock de bûches, si j'arrive à descendre votre allée avec. Plus on pourra chauffer cet endroit, mieux ce sera. Ça réduira l'humidité.

Il esquissa un geste en direction de la fenêtre, désignant les arbres.

— D'ici l'année prochaine, ça devrait le faire, hein, Matt ?

Il hocha la tête, puis monta les marches, suivi par Kitty et Thierry. Sans lui, la pièce sembla excessivement silencieuse. Consciente du triste état de la cuisine et de son allure dépenaillée, Isabel fut saisie d'une gêne qu'elle ressentait souvent désormais quand elle se trouvait en présence d'hommes. Comme si Laurent avait emporté avec lui une couche de sa peau.

— Ainsi, nous sommes voisins, dit-elle en essayant de reprendre contenance. Votre maison doit être celle devant laquelle nous sommes passés en arrivant. Je vous sers une tasse de thé ? Je vous proposerais bien quelque chose de plus fort, mais nous sommes encore dans les cartons.

Matt McCarthy déclina l'offre d'un mouvement de tête.

— C'est un peu le bazar, ajouta-t-elle.

Elle parlait trop vite, comme cela lui arrivait souvent face à des interlocuteurs débordant d'assurance.

— On va s'organiser au fur et à mesure. Comme vous le voyez, nous ne sommes pas la famille la plus débrouillarde du monde... Je suis sûre que j'ai beaucoup à apprendre.

Elle repoussa une longue mèche de cheveux de son visage. Elle avait perçu une pointe de désespoir dans sa propre voix. Il la regardait sans ciller.

— Ça va bien se passer, dit-il.

Laura venait de finir de trier le contenu du congélateur dans le garage. Elle s'essuya les mains sur son jean et se dirigea vers le van. Quand Matt en sortit, il la surprit par un baiser à pleine bouche.

— Salut, fit-elle. Bonne journée, on dirait ?

— Pas vraiment, dit-il. Mais ça s'améliore.

C'était si bon de le voir sourire. Laura le saisit par la ceinture et l'attira vers elle.

— Je peux peut-être contribuer à cette amélioration, dit-elle. Un bon steak, avec ma sauce au poivre ?

Il approuva d'un grondement sourd qu'elle sentit vibrer agréablement contre sa peau. Il referma la portière du van, passa un bras autour des épaules de sa femme et marcha avec elle jusqu'à la porte de derrière. Elle lui saisit la main, la tint contre sa clavicule, désireuse de prolonger ce moment.

— Tu as reçu deux chèques pour le chantier des Pinkerton. Je les ai encaissés. Tu as entendu la musique tout à l'heure ? Anthony a cru qu'un renard s'était pris dans un piège.

— J'ai entendu. En fait, je suis allé voir nos nouveaux voisins.

Laura trébucha sur le vieux chien, qui émit un gémissement de protestation.

— Désolée, Bernie... Tu es allé là-bas ?

— Je me suis dit qu'il n'y avait pas de mal à dire bonjour. On est voisins, après tout.

Elle attendit le commentaire acerbe, le rictus amer sur ses lèvres. Mais il n'y eut rien de tout cela. Même l'allusion à la grande maison ne l'avait pas dérangé.

Oh, je vous en prie, faites que les choses se tassent, pria-t-elle. *Qu'il en finisse avec ça. Qu'il retrouve sa joie de vivre.*

— Eh bien, tu as eu raison. J'y ferai moi aussi un saut dans la semaine, approuva-t-elle en tentant de dissimuler ses craintes. Il faut que je te dise, Matt : c'est formidable de te revoir sourire. Vraiment formidable.

Son mari se pencha vers elle et lui déposa un baiser sur le nez. Ses lèvres étaient fraîches contre sa peau.

— J'ai réfléchi, dit-il.

Chapitre 6

Peu de femmes de sa génération pouvaient se targuer d'avoir épousé leur premier amour, mais dès l'instant où Isabel Hayden rencontra Laurent Delancey, elle sut qu'elle avait trouvé le bon. Cette conclusion, qui s'imposa à elle au beau milieu d'une représentation de la pièce romantique pour violon et orchestre de Bruch, la prit par surprise. À vrai dire, elle n'avait jamais ressenti le moindre intérêt pour les pâles éphèbes pleins de gravité qui peuplaient son école de musique. Elle était même décidée à ne jamais se marier, car rien ne devait la détourner de sa passion. Mais, tandis qu'elle affrontait le solo, elle repensa à l'homme sérieux et chiffonné qui l'avait emmenée dîner aux Halles la veille – dans un vrai restaurant, pas un café. Il lui avait dit n'avoir jamais été autant touché par la musique que lorsqu'elle avait joué devant la station Clignancourt. Elle avait alors songé que ce fameux Élu dont parlaient sans cesse ses copines existait peut-être, tout compte fait, et qu'il pouvait apparaître au moment le plus étrange et de la façon la plus inattendue. Comme toutes les plus belles histoires d'amour, celle-ci avait, bien sûr, connu son lot d'obstacles : une ex-femme, actrice « névrosée » dont il n'était pas encore officiellement divorcé ; les objections de ses parents, qui la considéraient, à vingt ans, trop jeune et trop impulsive pour s'engager ; mais aussi ses professeurs de musique, qui craignaient qu'elle ne gâche son exceptionnel talent en succombant au prosaïsme de la vie domestique. Même le pasteur s'était inquiété : selon lui, la différence d'âge et le fossé culturel – il associait les Français au libertinage et aux odeurs corporelles – risquaient de vouer son mariage à l'échec. Mais Laurent avait affronté tout cela d'un haussement d'épaules bien gaulois, et sa passion pour la fille à la longue tignasse aux reflets dorés avait parlé pour lui. De son côté, Isabel découvrit, contrairement à nombre de ses pairs, que le mariage n'était pas forcément synonyme de déception, de cynisme ou de compromis. Laurent l'aimait. Il l'aimait lorsqu'elle s'endormait sur son petit déjeuner parce qu'elle s'était acharnée toute la nuit sur les dernières mesures d'une sonate ; il l'aimait aussi quand, une fois de plus, le repas qu'elle lui avait préparé était à la fois brûlé et insipide. Il l'aimait quand ils se promenaient bras dessus bras dessous sur Primrose Hill et qu'elle lui chantait ses morceaux préférés, en faisant de grands gestes des bras pour figurer la grosse caisse et le tuba. Il l'aimait lorsqu'elle le réveillait à 3 heures du matin, mourant d'envie de le sentir en elle, de goûter ses lèvres avec les siennes. Il lui avait acheté le Guarneri, l'avait posé sur l'oreiller de la chambre d'hôtel où ils avaient échoué un week-end, et avait ri de la voir ébahie devant la découverte. Il l'aimait. Elle avait vécu la nouvelle de sa grossesse après leur lune de miel comme un choc, appréhendant l'irruption d'un tiers dans leur idylle romantique. Mais Laurent lui avait avoué un désir d'enfant qui ne l'avait pas quitté de toute la durée de son premier mariage, et Isabel, éperdument amoureuse, avait décidé de lui offrir ce cadeau. Sa grossesse s'était déroulée sereinement et, sidérée par l'amour profond que Kitty avait fait naître en elle, elle avait décidé de se dévouer corps et âme à la maternité. Le bébé n'en méritait pas moins. Mais elle s'était révélée désastreuse, n'avait jamais réussi à respecter la mystérieuse routine que l'infirmière lui avait enseignée, s'était retrouvée écrasée sous des montagnes de linge sale, et n'avait jamais pu s'adonner aux activités mère-enfant auxquelles les autres mamans s'adaptaient si facilement. Laurent et elle s'étaient alors brouillés pour la première fois. Elle s'était montrée irascible, avait pris des airs de martyre, s'était plainte d'avoir sacrifié ce qu'elle était, et l'en avait tenu pour responsable.

— Tu es en train de me faire regretter mon ex, lui avait-il lancé avec sa désinvolture parisienne.

Ce soir-là, elle avait pesté contre lui à propos de la vaisselle sale, de son manque de liberté, de sa fatigue, de leur vie sexuelle en berne. Elle lui avait balancé le babyphone au visage. Le lendemain matin, découvrant l'impact dans le mur, elle avait compris qu'un changement s'imposait. Laurent l'avait prise dans ses bras.

— Je n'aurais pas moins d'estime pour toi parce que tu as besoin de ta musique. C'est l'une des choses qui m'ont fait tomber amoureux de toi.

Après avoir reçu plusieurs fois la confirmation de sa sincérité, l'assurance qu'il ne lui en voudrait pas, ils avaient engagé Mary. Isabel s'était déculpabilisée en se disant que tout le monde y gagnerait. Et Kitty était un bébé si agréable. Si elle avait été malheureuse avec Mary, ou gênée par la présence d'une autre personne que sa mère à ses côtés, n'aurait-elle pas été moins souriante ? Moins placide ? Il y avait tout de même un prix à payer. Voilà une des premières leçons que la maternité lui avait enseignées : il y avait toujours un prix à payer. Voir Kitty courir spontanément vers Mary lorsqu'elle s'était blessée, alors qu'Isabel était dans la même pièce, entendre Laurent, si bien informé, discuter avec sa fille de ses camarades de classe ou de la dernière réunion de parents d'élèves à laquelle il avait assisté. Le sentiment de culpabilité qui la torturait lorsqu'elle se trouvait seule dans une chambre d'hôtel à des centaines de kilomètres de son enfant malade, ou à la lecture des petits mots plaintifs qu'elle découvrait dans sa valise : « Maman, je t'aime, tu me manques quand tu es loin. » Sa famille lui manquait à elle aussi, et les remords la déchiraient. Mais Laurent et Mary lui offraient la liberté d'être elle-même, de poursuivre une activité qu'elle adorait. Et plus elle vieillissait, plus elle rencontrait d'autres mamans, plus elle prenait conscience de la chance qu'elle avait : le mariage et la maternité ne l'avaient pas dépossédée de sa créativité.

Plus important encore, la passion entre Laurent et elle était restée intacte. Ce n'était pas toujours facile. Laurent adorait encore son impulsivité, lui passait ses extravagances – le jour où elle avait sorti les enfants de l'école pour les emmener faire un tour en ballon, celui où elle avait mis les assiettes à la poubelle parce que leur couleur l'irritait et oublié d'en acheter de nouvelles –, mais pouvait se vexer lorsqu'il avait le sentiment de ne pas occuper la première place dans l'esprit de sa femme. Elle avait appris à déceler les moments où il la trouvait trop absorbée par sa musique. Il devenait irritable, disait regretter que sa femme soit si peu présente. Lorsqu'elle répétait mentalement sa musique, ou même lorsqu'elle faisait semblant de bavarder avec Kitty de sa journée, il n'était pas dupe. Elle avait l'intelligence de toujours lui donner ce dont il avait besoin, de poser les questions qu'il fallait sur son travail à la banque d'investissement, sans vraiment comprendre les réponses. L'activité de Laurent était un mystère pour elle. Elle savait seulement qu'il gagnait suffisamment d'argent pour tout assumer, pour leur offrir des vacances, deux ou trois semaines durant lesquelles elle laissait son violon de côté et se consacrait à sa famille. Sa seconde grossesse leur avait valu leur plus grande crise. Six ans après la naissance de Kitty, elle s'était retrouvée nez à nez avec le point bleu du test de grossesse ; il l'avait surprise malgré l'évidence, et elle avait cédé à la panique. Ce n'était pas le moment d'avoir un autre enfant : elle venait à peine d'être nommée premier violon au City Symphonia ; des tournées étaient programmées à Vienne et Florence. Elle avait prouvé son inaptitude à la maternité à temps plein, même avec une enfant aussi accommodante que Kitty. Elle avait envisagé à plusieurs reprises de cacher sa grossesse à Laurent. La réaction de son mari ne l'avait pas étonnée : la nouvelle l'avait d'abord enchanté, puis il s'était montré horrifié quand elle lui avait fait part de ses intentions.

— Mais pourquoi ? avait-il demandé. Mary et moi sommes là pour t'aider. Kitty adorerait avoir un petit frère ou une petite sœur, elle n'arrête pas d'en parler.

— Nous nous étions mis d'accord, Laurent. Pas d'autre enfant. Je ne tiendrai pas le coup avec deux.

— Tu n'as même pas à tenir le coup avec un seul, avait-il répliqué. Et je n'y ai jamais vu d'inconvénient. Mais tu ne peux pas me priver – nous priver – de cet enfant parce que ça n'entre pas dans ton emploi du temps.

Elle avait été obligée de céder. Il demandait si peu. Elle n'avait jamais avoué les pensées sombres qui l'avaient habitée à chaque grossesse, quand la naissance devenait imminente. Et il avait eu raison : lorsque Thierry était arrivé, les bras tendus comme s'il protestait contre cette naissance non désirée, elle l'avait aimé avec la même passion instinctive que celle que Kitty lui avait inspirée. Et avait ressenti un profond soulagement quand, trois mois plus tard, elle avait pu reprendre le travail.

Isabel noua son écharpe autour de son cou et descendit le chemin à grands pas en direction des bois. Le cerfeuil sauvage chargé d'humidité et les herbes folles s'accrochaient à ses bottes. C'était la première fois depuis des semaines qu'elle se retrouvait seule. Les enfants étaient partis à l'école deux heures plus tôt, Thierry tentant d'esquiver son baiser, mal à l'aise dans son uniforme raide, Kitty se mettant en route avec son habituelle détermination. Elle avait attendu avec impatience ce moment à elle – elle en avait tant besoin. Mais ses enfants lui manquaient. Sans le bruit et le remue-ménage qu'ils faisaient, la maison lui parut trop morne, écrasante et, au bout d'une heure, elle avait compris qu'elle devait bouger, sous peine de sombrer dans la neurasthénie. N'ayant ni la force d'ouvrir les derniers cartons ni celle d'entamer la tâche sisyphéenne du ménage, elle était sortie faire un tour. Après tout, il n'y avait rien qu'une bonne marche ne puisse régler, comme le lui répétait Mary. Elle avait décidé de traverser les bois et de pousser jusqu'à l'épicerie du village. Le simple achat de lait et de denrées pour le dîner représentait un but. Elle ferait un ragoût ou un poulet rôti pour que les enfants trouvent quelque chose en rentrant. Ses souvenirs de Laurent la tourmentaient moins lorsqu'elle était dehors. Un an après sa mort, elle se rendit compte qu'ils concernaient davantage les belles choses que les choses perdues. La tristesse ne partait jamais, lui avait-on dit, mais on apprenait à vivre avec. Elle fourra les mains dans ses poches, inspira l'odeur piquante des nouvelles pousses, observa les bulbes naissant sous les arbres, devina qu'un parterre de fleurs avait existé ici ou là.

Je pourrais lui faire un jardin, songea-t-elle.

Sans vraiment y croire : creuser, biner, tailler, voilà qui mettrait ses mains à rude épreuve. Le jardinage figurait depuis longtemps sur la liste non officielle des activités interdites au violoniste. Elle arriva à la lisière du bois, le lac sur sa gauche, essaya de se rappeler l'endroit où elle avait repéré une brèche. Elle la trouva et passa au travers. De l'autre côté, le sol était encore plus accidenté qu'autour de la maison. Elle se retourna brièvement : sa façade rouge brique et ses fenêtres hasardeuses la regardaient fixement, sans aucune bienveillance. Ce n'était pas encore sa maison. Pas encore un foyer.

Tu ne dois pas penser en ces termes, s'admonesta-t-elle. *Ce sera notre foyer si nous en faisons notre foyer.*

Désormais, ils avaient l'eau chaude, quoiqu'à un prix exorbitant, une vague chaleur à l'odeur métallique dans quelques pièces. Le plombier lui avait dit que les radiateurs avaient besoin de saigner, mais, devant son air supérieur, elle n'avait pas osé lui demander ce qu'il avait voulu dire par là. Et il y avait une énorme fissure dans la baignoire, si bien qu'ils étaient obligés de se laver dans une bassine en fer-blanc, situation contre laquelle Kitty protestait amèrement chaque matin.

Isabel s'arrêta pour examiner des champignons démesurés poussant en éventail au pied d'un tronc pourri, puis leva les yeux vers le ciel couvert, visible en filigrane à travers les brindilles et les branches. Il faisait frais ; elle souffla dans son écharpe, savourant la chaleur qui se répandit sur son visage. Des odeurs de mousse et de bois mouillé flottaient dans l'air – une saine décomposition, loin de l'humidité sinistre de la maison, où les choses semblaient pourrir autour d'eux sans qu'elle sache vraiment les identifier. Quand une brindille craqua, elle s'immobilisa, et des images de fous armés de haches emplirent soudain son esprit de citadine. Elle retint son souffle et se tourna lentement vers l'endroit d'où était venu le bruit. À moins de dix mètres d'elle, un immense cerf la dévisageait, tête dressée, ses bois couverts de lichen rappelant les branches nues derrière lui. De minces filets de vapeur sortaient de ses narines, et il cligna plusieurs fois des yeux. La fascination l'emporta sur la peur. Isabel observa l'animal, s'émerveilla du fait que de telles créatures puissent encore exister dans la nature, que dans leur pays surpeuplé, envahi de constructions humaines, il y ait encore de la place pour qu'une telle bête puisse s'ébattre librement.

—Oh.

Ce petit son rompit peut-être le charme, car le cerf repartit en bondissant dans les bois. Isabel le regarda s'éloigner. Un air de musique démarra dans sa tête: *La Métamorphose d'Actéon en cerf*. L'animal ralentit, hésita, tourna la tête, tandis que dans l'esprit d'Isabel résonnaient la fanfare d'arpèges ouvrant la symphonie, symbole des jeunes gens venus chasser, et la douce flûte de l'adagio figurant le murmure des rivières et de la brise. Soudain, un coup de feu brisa le silence. Le cerf détala, trébuchant sur le sol boueux. Un deuxième coup retentit et Isabel, qui s'était d'abord retranchée derrière un arbre, se mit à courir dans le sillage de l'animal, essayant de comprendre d'où le tir venait.

— Arrêtez ! hurla-t-elle, son écharpe tombant de sa bouche. Qui que vous soyez, arrêtez ! Arrêtez de tirer.

Son cœur battait à tout rompre. Elle voulait foncer, mais de grosses mottes de terre s'étaient agglutinées sur ses semelles.

— Arrêtez ! répéta-t-elle en priant pour que le tireur invisible l'entende.

Elle tenta de décrotter une de ses chaussures avec la pointe de l'autre. Le cerf semblait s'en être sorti, mais le cœur d'Isabel, redoutant le prochain coup, tambourinait toujours dans sa poitrine. Elle vit alors un homme venant dans sa direction traverser le champ à grands pas, sans que la boue semble le gêner. Un fusil, canon vers le sol, reposait dans le creux de son bras. Elle tira sur son écharpe pour libérer sa bouche.

— Je peux savoir ce que vous faites ?

Elle n'avait pas voulu parler aussi fort, mais était encore sous le choc. L'homme ralentit en approchant, le visage rouge comme s'il avait été surpris par cette interruption. Il n'avait pas l'air plus âgé qu'elle, mais sa carrure lui conférait une certaine autorité et ses cheveux noirs étaient coupés très court. Il affichait le teint de ceux qui passent leur vie en plein air, un profil taillé à la serpe.

— À votre avis ? Je tire.

Il semblait abasourdi par sa présence. Isabel avait réussi à libérer son pied, mais l'adrénaline courait encore dans ses veines.

— Comment osez-vous ? Vous êtes quoi ? Un braconnier ?

— Un braconnier ! Ha, ha !

— Je vais appeler la police.

— Pour leur dire quoi ? Que j'essayais d'éloigner les chevreuils des nouvelles cultures ?

— Je leur dirai que vous étiez sur mes terres.

— Ce ne sont pas vos terres.

Il avait un léger accent.

— Qu'en savez-vous ?

— Elles appartiennent à Matt McCarthy. Tout ça, jusqu'à ces arbres. Et j'ai la permission de les débarrasser de tout ce que je veux.

Pendant qu'il parlait, Isabel eut l'impression qu'il regardait son fusil de façon significative.

— C'est une menace ? dit-elle.

Il suivit son regard, puis leva les yeux vers elle, sourcils haussés.

— Une menace ?

— Je ne veux pas d'armes aussi près de chez moi.

— Je ne le pointais pas vers votre maison.

— Mon fils a l'habitude de se promener dans ces bois. Vous auriez pu le toucher.

L'homme ouvrit la bouche, puis secoua la tête, tourna les talons et repartit à travers champ, les épaules tombantes. Ses mots flottèrent jusqu'à elle.

— Alors il faudra lui apprendre où sont les frontières, d'accord ?

La dernière partie de la symphonie de von Dittersdorf lui revint alors en mémoire. Le cerf était en réalité un jeune prince, transformé en animal après s'être égaré dans la partie interdite de la forêt, puis dévoré par ses propres chiens.

Asad triait les œufs. Il en ôtait un ou deux de chaque boîte pour les transférer dans une autre. Les œufs bio de la ferme étaient tous très bons, mais souvent couverts de… matière bio, que les dames sensibles n'appréciaient guère. Il s'apprêtait à nettoyer les plus souillés quand la femme entra. Elle resta un moment sur le seuil, regardant autour d'elle comme si elle cherchait quelque chose. Elle portait un long manteau de velours bleu, dont l'ourlet était maculé de boue. Aux traits de son visage, Asad comprit de qui il s'agissait.

— Madame Delancey ? Si vous voulez bien m'excuser, je dois juste ranger ça.

Elle écarquilla les yeux en entendant son nom.

— On vient rarement ici par hasard, expliqua-t-il en s'essuyant les mains avant d'approcher. Et vous ressemblez beaucoup à votre fille.

— Oh. Kitty. Bien sûr.

Il hésita.

— Vous vous sentez bien ? Vous avez l'air un peu… ébranlée.

Elle leva une main à son visage. De belles mains blanches, remarqua-t-il. De longs doigts effilés. Elle tremblait.

— Dites-moi, fit-elle. C'est fréquent de se promener avec une arme dans le coin ?

— Une arme ?

—Je viens d'être menacée… Enfin, peut-être pas menacée, mais je suis tombée sur un homme armé sur un territoire que je croyais privé.

—C'est assez perturbant, en effet.

—Je suis un peu secouée. Je n'ai pas l'habitude de croiser des gens avec des fusils. En fait, je ne crois pas avoir *jamais* vu de fusil d'aussi près de ma vie.

—À quoi ressemblait cet homme ?

Elle le lui décrivit.

—Ce doit être Byron ; il s'occupait des terres de M. Pottisworth et travaille pour Matt désormais. Mais je crois qu'il n'utilise qu'une carabine à air comprimé.

—Matt McCarthy.

La femme sembla ruminer ce nom, mais ne fit aucun commentaire.

—J'allais faire bouillir de l'eau. Je crois qu'un bon thé sucré est conseillé en cas de choc. Permettez-moi de me présenter. Je m'appelle Asad Suleyman.

Elle lui exprima sa gratitude par un sourire doux et triste à la fois. Ce n'était pas une beauté conventionnelle, songea Asad, mais elle était incontestablement jolie. Et sa chevelure, loin des coupes structurées et des colorations soignées de la plupart des femmes, était extraordinaire.

—Si c'était lui, c'est plutôt rassurant. Mais je déteste l'idée qu'une personne armée rôde si près de chez nous. Et puis, c'est compliqué. Je ne sais pas où ma propriété finit et où commence celle de M. McCarthy.

Darjeeling. Elle était du genre à boire du Darjeeling. Asad lui tendit une tasse.

— Vous n'avez pas pensé à demander l'acte de propriété à votre notaire ?

— Ce sera indiqué ?

— Je crois bien, oui.

— Merci beaucoup. Je suis vraiment un cas désespéré dans le domaine. Je n'ai aucune expérience de… la terre.

Ils sirotèrent leur thé dans un silence courtois. Asad lui lança quelques coups d'œil à la dérobée, essayant d'enregistrer les détails que Henry exigerait de lui plus tard. Tenue plutôt exotique – tons sourds de bruns et de verts appréciés dans la région. Mains fines et blanches. Il les imagina aisément courir sur quelque instrument magique. Longue tignasse blond foncé, attachée en arrière de façon chaotique – l'antithèse du carré brillant de sa fille. Regard légèrement fuyant, une certaine fatigue au coin des yeux, trace probable de son récent chagrin.

— Je ne m'attendais pas à cela, confia-t-elle.

— Ah non ?

— Votre magasin. Il est magnifique. J'aperçois un tas de choses appétissantes. Du jambon de Parme ! Des patates douces… Je croyais que les épiceries de village ne proposaient que des cageots de pommes et du fromage industriel en tranches, qu'elles étaient tenues par de grosses dames entre deux âges. Pas par de grands…

Elle parut soudain décontenancée.

— De grands hommes noirs, finit-il pour elle. En fait, je suis somalien.

— Comment vous êtes-vous retrouvé ici ?

Sa propre indiscrétion la fit rougir.

— Désolée. Je n'ai pas parlé avec grand monde ces derniers temps.

— Ce n'est rien. Je suis arrivé dans les années 1960. J'ai rencontré Henry, mon partenaire, et dès que nous en avons eu les moyens, nous avons fui la ville. La vie est tranquille ici, plus adaptée à mon état de santé. Je suis asthmatique, expliqua-t-il.

— Ça, pour être tranquille…

— Et vous survivez, madame Delancey ? Dans cette grande maison ?

Il tendit la main sous le comptoir et en sortit une boîte de biscuits, qu'il ouvrit avant de lui en offrir. Elle en prit un.

— Isabel. Les choses avancent. Lentement. L'eau chaude et le chauffage sont un luxe. On a du pain sur la planche. J'ai déjà fait un peu de rangement, mais je ne me rendais pas compte du chantier qui nous attendait. Qui m'attendait, se corrigea-t-elle. C'était très différent la dernière fois que je suis venue ici.

Il voulut dire quelque chose, la prévenir que sa présence gênait peut-être certaines personnes, pas seulement le gérant du terrain, qu'il n'y avait pas que les hommes armés dont elle devait se méfier. Mais elle semblait si vulnérable qu'il n'eut pas le cœur à alimenter ses inquiétudes. Après tout, il ne pouvait rien affirmer avec certitude.

— Vous serez toujours la bienvenue ici, madame Delancey – Isabel. Chaque fois que vous aurez envie de passer, je serai ravi de prendre le thé avec vous. Vous et votre famille. Nous voulons que vous vous sentiez chez vous.

— Tu n'as même pas remarqué.

Matt leva les yeux de sa pinte pour croiser le regard vert de Theresa. Elle était si proche qu'il pouvait sentir son parfum malgré les effluves de nourriture du pub.

— Remarqué quoi ?

— J'ai changé quelque chose.

Elle recula, les mains sur le bar, ses doigts manucurés tendus devant lui. Dans le pub, deux jeunes gens en survêtement s'énervaient contre la machine à sous.

— Tu t'es fait les ongles ?

Elle le foudroya du regard.

— Non !

Elle portait son soutien-gorge de dentelle violet. Il en eut un aperçu en lorgnant son décolleté pendant qu'elle bougeait.

— Essaie encore, lui ordonna-t-elle.

Il laissa son regard vagabonder sur son corps, ce qu'elle attendait de lui.

— Tu ne devrais pas avoir à chercher aussi longtemps, dit-elle en feignant d'être offensée.

— Et si j'aime ça ? répondit-il à voix basse.

— Continue, insista-t-elle d'un ton sec.

Mais il avait réussi à la déstabiliser, c'était évident. Theresa était si facile à décrypter.

— Tu as perdu du poids.

— Flatteur.

— Nouveau rouge à lèvres ?

— Non.

Il prit une gorgée de bière.

— Je ne sais pas. Je ne suis pas doué pour les jeux.

Ils se regardèrent droit dans les yeux. *Ah non ?* disaient ceux de la fille, et il se souvint de la torture qu'il lui avait fait subir la semaine précédente, la revit se tortiller sous lui dans la chambre de sa petite maison. Légèrement excité, il consulta sa montre. Il avait promis à Laura d'être rentré à 19 h 30.

— Matt.

Il se retourna et vit Byron qui grimpait sur le tabouret voisin.

— Comment ça va ? Une bière ?

Byron hocha la tête et Matt adressa un geste à Theresa.

— Une Stella, s'il te plaît, dit-il.

— Tu donnes ta langue au chat ? dit-elle avec une moue.

— Je demande juste à boire une bière tranquillement, se plaignit Matt en se tournant vers Byron. Bon, d'accord, céda-t-il. J'ai oublié quelle était la question.

— Mes cheveux, expliqua-t-elle en levant une main. Je me suis fait faire des mèches. De deux couleurs différentes. Regarde.

Elle baissa la tête tout en faisant glisser la pinte sur le comptoir, étalant sa chevelure en éventail pour lui montrer.

— Très joli, fit Matt avec dédain.

Tandis qu'elle boudait, il lança un regard consterné à Byron, comme s'ils étaient complices dans l'incompréhension des femmes.

— Tout va bien ?

Byron prit une gorgée de bière.

— Ça va. J'ai vaporisé les enclos du bas. Je n'étais pas sûr de la qualité de la terre, mais ça n'a pas l'air trop mal. Ça lui a peut-être fait du bien d'être restée tout ce temps en jachère.

— Super. Ça ne me parle pas, mon vieux, mais Laura sera ravie.

— Il y a des chevreuils dans le creux entre la piste équestre et le bosquet. J'ai vu un cerf aujourd'hui, et une demi-douzaine de biches hier. Je les ai éloignés avec quelques tirs, mais ils reviendront.

— Il ne manquait plus que ça. Ils vont bouffer tous les plants. Garde un œil sur eux.

— J'ai croisé votre nouvelle voisine, elle m'a engueulé parce que j'ai effrayé les bêtes.

— Ah bon, elle a fait ça ?

— Elle m'a carrément accusé de vouloir lui tirer dessus.

Byron semblait embarrassé.

— Je ne sais pas si elle va prendre des mesures. J'aurais dû lui dire que c'était juste une carabine à air comprimé.

Matt éclata soudain de rire.

— Ah, ces gentils rats des villes ! Elle veut sauver tous les petits Bambi, hein ? Ah, c'est fantastique.

Theresa contournait le bar.

— La prochaine fois que tu la vois, poursuivit Matt, dis-lui qu'on va lui préparer une réserve naturelle rien que pour elle. Elle pourra avoir tous les petits lapins et tous les cerfs qu'elle voudra. On y mettra même quelques oiseaux – disons, quelques corbeaux et des étourneaux –, et elle pourra les nourrir. Elle pourra jouer à Blanche-Neige comme ça.

Byron esquissa un sourire forcé, comme si la moquerie ne lui venait pas facilement.

— Écoute, il faudra qu'on parle d'un job plus régulier... Il y a de quoi faire sur la terre de Pottisworth pour l'année à venir et de l'aide ne serait pas de trop. Tu es deux fois plus costaud que mon fils. Ça n'a pas grand-chose à voir avec la sylviculture, mais qu'est-ce que tu en dis ?

Byron rougit, et Matt comprit que le jeune homme était plus en difficulté qu'il ne voulait bien le dire. Son besoin de travailler ainsi que son passé pouvaient agir en sa faveur – il n'exigerait sûrement pas un très gros salaire. Pottisworth devait lui donner une bouchée de pain.

— Ce euh... Ce serait bien, répondit Byron.

Matt croisa alors le regard de Theresa et lui adressa un clin d'œil imprudent. Il appellerait Laura pour la prévenir de son retard. Il aurait été dommage de gâcher la soirée. Après tout, il était de très bonne humeur.

Chapitre 7

— Certes, les peintures sont à refaire, mais vous payez surtout le potentiel. Comme vous le savez, ce quartier est de plus en plus prisé.

Nicholas Trent adressa un sourire encourageant à la jeune femme qui, à côté de lui, examinait la fissure qui zébrait l'encadrement de la fenêtre.

— Le plâtre doit être récent, dit-il. Ça a tendance à se rétracter. Rien de plus simple à réparer.

Elle étudia le problème de plus près et murmura quelque chose à son compagnon.

— Où est la troisième chambre ? demanda-t-elle ensuite. Nous n'en avons visité que deux.

— La voici, annonça alors Nicholas en ouvrant une porte et en cherchant à tâtons l'interrupteur.

— C'est une chambre ? demanda l'homme, incrédule. Mais elle n'a pas de fenêtre.

Nicholas ne pouvait rien opposer à cela. À une autre époque, on aurait qualifié cette pièce de spacieux débarras.

— Elle est exiguë, fit remarquer la femme.

— Elle est assez sommaire, admit-il.

Le petit espace à l'éclairage cru devait mesurer au maximum un mètre vingt sur deux mètres.

— Mais, pour être honnête, mademoiselle Bloom, vous aurez du mal à trouver un bien de ce type avec trois chambres. La plupart n'en ont que deux. Les chanceux qui en ont une troisième ont tendance à l'utiliser comme bureau ou salle d'informatique, où la lumière du jour n'est pas vraiment nécessaire. Bon, et si je vous montrais la cuisine ?

Il lui fallut vingt minutes pour leur faire visiter le reste de l'appartement, en dépit de sa surface limitée. Et pendant chacune de ces vingt minutes, Nicholas Trent s'entendit louer les faibles atouts du logement, même si sa voix intérieure le contredisait.

Cet appartement est révoltant, aurait-il voulu leur dire. *Il est tout près d'une grande route, le métro passe en dessous, les avions le survolent, et la rue est un repaire de drogués. L'immeuble a de fortes chances de s'affaisser, les murs qui ne sont pas recouverts de papier peint d'époque sont imprégnés d'humidité, et il est totalement dépourvu de charme. Il est laid, mal conçu, peu fonctionnel, et ne vaut pas le tiers de ce qu'on en demande.*

Et pourtant, cela ne faisait quasiment aucun doute. D'ici la fin de la journée, le couple aurait fait une offre, et selon toute probabilité elle serait à peine plus basse que le prix exigé, la marge de négociation étant limitée. C'était ainsi à cette période. Les biens qui seraient partis pour une bouchée de pain cinq ans plus tôt étaient pris d'assaut par des gens prêts à s'endetter jusqu'à la fin de leurs jours.

Vous ne vous souvenez pas du dernier krach ? aurait-il voulu leur demander. *Vous n'avez donc pas idée des conséquences que peuvent entraîner de tels emprunts ? Vous êtes sur le point de vous gâcher la vie !*

— Vous avez prévu beaucoup d'autres visites ? demanda le jeune homme qui s'était approché de lui.

— Deux cet après-midi, répondit-il spontanément.

C'était la réponse type.

— Nous vous recontacterons.

Le jeune homme tendit la main. Nicholas la serra avec gratitude. Les poignées de main se faisaient de plus en plus rares, surtout lorsqu'on avait en face de soi un agent immobilier.

— Ne vous en faites pas. Si celui-ci vous échappe, je suis sûr que vous pourrez trouver mieux.

Le jeune homme n'y croyait pas. Nicholas le comprit à son bref froncement de sourcils ; sans doute soupçonnait-il là une stratégie de vente, une intention cachée.

Voilà l'image que renvoie l'immobilier, déplora Nicholas. *Un milieu dans lequel personne n'est digne de confiance.*

— Je veux dire… la décision vous appartient, bien sûr.

— Nous vous recontacterons, répéta le jeune homme.

Nicholas leur ouvrit la porte du petit appartement et les regarda sortir, tête baissée, sans doute en train d'imaginer leur nouvelle vie entre ces murs.

— Votre femme a appelé, dit Charlotte, la bouche pleine de müesli. Pardon, je veux dire votre ex-femme, rectifia-t-elle d'une voix gaie en lui tendant un bout de papier. Je n'aime pas dire ça. Ça sonne mal.

Ça sonnait mal, en effet. Ce n'était pas le genre d'expression qu'on avait envie de s'appliquer à soi-même. Ex-mari. Mari raté. Être humain raté. Nicholas prit le papier et le fourra dans la poche de son pantalon. Le bureau bourdonnait d'activité. Derek, le directeur de l'agence, était en pleine conversation téléphonique, penché au-dessus de son bureau, une main en l'air. Paul, l'autre agent, notait de nouvelles instructions sur le tableau de ventes. Une femme d'une cinquantaine d'années discutait avec les agents en charge des locations, reniflant occasionnellement dans un mouchoir. La porte vitrée se ferma derrière lui, faisant taire le grondement du trafic au-dehors.

— Oh, et un Mike quelque chose a appelé pour vous inviter à dîner. Il s'est présenté comme une vieille connaissance. Je lui ai appris la nouvelle pour votre femme et il a dit qu'il était désolé.

Nicholas s'assit à son bureau.

Appeler Mme Barr, pouvait-on lire sur un Post-it. *Pas contente de l'expertise. Mike quelque chose.*

— Il a dit qu'il vivait dans le Norfolk. C'est un joli coin.

— Quelle partie du Norfolk ?

— Je ne sais pas. Toute la région, je suppose.

Les acheteurs de Drew House se sont retirés au moment de signer. Appeler M. Hennessy de toute urgence.

Il ferma les yeux.

Kevin Tyrrell veut reprogrammer les visites pour le 46 Arbour Row. Ne veut pas être interrompu pendant le match.

Il lui faudrait rappeler les quatre acheteurs potentiels programmés pour la soirée. Ils ne manqueraient pas d'être contrariés. Mais il ne fallait pas déranger Kevin pendant le match de foot, hein ?

— Il a dit qu'il avait assisté à votre mariage. Ça devait être grandiose, Nick. Vous ne m'aviez jamais dit que vous vous étiez marié à Doddington Manor.

— Nicholas, dit-il. Mon nom est Nicholas.

— Nicholas. Je ne savais pas que la famille de votre femme était si riche. Pardon, ex-femme. Quel cachottier vous êtes. Bientôt, on va découvrir que vous habitez à Eaton Square.

La sonnerie du téléphone fit cesser ses gloussements. Eaton Square. À une époque, il avait envisagé d'acquérir un bien dans ce quartier. C'était dans les années 1980, avant le boom immobilier, quand Londres fourmillait encore de biens à rénover, usés par des décennies de location. Des endroits mûrs pour la modernisation, pour la construction d'empires. Il s'en souvenait encore, car le logement avait sa propre salle de bal. Un appartement à Eaton Square avec sa propre salle de bal. Et il l'avait écarté, pensant qu'il ne rapporterait pas assez. Il était hanté par les maisons qu'il n'avait pas achetées, les opportunités incertaines pour lesquelles il avait manqué d'audace. Il soupira. Il était temps d'appeler Mme Barr.

Quelle râleuse.

— Nick.

Derek se pencha au-dessus de son bureau, l'obligeant à reposer le combiné. La notion d'espace personnel lui était étrangère. Il parlait le visage tout proche de celui de son interlocuteur, laissant deviner à la fois ce qu'il avait mangé au déjeuner et la marque de lessive qu'il utilisait. Nicholas se montra disponible, se forçant à garder un air neutre.

— Derek.

— C'était l'agence centrale. On est trop loin des objectifs. On a fait deux cent quatre-vingt mille de moins que Palmers Green en commissions. C'est mauvais.

Nicholas attendit.

— Il faut viser plus haut, ajouta l'autre. Même Tottenham East nous rattrape.

— Avec tout le respect que j'ai pour toi, Derek, j'ai signé quatre ventes depuis le début de la semaine, dit-il d'un ton qu'il voulut mesuré. Je dirais que c'est plutôt pas mal.

— Un sourd-muet aveugle et unijambiste aurait pu signer ces ventes, vu l'état du marché. Les biens nous échappent, Nick. Ils ont des jambes. On doit viser plus haut, vendre de meilleurs produits, booster nos marges. Et vendre plus cher. Tu es censé être le grand négociateur ici. Qu'est-ce que tu attends pour le prouver ?

— Derek, tu sais aussi bien que moi que quarante pour cent des propriétés de notre secteur appartenaient à l'administration locale. Elles ne permettent pas de pratiquer les mêmes prix ni les mêmes marges.

— Alors à qui reviennent les soixante pour cent restants ? *Jacksons. Tredwell Morrison. HomeSearch.* Voilà à qui. On doit empiéter sur leurs parts de marché, Nick. Nous emparer de ces biens avant eux. Je veux voir les panneaux de *Harrigton Estates* pousser partout dans la ville comme des putains de champignons.

Derek leva les bras derrière la tête, révélant deux auréoles de transpiration. Il fit les cent pas dans le bureau en gardant cette position. On aurait dit un babouin combatif, songea Nicholas. Ensuite il se retourna et posa les deux paumes à plat sur le bureau de son employé.

— Qu'est-ce que tu as comme rendez-vous cet après-midi ?

Nicholas consulta son agenda.

— Eh bien, j'ai quelques appels à passer, mais ma visite d'Arbour Row a été repoussée.

— Tu sais quoi, Nick ? Tu devrais ratisser les rues, nous dénicher quelques contrats.

— Je ne comprends pas.

Derek tendit la main derrière lui et saisit une pile de papiers brillants.

— Va distribuer quelques prospectus pour nous. Tu prends les bonnes rues. Laurel Avenue, Arnold Road, et près de l'école. Je les ai fait imprimer ce matin. Voyons si on peut élargir nos cibles.

Il les fit claquer sur le bureau de Nicholas. Du coin de l'œil, ce dernier vit Paul esquisser un sourire narquois, son téléphone vissé à l'oreille.

— Tu veux que je glisse des prospectus sous les portes des gens.

— Eh bien, Paul et Gary sont surbookés. Et tu n'as aucun rendez-vous. On ne va pas payer un stagiaire qui risquerait d'en balancer la moitié à la poubelle pour aller se faire un billard. Tu ne crois pas, Nick ?

Il lui donna une tape dans le dos.

— Tu es un homme consciencieux. Je sais que je peux compter sur toi pour faire les choses à fond.

Derek regagna alors son bureau, les bras de nouveau dressés derrière la tête, comme en signe de victoire.

— Et un peu d'exercice te fera du bien. Si ça se trouve, tu m'en remercieras.

Sans cette distribution, se dit plus tard Nicholas, il n'aurait sans doute pas accepté l'invitation à dîner de Mike Todd pour le samedi. Sa vie sociale s'était réduite comme une peau de chagrin depuis le départ de Diana, d'une part parce qu'on l'invitait moins – sa femme était la plus sociable des deux –, mais surtout parce qu'il n'avait aucune envie d'expliquer sa nouvelle situation à des gens rencontrés dans son ancienne vie. Il redoutait la pitié et l'horreur qu'il lirait dans leurs yeux tandis qu'ils prendraient la mesure de sa chute. Les femmes affichaient une certaine compassion, jetaient un regard furtif à ses cheveux clairsemés. Les hommes, eux, montraient de la gêne, un empressement à s'éloigner, comme si le sort qui l'avait frappé était contagieux. Quatre ans après le désastre, il avait conscience de ne plus renvoyer la même image qu'autrefois. Les gens se rappelaient ses costumes de Savile Row, son Audi dernier cri, sa nonchalance. Et ils découvraient à présent un homme entre deux âges, les cheveux blanchis par l'inquiétude, le teint blafard – privé du bronzage qu'il entretenait à grand renfort de voyages à Genève ou aux Maldives –, travaillant comme négociateur pour une agence bas de gamme dans un quartier délabré de Londres.

— Vous allez à ce dîner, alors ? lui demanda Charlotte quand il raccrocha. Ça vous fera du bien de sortir un peu.

Elle avait du chocolat sur le menton. Il décida de ne pas lui en parler.

Il était donc sur le point de remettre ça. Dans un dîner, il n'échapperait pas aux questions personnelles, il n'y aurait ni musique ni film pour faire écran. Tandis qu'il roulait sur la M11, il se demandait pourquoi il avait accepté cette invitation. Puis il se rappela son jeudi après-midi passé à fouler les rues jonchées de détritus, le claquement désolé des boîtes aux lettres, le mouvement méfiant des voilages grisâtres, l'aboiement lointain de chiens en colère tandis qu'il glissait ses prospectus. La pluie qui traversait de manière constante son costume de laine autrefois fringant. Et ce constat déprimant : voilà, à quarante-neuf ans, ce qu'était devenue sa vie. Une succession implacable de déceptions et d'humiliations. Mike était un bon gars. Il n'avait pas connu de succès retentissant dans la vie, de sorte que Nicholas ne verrait pas en lui ce qu'il avait perdu. Et il n'avait rencontré Diana qu'une seule fois. Cela le réconforta. Nicholas changea la vitesse de sa vieille Volkswagen dans un crissement en essayant d'oublier la fluidité de son ancienne automatique, et se replaça dans la voie centrale. Il avait fallu une accumulation d'erreurs, lui avait expliqué plus tard son comptable, pour chuter de façon aussi spectaculaire quand le reste du marché était en pleine ascension. Son empire complexe d'hypothèques, de développements et d'investissements locatifs s'était écroulé comme un château de cartes. Il avait acheté une maison individuelle de huit chambres à Highgate, versé un acompte non remboursable pour sécuriser le bien contre d'autres promoteurs qui le convoitaient. Ensuite la vente de sa maison toute neuve à Chelsea avait capoté, et il avait dû emprunter pour régler le reste de l'acompte. Deux autres transactions avaient échoué, au moment même où il devait finir de payer la propriété de Highgate, et il avait dû hypothéquer deux de ses biens déjà acquis. Il se rappelait encore ces nuits passées dans son bureau à calculer et recalculer, à jongler entre prêts à différé d'amortissement et prêts bancaires. Le délitement avait commencé de l'intérieur, quand des taux d'intérêt grandissants avaient dévoré ses fonds propres. Avec une rapidité phénoménale, ce qui avait eu l'apparence d'une forteresse intouchable d'intérêts immobiliers se trouva réduit en gravats financiers. Cela leur avait coûté leur propre maison. Diana venait de terminer de décorer la chambre de l'enfant qu'ils n'avaient pas encore eu. Il la revoyait encore, levant vers lui sa tête dorée tandis qu'il lui expliquait l'ampleur du désastre, entendait encore sa voix cristalline lui dire : « Je n'ai pas signé pour ça, Nicholas. Je n'ai pas signé pour la faillite. » S'il avait écouté plus attentivement, il aurait détecté l'adieu derrière ses mots. Il s'était plutôt bien débrouillé, tout compte fait. Il avait évité la banqueroute de justesse et, quatre ans plus tard, avait enfin fini de payer la dernière de ses dettes majeures. Certains jours, il avait l'impression de remonter la pente. Il avait été surpris de recevoir un relevé de banque avec une colonne noire sur la droite, au lieu d'une colonne rouge. Mais il avait perdu ses privilèges : les maisons, les voitures, le train de vie. Le respect. Il avait perdu Diana. Pourtant, les gens se remettaient de bien pire. Il se disait cela tout le temps. La circulation s'était fluidifiée, signalant le passage de la ville à la campagne. Nicholas alluma la radio, sans prêter attention aux interférences dues à l'antenne cassée. Le nom du village apparaissait désormais sur les panneaux. Cela faisait des années qu'il n'avait pas mis les pieds chez Mike Todd. Il se souvenait d'un week-end passé dans un endroit spacieux et lumineux, « la maison d'un yeoman », avait fièrement annoncé Mike. De plus hauts plafonds. Ce qui n'avait pas empêché Nicholas de se cogner la tête à plusieurs reprises. Il venait de dépasser le premier panneau indiquant Little Barton quand un besoin pressant s'empara de lui. Il lui fallait trouver une station-service, mais il était en pleine campagne désormais, et doutait même qu'il y ait un pub dans les environs. Il roula encore sur trois kilomètres, puis sut qu'il ne tiendrait plus longtemps. Il tourna à gauche, sur une route à voie unique. Faute de toilettes convenables, au moins il aurait de l'intimité. Il regretta aussitôt sa décision. Il ne pouvait pas prendre le risque de s'arrêter, car quelqu'un risquait d'arriver, et il n'y avait pas d'aire de croisement. Il fut forcé de continuer, enchaînant les embardées sur les nids-de-poule, jusqu'au moment où, enfin, il trouva un endroit où se garer, au fond des bois. Il sortit d'un bond de son véhicule, laissant le moteur tourner. Il n'y avait rien de tel que se soulager après une attente interminable. Nicholas s'écarta ensuite de l'arbre et vérifia qu'il n'avait pas aspergé ses chaussures, puis reprit le volant. Sans aucune possibilité de faire demi-tour, il dut poursuivre dans la même direction. Agacé, il roula en essayant de préserver les suspensions de la voiture malgré les secousses, se disant que ce serait bientôt fini. Tous les chemins avaient une fin. Le véhicule émit un grincement de mauvais augure quand le châssis heurta une ornière.

La prochaine fois, se dit-il, *j'oublierai la bienséance et ferai comme ces types en camionnette blanche qui font ce qui leur plaît.*

—Je pisserai au bord de la route, annonça-t-il à voix haute avant de se demander si c'était là le signe d'une nouvelle libération ou d'un début de démence.

Le chemin se divisa, avec un virage à gauche, et il aperçut les contours d'une remise à la façade blanche. Puis, alors qu'il faisait une embardée vers la droite, il entrevit à travers les arbres deux remparts mal alignés et une façade curieusement majestueuse faite de silex et de brique rouge. Il tira sur le frein à main et observa un instant les alentours. La maison, il le remarqua immédiatement, présentait de sérieux défauts architecturaux. Probablement une excentricité de la fin du XIXe siècle, quelque projet d'envergure mal ficelé qui avait rapidement pris l'allure d'une poubelle architecturale. Mais le cadre! Entourée de zones boisées, la bâtisse donnait sur un lac. Malgré la végétation envahissante et les haies non taillées, on devinait sans mal un panorama autrefois spectaculaire, la splendeur du décor d'origine. Le lac était étrangement immobile, le ciel gris tourterelle s'y reflétait, et les douces courbes de ses rives offraient une étroite marge verte avant la zone boisée. Une magnifique forêt millénaire de chênes et de pins, dont les cimes touchaient l'horizon lointain de la vallée, où les couleurs se fondaient les unes aux autres dans un flou impressionniste. Ce décor réalisait la prouesse d'être à la fois grandiose et intime, sauvage et légèrement formel, assez éloigné de la route pour offrir un isolement total, mais avec une allée convenable... Il coupa le moteur et descendit du véhicule : les oies sauvages cacardaient au loin, le vent murmurait dans les arbres. C'était un des décors les plus prodigieux qu'il ait jamais vus. Et la maison semblait ne pas avoir connu de rénovation depuis des décennies. Il était peu probable qu'elle soit classée, pensa-t-il. Il n'y avait pas de symétrie, pas de références claires à un passé historique. C'était un méli-mélo de styles, un bâtard anglo-mauresque, dont on ne devinait l'âge qu'à son état de délabrement évident. C'était le genre de bâtisse qu'on ne voyait plus ; laissée en l'état malgré son potentiel évident. Il s'approcha un peu, oubliant sa voiture, redoutant l'aboiement furieux d'un chien ou le cri d'un habitant outragé. Mais la maison était déserte, et personne ne remarqua son arrivée, excepté les hirondelles et les corbeaux. Aucune voiture dans l'allée ne suggérait la présence d'un occupant, alors il jeta un coup d'œil par une des fenêtres. L'absence de meubles suggérait que la maison était inoccupée depuis longtemps. Seuls les champs montraient une activité humaine ; ils avaient été soigneusement labourés, et les haies qui les bordaient étaient nettement taillées. Plus tard, il se demanderait ce qui l'avait poussé jusque-là. Ces dernières années, il s'était montré prudent, peu sujet aux prises de risques. Mais il tourna la poignée de la porte, et quand elle s'ouvrit sans résistance, Nicholas Trent n'obéit à aucune règle élémentaire du bon sens. Il n'annonça même pas sa présence. Sans un mot, il pénétra dans le hall. Les lampes étaient caractéristiques des années 1930, tandis que le bureau, visible dans l'entrebâillement d'une porte, datait de la décennie suivante. Il traversa ce qui devait être un salon, qu'on avait habité récemment – il y avait un fauteuil Ikea –, mais, dans l'ensemble, les lieux semblaient abandonnés. Les dimensions généreuses des pièces étaient gâchées par des trous dans le plâtre, des lames de parquet manquantes, une odeur d'humidité. Les hauts plafonds autrefois blancs étaient souillés de taches sépia. Il manquait des panneaux aux fenêtres et leurs encadrements étaient en décomposition. *Par où commencerai-je?* se demanda Nicholas, qui faillit rire du ridicule de la question. Car de telles demeures n'existaient plus. Des spéculateurs comme lui les avaient fait démolir ou transformer des années plus tôt. Il gravit sans bruit l'escalier et se dirigea vers une porte ouverte. Elle menait à la chambre principale, une pièce spacieuse, donnant sur le lac, avec une grande baie vitrée semblant inclure dans son cadre le paysage tout entier. Il s'approcha et lâcha un long soupir de plaisir, tentant de faire abstraction de la légère odeur de cigarette. Nicholas Trent n'était pas un rêveur ; il avait perdu tout penchant pour la mélancolie lorsque sa femme l'avait quitté. Mais, à présent, il se tenait là, contemplant la forêt et le lac, écoutant le silence étrange qui régnait dans cette maison, ne pouvant s'empêcher de penser que sa présence dans ce lieu n'était pas le fruit du hasard. Il aperçut alors la valise, d'où dépassaient pêle-mêle des vêtements. Un carnet et une brosse à cheveux. Quelqu'un résidait là. Ces menus détails domestiques brisèrent le charme.

Je suis dans la chambre de quelqu'un, pensa-t-il.

Prenant soudain conscience de son intrusion, Nicholas tourna les talons et sortit à la hâte de la pièce, descendit l'escalier en courant et se retrouva à l'extérieur de la maison en quelques secondes. Il ne se retourna pas avant d'être arrivé à sa voiture ; il contempla alors un instant la maison de loin, tâcha de la graver dans sa mémoire. Car Nicholas Trent n'y vit pas une maison à moitié délabrée. Il y vit douze logements de cinq chambres de qualité exceptionnelle, subtilement situés au bord d'un lac. Il y vit un immeuble résidentiel au design moderne, de ceux qui remportaient des prix, une retraite de campagne pour les classes moyennes, citée dans *Country Life*. Pour la première fois en cinq ans, Nicholas Trent vit son avenir.

— Parle-moi de la maison espagnole.

Il avait eu du mal à prendre un ton désinvolte, mais n'avait pas eu le choix. Mike Todd était particulièrement bien placé pour le renseigner : il vendait des maisons dans les Barton depuis presque trente ans. Son hôte lui tendit un verre de cognac. Ils étaient confortablement installés devant le feu. La femme de Mike, épouse remarquablement épanouie, avait insisté pour que « ces messieurs » se détendent pendant qu'elle rangeait la cuisine. Nicholas n'avait pu se contenir plus longtemps. Mike lui lança un regard interrogateur.

— La maison espagnole ? Qu'est-ce que tu lui veux ?

— J'ai pris un mauvais tournant cet après-midi et je me suis retrouvé sur cet épouvantable chemin. Je me demandais qui en était le propriétaire. Quel endroit bizarre.

— Une horreur, tu veux dire. C'est une épave.

Mike prit une grosse lampée de cognac, puis fit tourner le liquide dans son verre. Il jouait les connaisseurs et avait passé presque tout le repas à commenter les vins, dont aucun n'avait paru exceptionnel à son invité. Nicholas redouta à présent un cours sur le cognac. Il avait oublié que Mike pouvait être aussi rasoir.

— La maison est classée ?

— Ce machin ? Non. Ça ne s'est pas fait. Quand ils ont classé les constructions du coin, ils ont oublié celle-ci parce qu'elle était trop enfoncée dans les bois. Mais elle n'a pas été rénovée depuis des années. En fait, l'histoire est intéressante, poursuivit-il. Les Pottisworth en ont été les propriétaires pendant des lustres. C'était une famille importante dans le coin, mais plus intéressée par l'extérieur que par l'intérieur – du genre chasseurs-pêcheurs. Et le vieux Samuel Pottisworth n'a apporté aucune amélioration en cinquante ans. Il l'avait promise à Matt McCarthy, un vieil ami à moi. Sa femme et lui se sont occupés du vieux pendant des années. Et, finalement, le bien est allé au dernier vivant. Une veuve, apparemment.

— Une retraitée ?

Une femme âgée, songea Nicholas plein d'espoir, ne saurait gérer une telle bâtisse.

— Oh non, la trentaine, je crois. Avec deux enfants. Ils ont emménagé il y a quelques mois.

— Des gens y vivent ?

Mike eut un petit rire.

— Va savoir comment ils font. Ça tombe en ruine. Mais ça a mis Matt dans tous ses états. Je crois qu'il voulait la retaper pour y habiter. Son père avait travaillé là-bas pendant des années. Il y avait de l'animosité entre les Pottisworth et sa famille. Il devait voir ça comme un moyen de régler ses comptes.

— Et cette femme… qu'est-ce qu'elle a l'intention de faire ?

— Qui sait ? Elle n'est pas du genre fille de la campagne. Il paraît qu'elle est un peu…

Il baissa la voix, comme s'il risquait d'être entendu.

— … excentrique. Une musicienne. Tu vois le genre.

Nicholas hocha la tête, même s'il ne le voyait pas.

— Quitter Londres pour ce bled. Pour un baptême du feu…

Mike leva son verre à la lumière. Ce qu'il vit sembla le satisfaire.

— Oui, cette maison est la définition même du gouffre financier. On y mettrait des millions qu'on n'en viendrait pas à bout. Malgré tout, ce bon vieux Matt était vraiment dévasté quand elle lui est passée sous le nez. Quand on s'implique trop émotionnellement dans une propriété, ça devient fatal. Il a fait l'erreur de prendre les choses personnellement. Je lui ai dit, conseil d'agent immobilier : « Il y a toujours un autre bien. » Tu le sais mieux que personne, hein, Nicholas ? À ce propos, comment se porte le marché londonien ?

— Tu as tout à fait raison. Il y a toujours un autre bien, répéta Nicholas, refermant ses élégantes mains sur son verre.

Pourtant, la maison espagnole hantait ses pensées.

Chapitre 8

DANS SON SALON ÉQUIPÉ DU CHAUFFAGE CENTRAL, LES huit parfums différents composaient un mélange écœurant. Laura ouvrit une fenêtre, même si la température extérieure était encore loin de la douceur printanière. Autour d'elle, sept autres femmes étaient assises sur des fauteuils ou perchées au bord de chaises, certaines avaient replié sous elles leurs pieds habillés de collants tandis que d'autres tenaient des tasses à café en équilibre sur leurs genoux.

— Je n'arrive pas à croire qu'elle ait pu être la seule à ne pas savoir. C'était pratiquement de notoriété publique à l'école maternelle.

— Apparemment, il n'était pas très discret. Géraldine l'a surpris en train d'embrasser cette femme dans le parking du personnel. Et dire que c'est une école confessionnelle. Ils font une mauvaise publicité au sixième commandement.

Annette Timothy dressait son long cou lorsqu'elle parlait.

— Tu veux parler du septième, intervint Michelle Jones, qui aimait bien provoquer. Le sixième concerne le meurtre.

— Si le directeur d'une école confessionnelle est incapable de montrer l'exemple, je ne vois pas qui le fera, poursuivit Annette. Que va devenir notre vieille Bridget maintenant ? C'est une épave. Enfin, entre nous, si elle avait mis un peu de rouge à lèvres de temps à autre, peut-être qu'il ne serait pas allé voir ailleurs... En plus, elle avait pris énormément de poids après sa première grossesse.

Laura ne les écoutait pas. Dotée d'une conscience morale aiguë – à laquelle s'ajoutait un soupçon d'intérêt personnel –, elle prenait rarement part à ces conversations, ou plutôt à la revue de scandales qui alimentait les discussions dans les Barton. Elle promena un œil exercé sur son salon immaculé, savourant le plaisir silencieux que lui offrait une pièce décorée avec soin. Les pivoines rendaient magnifiquement dans le vase chinois. Il venait de la bibliothèque de ses parents, elle le voyait encore sur le rebord de la cheminée. Elle n'avait pas choisi les lys, trouvant leur parfum trop puissant. Matt ne remarquait jamais ce genre de détail, sauf lorsqu'elle avait omis de faire quelque chose – ses moments de révolte, comme elle aimait les appeler en secret. Par exemple, s'il rentrait tard trois soirs de suite, elle s'assurait qu'il n'ait plus de chaussettes propres ou n'enregistrait pas son émission préférée. Cela suffisait à lui faire secouer la tête et marmonner « Mais où va le monde ? » au moment de partir travailler le lendemain matin.

Voilà comment ce serait, si je n'étais pas là, lui disait-elle en silence. *Le monde tel que tu le connais et tel que tu l'aimes s'écroulerait.*

—À quelle heure lui as-tu dit de venir, Laura ?

La maîtresse de maison revint à ses hôtes. Constatant que le café de Hazel était presque terminé, elle se leva pour en refaire.

—Entre 10 heures et 10 h 30.

—Il est presque 11 heures, s'agaça Annette.

—Elle s'est peut-être perdue.

Michelle eut un grand sourire.

—Pour traverser la route ? Je ne crois pas, fit Annette d'un ton sans équivoque. Ce n'est pas très courtois.

Laura n'était même pas sûre qu'elle viendrait.

—Un café dans la matinée ? avait répété Isabel Delancey tandis que Laura se tenait sur le seuil de la grande maison deux jours plus tôt.

—Nous serons seulement quelques voisines. La plupart sont des mères de famille. C'est une manière pour nous de vous souhaiter la bienvenue.

C'était bizarre de voir quelqu'un d'autre chez M. Pottisworth – chez *eux* –, mais surtout Laura avait été sidérée par l'allure de cette femme. Il était presque 9 h 30 du matin, un jour de semaine, et Mme Delancey portait un peignoir d'homme en soie jaune, le visage encadré d'une crinière désordonnée qui semblait ne pas avoir vu l'ombre d'une brosse depuis plusieurs semaines. Ses yeux étaient bouffis comme si elle venait de pleurer ou de se réveiller.

—Merci, avait-elle répondu au bout d'une minute. C'est... c'est très gentil. Que dois-je faire ?

Derrière elle, Laura avait aperçu un étendoir recouvert d'un tas chiffonné de vêtements humides. Tous étaient légèrement rosés, à croire qu'une pernicieuse chaussette rouge s'était insinuée dans le linge.

— Comment ça ?

— Pour votre matinée. Vous aimeriez que je joue ?

Laura avait cligné des yeux.

— Que vous jouiez ? Non, venez simplement. C'est très informel, très décontracté. Il s'agit juste de faire connaissance. Les gens sont assez isolés dans le coin, vous savez.

La femme avait jeté un regard aux dépendances délabrées de la maison, au lac silencieux, et Laura avait eu la soudaine impression que cette distance l'arrangeait bien.

— Merci, avait-elle dit finalement. C'est gentil à vous de penser à moi.

Laura ne l'avait pas invitée de gaieté de cœur. Elle avait beau cacher ses sentiments à Matt, trouvant inutile de ruminer des frustrations stériles, la nouvelle propriétaire de la maison lui inspirait autant d'hostilité qu'à son mari. Que cette femme vienne de Londres et n'ait visiblement aucune connaissance ni aucun intérêt pour la région et sa terre était une circonstance aggravante. Pourtant, Matt s'était soudain mis en tête que les deux femmes devaient absolument sympathiser.

— Cuisine-la un peu. Rapproche-toi d'elle, avait-il insisté.

— Mais, si ça se trouve, le courant ne va pas passer entre nous. D'après les cousins, elle est un peu... différente.

— Elle a l'air normale. C'est une maman. Vous avez ça en commun. C'est bien toi qui dis toujours « noblesse oblige », non ?

— Je ne comprends pas, Matt, avait-elle protesté. Tu lui en voulais à mort la semaine dernière, et maintenant tu veux qu'on soit les meilleures amies du monde.

— Fais-moi confiance, Laura.

Quand il lui avait souri, elle avait lu de l'amusement dans ses yeux.

— J'ai tout en tête.

Fais-moi confiance, se répéta-t-elle en remplissant le filtre à café. Combien de fois avait-elle entendu cette phrase ?

— Croyez-vous qu'elle ait la moindre idée de ce dans quoi elle s'embarque ? Michelle, passe-moi un de ces délicieux biscuits. Non, ceux au chocolat. Merci. C'est dans un état déplorable. Laura est bien placée pour le savoir. C'est ce que tu avais dit, non ?

— Oui, c'est vrai, confirma Laura en posant un plateau sur la table basse et en saisissant une tasse vide.

— Je ne vois même pas ce que vous auriez pu faire de cette maison. Elle est tellement bizarre. Et tellement isolée, tout au fond de ces bois. Au moins, on voit la route de la tienne, Laura.

— Peut-être qu'elle a de l'argent. L'avantage de ce genre de propriété, c'est que tout ou presque est bon à jeter. On peut laisser libre cours à son imagination. Construire une verrière ou je ne sais quoi.

— Moi, je commencerais par détruire les dépendances. Elles tombent en ruine. Ce n'est pas prudent avec des enfants dans les parages.

Laura sut ce qui allait venir avant que Polly Keyes prenne la parole.

— Ça ne te dérange pas, Laura ? Après tout ce que tu as fait pour ce vieil homme… Ne même pas obtenir la maison ! C'est très fair-play de ta part de l'inviter.

Elle était armée contre ce genre de remarque.

— Oh non, mentit-elle. Je n'en ai jamais raffolé. C'était Matt qui avait de grands projets. Vous savez comment il est. Il voyait ça comme une page blanche. Quelqu'un veut du sucre ?

Annette reposa sa tasse sur sa soucoupe.

— Tu es bien bonne. Quand le presbytère m'est passé sous le nez, j'ai pleuré pendant une semaine. Je connaissais le moindre recoin de cette maison. Je l'attendais depuis des années. C'est allé aux enchères, et les agents m'ont dit que les anciens propriétaires avaient choisi les Durford alors que notre offre était meilleure. Que pouvions-nous faire ? Bien sûr, nous sommes très heureux dans notre maison maintenant. Surtout depuis que l'extension est achevée.

Polly renifla.

— Je trouve que M. Pottisworth a été très cruel de ne rien te laisser. Tu as été si généreuse envers lui.

Laura aurait aimé qu'elles changent de sujet.

— Oh, il nous a laissé quelques bricoles. Des meubles. Il nous avait dit qu'on pourrait les prendre. Ils sont dans le garage. Je crois que Matt veut les traiter contre les vers avant de les utiliser.

Elle pensa au vieux bureau en décomposition, diplomatiquement caché sous une couverture. Matt n'en voulait pas, et elle le trouvait affreux, mais il refusait obstinément que cette femme hérite de la moindre chose qui ne lui revienne pas de droit.

—Matt va faire un saut là-bas pour l'aider à évaluer les travaux. Il connaît la maison mieux que personne, au fond.

—Eh bien, vous êtes tous les deux bien bons de lui témoigner votre amitié étant donné les circonstances. Oh… Oh, chut ! C'était la sonnette ?! s'exclama Polly.

—Ne parlez pas trop de vos maris, les filles. Les cousins ont dit qu'elle était veuve depuis peu…, les prévint Annette, qu'une pensée traversa soudain. Toi, Nancy, tu peux parler du tien. Tu n'en dis toujours que du mal.

Isabel Delancey entra dans la pièce surchauffée et sentit huit regards se braquer sur elle. Elle devina sans peine que ces femmes étaient au courant de son veuvage, qu'elles trouvaient sa tenue excentrique et qu'elles désapprouvaient son retard. Elle fut stupéfaite de la rapidité à laquelle on pouvait se sentir jugée ; une demi-seconde de silence suffisait. Puis les yeux glissèrent jusqu'à ses pieds. Ses bottines en daim bordeaux étaient recouvertes d'une épaisse couche de boue.

—Oh ! s'exclama-t-elle, remarquant les traces de pas qu'elle avait laissées sur son sillage. Je suis vraiment désolée.

Elle se pencha en avant et entreprit d'ôter ses chaussures, quand un chœur de voix s'éleva.

— Oh, ça ne fait rien.

— C'est à ça que servent les aspirateurs.

— Si vous saviez ce que me laissent les enfants.

Dissuadée de se déchausser, bien que la plupart des autres femmes l'aient fait, Isabel fut conduite vers un siège libre et invitée à s'asseoir. Elle sourit timidement, sachant déjà qu'elle avait commis une erreur en venant et regrettant de n'avoir prétexté un empêchement.

— Café ?

Laura McCarthy lui souriait.

— Merci, dit-elle doucement. Noir, s'il vous plaît, sans sucre.

— Nous nous demandions si vous alliez venir.

Une grande femme au long cou et aux cheveux prématurément gris avait pris la parole. Ses mots sonnaient un peu comme une accusation.

— Je m'exerçais. J'ai tendance à perdre la notion du temps dans ces moments. Je suis désolée, dit-elle à Laura.

— Vous vous exerciez ?

La femme au long cou se pencha en avant.

— Au violon.

— Charmant. Ma Sarah apprécie beaucoup ses cours. Son professeur pense qu'on devrait l'inscrire à des concours. Vous apprenez depuis longtemps, madame Delancey ?

— Euh, je… En fait, c'est mon métier.

— Oh. Formidable, dit une femme plus petite. Deborah adorerait apprendre elle aussi. Peut-être pourriez-vous me donner votre numéro ?

— Je ne donne pas de cours. Je jouais pour le City Symphonia.

L'idée qu'elle ait pu avoir une vie professionnelle sembla sidérer les femmes.

— Et vous avez des enfants ?

— Deux.

Bon sang, ce qu'il faisait chaud.

— Une fille et un garçon.

— Et votre mari ?

Deux femmes foudroyèrent la questionneuse du regard.

— Il est mort l'année dernière. Dans un accident de voiture.

— Je suis vraiment désolée, dit la femme.

— C'est si triste.

Des murmures de compassion traversèrent la pièce.

— Vous êtes très courageuse de tout recommencer à zéro, si loin de chez vous.

— C'est une région très agréable pour les enfants, affirma quelqu'un d'une voix rassurante.

— L'école est très bien.

— Et comment vivent-ils le déménagement ? Vous ne vous sentez pas perdus dans cette grande maison ? Avec tout ce travail à faire, et sans…

Elles espéraient toucher là un point sensible. Si elle leur avouait à quel point la maison était affreuse et délabrée, combien ses enfants étaient malheureux, et qu'elle était hantée non seulement par l'absence de son mari mais aussi par l'imprudence de ses propres actions, leurs regards cassants pourraient s'adoucir. Les femmes auraient de la compassion pour elle et chercheraient à la rassurer. Mais quelque chose en Isabel l'empêchait de prendre cette voie.

— Ils le vivent bien, dit-elle. L'installation se passe à merveille.

À son ton, on comprenait qu'elle ne souhaitait pas approfondir ce sujet. Il y eut un bref silence.

— Oui, dit la femme aux cheveux gris.

— Tant mieux. Soyez la bienvenue au village.

Tandis qu'Isabel levait sa tasse à ses lèvres, elle remarqua, furtivement, quelque chose d'étrange dans l'expression de Laura McCarthy. La maîtresse de maison répondit ensuite au sourire de son hôte par un sourire plus large encore.

Byron Firth souleva la barre métallique à deux mains et frappa un grand coup sur le piquet de clôture, sentant la vibration se propager dans son corps tandis que le bois s'enfonçait. Il en avait déjà planté vingt-deux, prêts à recevoir le câble qui délimiterait le territoire de Matt. Une machine aurait pu enfoncer les piquets dix fois plus vite, mais Matt rechignait à en louer une. Il payait Byron à la semaine et ne voyait pas l'intérêt de dépenser plus. Le jeune homme continuerait jusqu'à ce qu'il ait terminé. Dans la terre dure, on sentait encore la froidure de l'hiver, et il savait que ses épaules lui feraient mal à la fin de la journée, mais en présence du petit ami de sa sœur dans la maison, il aurait peu de chances de pouvoir prendre un bain. Elle partait dans quatre semaines. Lily et elle emménageaient dans la maison de Jason à l'autre bout du village.

— Tu savais qu'on ne resterait pas éternellement, lui avait-elle dit d'un ton désolé. Surtout que toute cette humidité n'est pas bonne pour Lily. Et au moins tu as de nouveau du travail. Tu trouveras une autre location.

— Ne t'inquiète pas, je me débrouillerai, lui avait-il répondu.

Il avait omis de préciser que les loyers de tous les cottages qu'il avait visités jusqu'à présent étaient deux fois plus élevés que le salaire que Matt lui versait. Les chiens n'étaient pas autorisés dans le seul appartement qui était à portée de sa bourse, et Meg devait mettre bas d'un jour à l'autre. Au service des logements, l'employé lui avait presque ri au nez lorsque Byron avait exprimé son intérêt pour cette habitation. Apparemment, ils fonctionnaient avec un système de points, et en tant que célibataire valide ne touchant pas d'allocations, il pouvait toujours rêver de l'obtenir ; autant feuilleter les pages du *Country Life*.

— Je te dirais bien d'emménager avec nous. Mais Jason veut qu'on prenne un nouveau départ, rien que nous…

— Ne t'en fais pas, Jan. Il a raison. Vous devez essayer d'être une famille.

Il passa un bras autour des épaules de sa sœur. Sa nièce allait terriblement lui manquer, tout comme le joyeux désordre de leur vie ensemble, mais il préférait ne pas y penser.

— Ce sera bien pour Lily d'avoir un papa à la maison.

— Et comment tu te sens, maintenant que tout est… que tu as tourné la page.

Il soupira.

— Ça va. Je peux me débrouiller tout seul.

— Je le sais bien. C'est juste que je me sens… coupable.

— Tu n'es coupable de rien.

Il croisa son regard, mais aucun d'eux ne sembla vouloir s'attarder sur le sujet.

— Et si tu venais déjeuner le dimanche ? Tu aurais droit à un bon rôti chaque semaine. D'accord ?

D'un nouveau coup de cylindre métallique, Byron planta un autre piquet dans la terre, plissant les yeux sous le soleil. Il avait pensé déménager dans une autre région, dans un endroit où les loyers ne s'envolaient pas aussi vite. Mais les petites annonces des magazines agricoles exigeaient des travailleurs qualifiés, qui avaient fait l'école d'agriculture. Il n'avait aucune chance contre des gens comme ça, surtout avec son passé. De plus, cette terre lui était familière, il avait encore quelques contacts. Et un travail chez McCarthy valait mieux que pas de travail du tout. Byron souleva le cylindre métallique et, alors qu'il s'apprêtait à en frapper le piquet, il aperçut, du coin de l'œil, un mouvement sur sa droite. Un petit garçon se tenait près de la haie. Distrait, Byron se coinça le pouce entre le cylindre et le piquet. Il poussa un cri de douleur et jura. Les chiens bondirent, gémirent, et quand Byron, le pouce entre les genoux, leva les yeux, l'enfant avait disparu.

Isabel avait l'habitude de marcher la tête haute, d'adopter une posture exagérément fière pour compenser de longues années passées à se tordre le cou sur son violon. Mais ce jour-là, tandis qu'elle foulait à grandes enjambées les sous-bois moussus pour rentrer chez elle, elle courbait le dos. Qu'est-ce qui lui avait pris d'accepter de participer à cette petite réunion ? Comment avait-elle pu croire que ces femmes et elle auraient quoi que ce soit à se dire ? La matinée s'était poursuivie par des échanges péniblement guindés. Laura l'avait interrogée sur ses enfants, mais lorsque Isabel avait avoué combien leur nounou leur manquait, puis qu'elle ne savait pas cuisiner, et que, non, elle n'avait rien d'une fée du logis, elles avaient semblé déçues. Au lieu de se retrancher dans un silence timide, Isabel avait eu des envies de rébellion. Elle avait souligné, un peu effrontément, qu'elle trouvait les tâches domestiques aliénantes, et reçu en réponse un silence sidéré, comme si elle venait de leur avouer que son plat favori était à base de chair humaine.

— Eh bien, dit une femme en posant une main sur son bras, maintenant que vous ne travaillez plus, vous pourrez enfin apprendre à connaître vos enfants.

Isabel tira sur la porte qu'elle avait oublié de verrouiller. Elle courut à l'étage et sortit son violon de l'étui. Puis elle redescendit à la cuisine, la seule pièce qui retenait un peu de chaleur, et ouvrit un livre de partitions. Les yeux rivés sur la page, elle commença à jouer, des notes dures et furieuses, en frottant brutalement l'archet contre les cordes. Elle oublia la cuisine en désordre, le linge séchant sur l'étendoir, la vaisselle sale du petit déjeuner. Elle oublia les femmes de l'autre côté de la route, leur dégoût à peine dissimulé, l'expression indéchiffrable de Laura McCarthy. Elle se concentra exclusivement sur la musique, jusqu'à s'y perdre, étirant les notes pour libérer la tension de son corps. Enfin, au bout de plusieurs pages, Isabel finit par s'apaiser. Sans savoir combien de temps elle avait joué, elle s'arrêta. Elle ramena les épaules en arrière et inclina le cou, à gauche puis à droite, pour se dénouer, puis expira lentement. Quand on frappa des mains derrière elle, elle sursauta et se retourna. Matt McCarthy fit un pas en avant.

— Désolé. Vous avez laissé la porte ouverte, et je ne voulais pas vous déranger.

Isabel se sentit mise à nue, comme un criminel pris en flagrant délit.

Elle plaqua sa main libre contre son cou.

— Monsieur McCarthy.

— Matt.

Il fit un geste du menton en direction de son instrument.

— Vous oubliez tout quand vous jouez, hein ?

Elle le posa soigneusement sur une chaise.

— C'est juste… mon métier, dit-elle.

— J'ai les chiffres que vous m'avez demandés. On peut les regarder si vous avez cinq minutes.

Il faisait encore froid dehors, et assez frais à l'intérieur pour qu'Isabel garde son manteau, mais Matt McCarthy ne portait qu'un tee-shirt en coton gris. Tout dans son apparence suggérait qu'il était insensible à la température. Les contours solides de son buste lui rappelèrent Laurent, et Isabel eut un bref moment de confusion.

— Je vais préparer du thé, dit-elle.

— Votre frigo ne fonctionne toujours pas ?

Il tira une chaise et montra l'appareil éteint d'un hochement de tête ; il reposait tel un objet inutile dans un coin de la pièce.

— Il n'y a pas de prise de courant.

Elle souleva la fenêtre à guillotine et saisit une des bouteilles de lait posées sur le rebord.

— Ouais, cette pièce n'a pas dû être rénovée depuis les années 1930.

Pendant qu'elle préparait le thé, Matt sortit un carnet et une calculette, puis, fredonnant dans sa barbe, passa en revue une série de chiffres avec la pointe de son crayon. Quand elle s'assit, il fit glisser le carnet vers elle.

— Bon, voilà les premiers travaux à faire, tel que je vois les choses. Il faudra réparer le toit. Il a besoin d'être entièrement retapé, mais avant il faut s'occuper de l'étanchéité. Avec les matériaux, ça coûtera dans les…

Il tapota le papier du bout de son crayon.

— À l'intérieur, ça se complique. On devra installer des couches isolantes dans toute la maison. Les sols du salon et de la salle à manger sont à retirer, il peut y avoir de la moisissure en dessous. Au moins huit fenêtres sont à remplacer, pour les autres, il faut enlever le bois pourri. Et il y a le réseau électrique. Par souci de sécurité, tout est à revoir.

Isabel contemplait les chiffres.

— Il y a aussi quelques problèmes structurels. Il est possible que ça bouge à l'arrière de la maison. Si c'est le cas, il faudra penser à un soutènement, mais on peut aussi enlever quelques arbres près du mur arrière et attendre quelques mois pour voir si ça se stabilise. Ça vous coûtera…

Il se mordit les lèvres. Puis il eut un sourire rassurant.

— Vous savez quoi ? Laissons ça de côté pour l'instant.

Matt parlait d'une voix plus basse. Comment était-il arrivé à de telles sommes ? Isabel aurait voulu décaler la virgule.

— Vous n'avez rien écrit sur l'eau chaude et le chauffage central. Il faut que nous puissions nous laver.

Matt s'appuya contre le dossier de la chaise.

— Ah oui, l'eau chaude. La pièce de résistance. Vous vous êtes sûrement rendu compte que tout était à refaire. Le fourneau n'est pas assez puissant pour chauffer toute la maison et l'eau sur le long terme. Il vous faut une nouvelle chaudière, des radiateurs, et la moitié de la tuyauterie est fichue. C'est un sacré chantier qui nous attend. Il faudra y mettre du cœur pour en venir à bout.

Isabel eut le tournis. Le système d'eau chaude dévorerait à lui seul presque tout ce qui lui restait de la vente de Maida Vale.

— Écoutez, faites faire un autre devis si vous voulez, dit Matt, percevant son inquiétude. Il vaut mieux comparer les prix, et je ne le prendrai pas mal. J'ai d'autres chantiers. Cela dit, poursuivit-il en se passant une main dans les cheveux, ça m'étonnerait que vous trouviez beaucoup moins cher ailleurs.

— Non, dit-elle d'une voix faible. Je ne saurais pas vers qui me tourner de toute façon. Alors… faisons d'abord les choses urgentes, et remettons le reste à plus tard. On peut tenir encore sans vrai chauffage.

Matt lui adressa un demi-sourire.

— Madame Delancey, toutes ces choses sont urgentes. Je n'ai même pas encore parlé du replâtrage, du remplacement du bois, des nouveaux plafonds, des peintures… (Il secoua la tête.) Tout est à rénover dans cette maison.

Ils gardèrent le silence quelques minutes, au cours desquelles Isabel essaya de donner un sens à ces chiffres.

— C'est un choc, hein ? dit finalement Matt.

Isabel expira lentement.

— C'était mon mari qui gérait ce genre de choses, avoua-t-elle à voix basse.

Elle imagina Laurent à côté d'elle, parcourant la liste de chiffres, posant des questions. Il aurait su comment s'y prendre.

— Même s'il avait été là, le projet aurait été colossal, fit Matt. Si vous saviez combien de boulots de ce genre on a eus. Quand on achète une maison qui est restée aussi longtemps à l'abandon, on n'en voit pas le bout. Comme je le dis toujours, autant repeindre le Forth Bridge.

Isabel ferma les yeux, puis les rouvrit. Par moments, elle avait l'impression d'avoir atterri dans la vie d'une autre.

— Je dois vous prévenir. Cette baraque est une plaie. Vous devez réfléchir sérieusement à la somme d'argent que vous êtes prête à y investir.

Il plissait les yeux, comme s'il lui avouait quelque chose de pénible.

— Bon, je ne connais pas votre situation financière, mais demandez-vous aussi si vous en avez la force. Je peux vous alléger d'un grand poids, mais vous devrez être très impliquée malgré tout. Et si vous n'avez pas l'esprit pratique…

Isabel songea qu'il n'était pas trop tard pour partir. Elle pourrait revendre la maison espagnole, et ils s'en iraient. Serait-ce si pénible de vivre dans un petit appartement à Londres ? Serait-ce si grave s'ils ne pouvaient plus vivre dans un endroit aussi beau que celui auquel ils étaient habitués ? Les cimes des arbres s'agitaient doucement dans l'air gris. Une image surgit soudain devant ses yeux : Thierry, se frayant un chemin dans le jardin, son bâton à la main. Le violon reposait sur la chaise à côté d'elle, objet rutilant et hors de prix au milieu de cette cuisine sinistre. Son seul lien avec son ancienne vie.

— Non, dit-elle. Je ne peux pas faire déménager les enfants une nouvelle fois. Ça a déjà été un tel bouleversement. Nous devons y arriver.

Matt haussa les épaules. Isabel prit un ton plus déterminé.

— Nous allons parer au plus urgent. La maison a tenu comme ça pendant des années – ce n'est pas comme si elle allait s'écrouler sur nos têtes, hein ?

Elle tenta un sourire. Le visage de l'homme était si peu expressif qu'elle ne sut déchiffrer ses pensées.

— Comme vous voulez, dit-il en tapotant la table avec son stylo. Je réduirai les dépenses autant que possible.

Il passa les vingt minutes suivantes à aller et venir dans la maison, à brandir son mètre-ruban, à prendre des notes. Isabel voulut reprendre ses exercices dans la cuisine, mais fut incapable de se concentrer en présence de cet homme. Le bruit de ses pas et son sifflement la gênaient étrangement, son jeu devenait saccadé et irrégulier. Finalement, elle gravit les quelques marches menant au rez-de-chaussée et le trouva en train d'inspecter l'intérieur de la cheminée.

— Il faut que j'aille chercher une échelle et que je jette un œil à ça, dit-il. Je crois qu'un des tuyaux de cheminée s'est effondré. Mais ça devrait aller. Ce n'est pas un gros travail. Il suffira de reboucher le trou. Je ne vous ferai pas payer pour ça.

— C'est gentil à vous. Merci, dit Isabel.

— Parfait. Je ferais mieux d'y aller pour chercher une partie des matériaux.

Il fit un signe de tête vers la fenêtre.

— Ça s'est bien passé ce matin chez nous ?

Isabel avait oublié que Laura était la femme de Matt.

— Oh…, dit-elle en tordant ses mains derrière son dos. C'était très gentil de la part de Laura de m'avoir invitée.

Elle se rendit compte, trop tard, qu'elle avait échoué à mettre le moindre enthousiasme dans sa réponse.

— Le tribunal des mères au foyer, hein ?

Isabel rougit.

— Je… Je crois qu'elles s'attendaient à autre chose.

— Ne vous tourmentez pas pour ça. Elles n'ont rien de mieux à faire que colporter des rumeurs sur les unes et les autres. Une bande de commères. J'ai dit à Laura qu'elle passait trop de temps avec elles.

Il était arrivé devant la porte.

— Ne vous en faites pas pour tout ça. Je serai là demain matin. Si vous pouvez débarrasser le salon de vos affaires, on commencera par le parquet. On verra ce qu'on trouve en dessous.

— Merci, dit Isabel.

Elle se sentait infiniment reconnaissante. Au début, sa présence l'avait rendue nerveuse. À présent, il la rassurait.

— Eh, dit-il, la saluant tout en descendant les marches, c'est à ça que servent les voisins, non ?

Aucun endroit sur terre n'est plus triste qu'un grand lit vide. Le clair de lune perçait la fenêtre et éclairait le plafond tandis qu'Isabel écoutait les vitres bourdonner paisiblement dans leur encadrement, les cris lointains des créatures sauvages. Ils ne l'effrayaient plus désormais, pas plus qu'ils ne la libéraient du sentiment d'être la seule personne sur terre encore éveillée. Plus tôt dans la soirée, lorsqu'elle avait grimpé dans son lit, elle avait entendu des pleurs. Elle s'était levée, avait enfilé son peignoir et s'était précipitée vers la chambre de Thierry. Il avait tiré les couvertures sur sa tête et refusait d'en sortir, malgré les supplications de sa mère.

— Parle-moi, mon chéri, avait-elle murmuré. S'il te plaît.

Mais il était resté muré dans le silence. De toute façon, elle avait compris ce qu'il ressentait. Elle avait posé une main sur lui, avait senti le frisson étouffé de ses pleurs, jusqu'à ce que les larmes de son enfant deviennent les siennes. Ensuite, elle s'était allongée à côté de lui et blottie contre son petit corps. Quand, enfin, il s'était endormi, elle avait dégagé son visage de la couverture, déposé un baiser sur sa joue et, presque à contrecœur, remonté l'escalier branlant pour regagner sa propre chambre. Elle se tenait debout dans cette pièce à présent, sentant les lames rugueuses du parquet sous ses pieds nus, et contemplait le paysage curieusement illuminé. Au loin, les arbres formaient un abysse violet. Les ombres, les murs et les colonnes autour de la maison se mouvaient dans la pénombre. Une silhouette sombre traversa furtivement un chemin et disparut dans l'obscurité. Elle le vit soudain, marchant vers elle, sa veste jetée sur l'épaule. Puis il s'évanouit. Un tour fantomatique que lui jouait son imagination.

Laurent, reviens-moi, murmura-t-elle en serrant son peignoir autour d'elle tandis qu'elle retrouvait son lit froid.

Elle l'imagina se glisser sous les draps à côté d'elle, faire tanguer le matelas sous son poids, grincer les ressorts, imagina la pression réconfortante de son bras autour de sa taille. Ses propres mains sur la soie du peignoir étaient trop petites, trop délicates. Elles n'avaient pas de solidité, leur contact n'avait pas de sens. Elle sentit l'étendue déserte à côté d'elle, l'oreiller glacial. Elle perçut le silence d'une pièce où personne d'autre ne respirait. Elle imagina Matt, de l'autre côté de la route, son corps puissant étreignant celui de sa femme, ses bras l'enveloppant, Laura souriant dans un demi-sommeil. Elle vit tous les autres couples respirer, échanger des murmures, leurs doigts entrelacés, peau contre peau.

Personne ne touchera jamais plus ma peau, pensa-t-elle. *Personne ne prendra jamais plus de plaisir avec moi.*

Une vague de tristesse déferla en elle, si violente qu'elle crut s'étouffer.

— Laurent, murmura-t-elle dans le noir, les larmes coulant de ses yeux clos.

Elle se mut contre la soie.

— Laurent, pleura-t-elle, ses mains cherchant un corps invisible et muet.

Quelque part plus bas, dans les sous-bois, Byron appela Elsie, son terrier, dont il entendait la course excitée. Il leva sa lampe torche, balaya le faisceau devant ses pieds, regarda les ombres bouger tandis que les créatures détalaient au fond de la forêt. Les gars du pub lui avaient dit que des braconniers avaient posé des pièges par là, et même s'il savait sa petite chienne trop maline pour se faire attraper, il préférait les enlever avant qu'une autre bête ne s'y fasse prendre. L'image du renard ou du blaireau coincé dans un de ces pièges et rongeant son membre pour s'en libérer était de celles qui vous hantaient pendant des jours. De plus, il était mieux dehors avec les chiens qu'assis dans une maison vide à broyer du noir à propos de son avenir. Son téléphone sonna, et il le sortit de sa poche tout en sifflant pour rappeler Elsie. Elle s'assit, la moitié du corps sur sa botte.

— Byron.

— Oui ?

Matt ne prenait plus la peine de se présenter dorénavant. Comme s'il pensait que son employé lui appartenait, même à cette heure tardive.

— Tu as fini de planter les piquets ?

Byron se dénoua la nuque.

— Oui.

— Parfait. Demain, j'ai besoin de toi dans la maison espagnole pour enlever le parquet de la salle à manger.

Byron réfléchit un court instant.

— La salle à manger ? Mais c'est la seule pièce en bon état.

C'était une plaisanterie qui circulait au village – la seule pièce habitable du vieux Pottisworth était celle où il n'avait pas mis les pieds depuis des décennies. Il y eut un bref silence.

— Qui a dit ça ?

— Eh bien, chaque fois que je suis allé…

— C'est qui l'entrepreneur ici, Byron ? Toi ou moi ? Je m'y connais mieux que toi en humidité et en moisissure, non ? Tu as appris ça quand tu étais dedans ?

— Non.

— On se retrouve là-bas à 8 h 30. Et la prochaine fois que j'aurai besoin de ton avis sur un chantier, je te le demanderai.

Au-delà de l'étroit faisceau de sa lampe, l'espace était d'un noir profond, le terrain illisible.

— C'est vous le patron, dit Byron.

Il éteignit son téléphone, le fourra dans sa poche et s'enfonça d'un pas lourd dans la nature sauvage.

Chapitre 9

KITTY S'ASSIT DANS LA BASSINE EN FER-BLANC, REMONTA les genoux contre sa poitrine et appuya la nuque sur la serviette éponge qu'elle avait pliée et positionnée derrière elle. La serviette trempait dans l'eau, mais c'était la seule façon de se détendre dans une baignoire en fer-blanc sans avoir la tête tranchée. Mieux valait aussi fléchir les genoux et ne pas laisser les mollets appuyés sur le bord, au risque d'avoir la circulation coupée dans les jambes. Le chauffage électrique n'était pas loin, ce qui lui évitait, quand l'eau refroidissait, ce qui arrivait très vite, de frissonner pendant vingt bonnes minutes au moment d'en sortir. Sa mère craignait qu'elle ne s'électrocute, mais, vu l'état de la maison, l'adolescente avait estimé qu'elle ne prenait pas plus de risques dans son bain que dans toute autre pièce.

Entendant une voiture au-dehors, elle décida qu'il était temps de vider laborieusement le baquet, qu'elle avait, bien sûr, trop rempli. Plus jamais elle ne tiendrait les bondes pour acquises : la corvée éreintante consistant à plonger seau après seau dans la bassine jusqu'à ce que celle-ci soit suffisamment vide pour être soulevée vous décourageait à elle seule de réitérer l'expérience. Elle entendit la voix de Matt en bas tandis qu'elle s'enveloppait dans une serviette. Il était question du petit déjeuner, il demandait à sa mère de faire du café, riait d'une plaisanterie qu'elle n'avait pas entendue. La plupart des gens se plaignaient d'avoir des ouvriers chez eux. Kitty se souvenait des mères de son ancienne école pestant contre la poussière et la saleté, les frais et la pagaille occasionnés. Elles en parlaient comme d'une épreuve à surmonter. Aussi pénible qu'une opération chirurgicale. Les travaux duraient depuis dix jours, et, malgré le chaos et le fait de devoir naviguer entre les lames de parquet manquantes et de ne pouvoir tenir une conversation sans être interrompu par le bruit déchirant des planches qu'on arrachait des solives ou des coups de marteau, elle aimait ça. Elle se réjouissait de croiser d'autres personnes dans la maison, de ne plus être seule avec sa mère, qui avait toujours la tête ailleurs, et Thierry, toujours muet comme une carpe. Matt McCarthy bavardait avec elle comme si elle était plus âgée et elle reconnut son fils pour l'avoir croisé à l'école. Elle avait du mal à se trouver dans la même pièce qu'Anthony sans rougir et perdre ses mots. Elle aurait aimé que ses copines soient là pour lui dire s'il était vraiment mignon ou si elle se faisait des idées. Quand il était arrivé avec son père le premier jour, elle avait eu honte de leur maison, et peur qu'il les imagine ayant toujours vécu de cette façon. Elle avait eu envie de dire : « Avant, on

vivait dans une maison normale, tu sais. Avec un frigo. »
Sa mère avait mis les denrées à conserver au frais dans de petits paniers suspendus aux poutres extérieures, hors de portée des renards, et placé les fruits dans des filets pour les protéger des souris. Kitty s'en amusait – leur maison, de l'extérieur, semblait sortie d'un conte pour enfants – tout en trouvant cela humiliant. Qui d'autre était obligé de suspendre sa nourriture dans le jardin ? Elle était terrifiée à l'idée qu'Anthony en parle au lycée et d'être la risée de sa classe, mais, jusque-là, il s'était tu. Lorsque Matt avait découvert qu'ils fréquentaient la même école, il avait dit : « Tu devrais sortir avec Kitty un de ces soirs, mon garçon. L'emmener en ville, lui faire visiter le coin. » Comme ça. Comme si ce n'était rien. Anthony avait haussé les épaules, suggérant qu'il le ferait peut-être, sans qu'elle sache s'il en avait vraiment envie ou s'il voulait simplement faire plaisir à son père.

— Tu dois trouver la vie barbante ici comparé à Londres, dit Matt quand elle leur apporta du thé.

Comme si elle avait passé son temps à faire la fête ou à s'éclater en boîte. Elle aurait pu jurer qu'Anthony avait haussé les sourcils, ce qui l'avait fait rougir une fois de plus. Byron, qui n'était venu sur le chantier que les deux premiers jours avant de repartir travailler à l'extérieur, était presque mutique. Il avait semblé mal à l'aise dans la maison, comme s'il était davantage dans son élément au milieu de la nature. Il était plus grand que Matt, et plutôt beau, mais ne croisait jamais le regard des gens.

— Byron est notre grand bavard, pas vrai, mon gars ? plaisantait Matt.

Le jeune homme souriait sans avoir l'air de trouver ça drôle. La mère de Kitty était stressée la plupart du temps. Elle n'aimait pas que la radio des ouvriers soit allumée en permanence. Elle était hermétique à la pop – et son père avait toujours dit que le grésillement de la radio en fond sonore était une forme de pollution – sans pour autant leur demander de l'éteindre. Elle avait dû déménager de la chambre principale, où le chantier était particulièrement lourd, pour s'installer dans la petite chambre. Elle montait donc dans les remparts – le seul endroit silencieux – pour jouer du violon. Quand Kitty sortait et entendait le violon de sa mère en haut et la radio de Matt McCarthy en bas, elle avait l'impression d'assister à une compétition. Thierry ne semblait pas y prêter attention. Lorsqu'il n'était pas à l'école, il passait presque tout son temps dans les bois, et leur mère disait qu'il fallait le laisser tranquille. Kitty lui demanda un jour ce qu'il fabriquait là-bas, mais il se contenta de hausser les épaules. Pour la première fois, elle comprit pourquoi ce geste agaçait autant ses parents.

Sur le palier au-dessus de Kitty, Matt McCarthy déroula les plans architecturaux que Sven avait dessinés dix-huit mois plus tôt, et les leva dans la lumière du jour, se demandant quels éléments de leur projet de rénovation mûrement réfléchi il pouvait légitimement utiliser. Certains changements, comme l'extension de l'arrière, n'étaient pas encore réalisables, mais d'autres, tels que le déplacement de la salle de bains, la chambre principale et les nouvelles fenêtres des étages supérieurs, pouvaient passer pour évidents. Pour le moment, cela ne rimait à rien de toucher à la cuisine, puisqu'il n'était pas sûr d'obtenir un permis de construire pour l'extension, et puis d'importants travaux structurels s'imposaient en priorité. En fait, cette première étape leur prendrait des mois. Le coût serait conséquent. Il respira les parfums familiers de la vieille maison, soudain satisfait de la tournure des événements. C'était un plaisir de travailler là. Entre ces vieux murs, il avait le sentiment de reprendre le contrôle de sa vie, de récupérer quelque chose qui lui avait été arraché. Il roula ses plans et les replaça soigneusement dans le tube en carton, qu'il glissa dans son fourre-tout au moment où Byron émergeait de la cage d'escalier. Pour un homme de sa taille, il ne faisait pas beaucoup de bruit – pas assez au goût de Matt.

—Bon, dit le jeune homme. On commence par quoi, aujourd'hui ?

—Bonne question. Et il y a un millier de réponses possibles.

—Comment avancent les travaux? demanda Asad en frottant des pommes pour les faire briller, maniant le chiffon de ses longs doigts bruns.

Assise sur un cageot à côté du congélateur, Kitty buvait son thé.

—Je vois M. McCarthy presque tous les jours. Et son fils aussi. Et Byron, mais il ne vient pas tout le temps.

— Est-ce que les choses s'améliorent ? La maison est-elle plus confortable ?

— Je ne dirais pas ça.

Kitty renifla. Henry venait de confectionner des pains aux olives et un délicieux parfum flottait dans l'air. Elle espérait secrètement s'en voir offrir.

— Ils ont arraché plein de trucs.

— Il paraît qu'il n'y a pas grand-chose à sauver.

Henry apparut et disposa soigneusement deux miches dans le panier à pain.

— Des découvertes intéressantes à signaler ?

Kitty fit la grimace.

— Je ne sais pas. Je crois que les araignées en sont les principales. J'en ai trouvé une dans mon tiroir à chaussettes hier soir. Elle était tellement grosse qu'elle aurait pu en porter une.

Asad pencha la tête de côté.

— Et comment va ta mère ?

Il dit cela comme s'il soupçonnait un problème.

— Bien. Elle s'inquiète de ce que ça va coûter. Elle dit qu'elle ne s'attendait pas à une telle somme.

— Je suppose que Matt McCarthy ne lui fait pas de cadeau, dit Henry avec un reniflement.

— Oh, d'après maman, il effectue la moitié des réparations par bonté d'âme.

Henry et Asad échangèrent un regard.

— Matt McCarthy ?

— Elle dit qu'on a de la chance d'avoir des voisins aussi généreux et que si c'était arrivé à Londres, on aurait de gros ennuis. Il fait tout son possible pour réduire les coûts.

Elle se rapprocha légèrement des pains. Son petit déjeuner lui semblait si loin.

— Tu en voudrais un ? Tu pourras le payer la prochaine fois, si tu veux.

Asad fit un geste en direction du pain.

— Vraiment ? Je vous apporterai l'argent demain. Je n'ai pas le courage de faire l'aller-retour maintenant pour aller chercher mon porte-monnaie. Et maman ne veut plus que je conduise la voiture.

Asad secoua la tête comme si c'était sans importance.

— Dis-moi, Kitty, est-ce que Matt vous a raconté… l'histoire de la maison ?

Trop occupée à enfoncer son pouce dans le pain, Kitty ne remarqua pas le regard que Henry lança à son ami.

— Non, répondit-elle d'un air absent. Pourquoi est-ce que les gens sont si obsédés par l'histoire, ici ?

— Bien sûr que non…, dit Asad. Attends, je vais te chercher un sac.

Byron taillait du bois depuis bientôt une demi-heure lorsqu'il comprit ce qu'Elsie regardait. Elle était perturbée depuis que Meg, son colley, avait mis bas la semaine précédente. Il ne prêtait donc plus attention à ses gémissements permanents, mais au moment où il frappa de sa hache le jeune frêne, puis posa le tronc abattu au sommet du tas, il aperçut une tache bleue plus loin dans les broussailles et sut ce que l'animal observait. Le garçon le suivait depuis plusieurs jours. Quand Byron s'occupait des poules faisanes, réparait la clôture électrique ou, comme à présent, élaguait les arbres qui se dressaient entre le domaine de Matt et la maison espagnole, il lui semblait qu'une petite ombre pâle l'accompagnait. L'enfant le regardait pendant quinze ou vingt minutes, à moitié caché par la végétation, puis disparaissait lorsque Byron s'apprêtait à avancer vers lui. Il avait vite compris de qui il s'agissait. Il retourna à sa souche et y perça quelques trous à l'aide d'un tournevis électrique sans fil, se préparant à empoisonner les racines. Ces fichus frênes ne risquaient pas de repousser.

— Tu as envie de me donner un coup de main ? dit-il calmement sans se retourner.

Silence. Byron perça six trous supplémentaires. Il sentait les yeux du garçon sur lui.

— C'est pas grave. Moi non plus, je ne suis pas un bavard.

Il poursuivit sa tâche et, au bout d'un moment, entendit des pas légers derrière lui.

— Ne caresse pas la chienne. Elle viendra à toi quand elle sera prête. Et si tu veux aider, ramasse quelques petites branches. Voilà, fais attention, dit-il.

Le garçon se pencha en avant et ramassa une brassée de brindilles. Byron tira trois des jeunes arbres vers le champ. Il avait prévu de les récupérer plus tard, et de détailler les plus gros pour en faire du bois de chauffage. Mais cela n'avait pas de sens de tailler des bûches s'il ne savait pas où il allait vivre. Il pensa au tas de planches qu'ils avaient arrachées dans la maison espagnole et entreposées près de la grange. La plupart lui avaient semblé sèches, mais il s'était bien gardé d'interroger Matt.

— Laisse-les là, dit-il en montrant la pile.

Le garçon traîna un jeune arbre sur l'herbe jusqu'à la lisière du champ et, avec un grognement, le lâcha.

— Tu veux aider encore ?

Le garçon avait un regard sérieux, encadré de cils noirs. Il hocha la tête.

— C'est quoi, ton nom ?

Il regarda fixement ses pieds. Elsie renifla ses baskets, puis l'enfant leva les yeux vers Byron, comme s'il avait besoin d'être rassuré, et se pencha enfin pour gratter la tête de l'animal. Elsie roula sur le dos, exposant sans pudeur son ventre rose.

— Thierry, répondit-il d'une voix à peine audible.

— Tu aimes les chiens, Thierry ?

Byron parlait d'une voix tranquille, désinvolte. Le garçon acquiesça timidement de la tête. Elsie, la langue pendante, lui souriait. Byron l'avait vu dans la maison à quelques reprises, une ombre dans son propre foyer, vissée devant un jeu vidéo. Il ignorait pourquoi il lui avait adressé la parole. Sa propre compagnie lui suffisait en général.

— Tu m'aides encore un peu avec les branches et, quand on aura fini, on ira demander à ta mère si tu peux venir voir les chiots qui viennent de naître. Ça te plairait ?

Le sourire de l'enfant le prit par surprise, et il retourna à ses troncs abattus, déjà en proie au doute. Souhaitait-il vraiment éveiller d'aussi grands espoirs chez quelqu'un ?

* * *

« Frais comme la rosée du matin ». Tels avaient été les derniers mots intelligibles de Thierry. Sa voix, aiguë et pleine d'assurance, avait retenti dans la salle, puis il avait clos d'un sourire le dernier vers de son poème. Il avait remporté un prix pour son petit texte, l'avait lu aux parents le jour du spectacle de sa classe, et Isabel, exceptionnellement libérée des obligations de son orchestre, avait applaudi frénétiquement, assise sur sa chaise en plastique, tout en s'étonnant que le siège à côté du sien soit toujours inoccupé. Laurent avait juré d'arriver à l'heure. Mais, au lieu d'être agacée par son absence comme les autres mères dont les époux n'étaient pas venus, elle avait ressenti une certaine satisfaction à être, pour une fois, le parent présent.

— Il a été très bon, non ? chuchota Mary, assise de l'autre côté.

Une maman devant elle se retourna et lui sourit.

— Parfait, dit Isabel, rayonnante. Absolument parfait.

Elle avait croisé le regard de Thierry avant qu'il retourne dans les coulisses, et il lui avait adressé un petit signe de la main, en essayant de ne pas laisser paraître la fierté sur son visage. Elle avait eu envie de se lever et d'aller le retrouver derrière le rideau pour le féliciter, mais, respectueuse des autres intervenants, et sachant mieux que quiconque combien il était dérangeant de voir un spectateur se frayer un chemin entre les rangs, elle était restée à sa place. Elle avait regretté cette décision. Elle aurait voulu, et cela continuait de la hanter, être à ses côtés avant que la police arrive dans les coulisses, pour entendre ne serait-ce qu'une fois encore le poème qu'il avait répété si longuement. Pour entendre encore sa belle voix insouciance de garçon de huit ans, pleine de caprices d'écolier, de *Star Wars*, de demandes de bonbons et de jours comptés avant que son meilleur ami vienne dormir à la maison. Pour lui glisser à l'oreille, à l'insu de ses camarades, combien elle l'aimait. « Frais comme la rosée du matin ». Sa jolie voix. Au lieu des mots accablants du sinistre policier. « Oui », avait-elle dit, agrippant l'épaule de Thierry, son être physique comprenant déjà ce que son esprit refusait de saisir. Oui, elle s'appelait bien Isabel Delancey. Comment ça, un accident ?

— Désolée, je n'ai pas bien compris.

Isabel se trouvait dans la cuisine, face à l'homme qui lui avait ramené Thierry, les mains vertes, le pantalon parsemé de morceaux d'écorce. Elle répéta ce qu'il venait de dire.

— Vous voulez que mon fils vienne chez vous pour voir des chiots ?

— Ma chienne a mis bas une portée la semaine dernière. Thierry avait envie de les voir.

Il prononça « Terry ».

— Vos chiots.

Le visage de Byron s'assombrit lorsqu'il décela ses craintes dans son hésitation.

— Ma sœur et sa fille seront là, précisa-t-il d'un ton sec.

Isabel rougit.

— Je ne voulais pas…

— Le petit m'a filé un coup de main. Je me suis dit qu'il aimerait faire la connaissance de ma nièce et voir les chiots, ajouta-t-il d'une voix dure.

— Salut, Byron. Tu as fini ?

Matt apparut derrière elle, la faisant sursauter. C'était l'un de ces hommes qui rayonnaient bien au-delà de leur être physique. Byron serra la mâchoire.

— J'ai sorti au moins quarante pousses, des frênes principalement. Si vous pouviez y jeter un coup d'œil avant que je continue…

Il fit un geste à son chien, qui quitta la cuisine.

— Je disais juste à Mme Delancey que son fils était le bienvenu s'il voulait voir la nouvelle portée. Mais c'est peut-être mieux de remettre ça à plus tard.

Elle vit qu'il était furieux. Ils s'étaient à peine adressé la parole pendant les deux jours où il avait travaillé dans la maison. Il l'avait saluée d'un signe de tête et elle, se rappelant leur échange à propos du fusil, n'avait pas osé relancer le débat. Thierry implorait sa mère du regard.

— Bon, c'est d'accord, dit-elle avec hésitation.

Elle fit un pas sur le côté pour laisser Matt entrer dans la cuisine.

— Votre garçon sera très bien avec Byron. Il veut juste lui montrer ses chiots, vous n'avez aucune crainte à avoir, dit-il avant de partir d'un rire gras. Sois plus clair la prochaine fois, Byron.

— Je n'ai pas pensé une seule seconde…

Isabel avait une main sur sa gorge.

— Byron, je n'insinuais pas…

— Ne vous en faites pas, dit le jeune homme, tête baissée. Laissons les chiots pour le moment. Je dois y aller. Je vous vois demain, Matt.

Le garçon tira sur la manche de sa mère, mais c'était trop tard. Il contempla tristement l'espace laissé vacant par Byron, puis posa sur sa mère des yeux furibonds, pleins de déception, avant de quitter la cuisine en courant. Elle entendit ses pas jusqu'à la porte, qu'il claqua de façon théâtrale.

— N'écoutez pas les rumeurs sur Byron, dit Matt, des étincelles dans les yeux. C'est un bon gars.

Sans se donner le temps d'y réfléchir, Isabel passa en trombe devant lui, monta les marches deux à deux et ouvrit la porte d'entrée ; Byron se dirigeait d'un pas raide vers la haie.

— Byron ! cria-t-elle.

Comme il ne se retournait pas, elle l'appela de nouveau.

— S'il vous plaît ! Attendez !

Elle était à bout de souffle quand elle le rattrapa.

— Je suis désolée, dit-elle, ses talons s'enfonçant dans l'argile humide. Vraiment, je suis désolée si je vous ai offensé.

Le visage de l'homme exprimait plus de résignation que de colère.

— S'il vous plaît, laissez Thierry venir. Il traverse une période difficile… Il ne parle pas beaucoup. Pas du tout, en fait. Mais je sais qu'il adorerait voir vos chiots.

Le terrier de Byron avait couru jusqu'au bout du jardin et attendait son maître.

— Je vais le chercher, dit-elle, prenant son silence pour un acquiescement. Si vous voulez bien attendre cinq minutes, je suis sûre que je peux le trouver. Il y a certains endroits où il aime bien aller.

— Pas la peine.

Byron fit un signe de tête en direction de la haie, où un sweat bleu apparaissait à travers le feuillage de l'if.

— Il me suivait de toute façon.

Laura McCarthy peignit une bande de couleur sur le mur de sa chambre avec le sixième testeur et recula. Quels que soient les mélanges qu'elle faisait, cela ne fonctionnait pas. Aucune des teintes n'allait. Aucun des échantillons de tissu qu'elle avait apportés chez elle pour de nouveaux rideaux, aucune des associations habituelles. Elle avait décidé de rafraîchir leur chambre pour se changer les idées, ne plus penser à la propriété qu'ils n'habiteraient jamais. Mais elle avait perdu son enthousiasme. Ce n'étaient que leurs banals vieux murs, et les rideaux n'orneraient pas les immenses baies vitrées de la chambre principale de la maison espagnole, avec sa vue sur le lac. Elle avait désiré cette demeure, mais n'en avait rien dit à Matt, pour éviter de nourrir ses griefs. En réalité, elle avait le sentiment d'avoir été spoliée, qu'un squatteur s'était installé dans son foyer. Elle n'était pas encline au mélodrame, pourtant elle vivait presque cela comme la perte d'un enfant. Feindre l'indifférence devant d'autres femmes, prétendre que cela n'avait pas d'importance lui avait demandé des efforts surhumains. Elle avait eu des projets pour chaque mètre carré de cette bâtisse, savait parfaitement comment en aménager au mieux chacune des pièces. Elle aurait été magnifique. Mais ce n'était pas tant la maison qu'elle pleurait. C'était la perspective de ce qu'elle aurait pu être, de ce qu'ils seraient devenus en tant que famille, entre ces murs. Laura soupira et reboucha le couvercle du petit pot, les yeux rivés sur le patchwork de peinture qui ornait son mur. Au loin, des bruits de marteau suggéraient que Matt était au travail. Il était guilleret depuis plusieurs semaines, mais également distant, comme si son esprit était en permanence ailleurs. Ce matin-là, il lui avait tendu un chèque de cette Delancey.

— Encaissons-le au plus vite, avant qu'on ne commence à nous les refuser, avait-il dit d'une voix enjouée.

Elle se persuadait que la joie de son mari était causée par cette rentrée d'argent, qu'il n'avait rien d'autre en tête. Cette femme était si bizarre, si vulnérable. Elle ignorait tout de la vie à la campagne, n'avait pas la moindre idée de la façon dont on rénovait une maison. Elle n'était même pas douée pour la conversation. Elle s'était présentée à sa porte dans cette tenue excentrique, comme un poisson sorti de l'eau, et tandis que Laura se détendait en mesurant à quel point cette femme était à côté de la plaque, elle ne put s'empêcher de s'imaginer à sa place, avec deux enfants à élever seule dans cette grande maison. Elle avait semblé perdue, mais aussi étrangement féroce, prête à leur bondir dessus à la première occasion. Les cousins parlaient d'elle comme d'une bouffée d'air frais, mais ils disaient du bien de tout le monde, même si, de temps à autre, elle les soupçonnait d'hypocrisie. Chaque fois qu'elle entrait dans le magasin, qu'Asad posait sur elle ses yeux bruns aux paupières tombantes, elle avait l'impression qu'il savait pour Matt, et cela la mettait mal à l'aise. Il lui souriait avec une gentillesse mêlée de pitié. Peut-être la voyait-il comme elle-même avait regardé Isabel Delancey lors de cette matinée chez elle. Matt l'avait serinée pour qu'elle lui rende visite, puis avait lâché l'affaire. Peut-être avait-il compris à quel point cela la rebutait. Laura trouvait plus simple de garder ses distances. Elle n'était pas fourbe de nature. Si Mme Delancey lui avait demandé son avis sur la propriété, qu'aurait-elle bien pu répondre ? Elle entendit, venant de la maison espagnole, un craquement puis un fracas étouffé, et se demanda ce que Matt était en train de faire.

Il dit qu'elle finira par être à nous. C'est tout ce que je dois garder en tête. Cette femme n'est pas faite pour vivre là-bas. Et tout va pour le mieux dans le meilleur des mondes.

Laura arrangea les pans du rideau. Elle avait du repassage à finir et Ruby, le teinturier, n'arrivait jamais à faire les plis de chemise comme Matt les aimait.

Chapitre 10

Tandis que le printemps laissait place à l'été, les journées d'Isabel s'étaient installées dans une sorte de routine, très loin des attentes qu'elle avait nourries autrefois. Tous les matins, elle accompagnait les enfants en haut du chemin où ils prenaient le bus pour l'école. Ensuite, après une tasse de café revigorante, elle faisait les lits, fouillait sous les sommiers à la recherche de chaussettes orphelines, transportait le panier à linge jusqu'à la nouvelle machine à laver branchée dans la cuisine, puis, si le temps le permettait, étendait la lessive sur la corde. Elle débarrassait la table du petit déjeuner, répondait au courrier, réfléchissait à ce qu'elle allait cuisiner aux enfants pour le dîner, puis balayait ou aspirait les traces de pas qui traversaient la maison d'un bout à l'autre. Elle préparait à Matt et à ses ouvriers du jour leur thé, le premier d'une longue série, puis tentait de répondre aux dizaines de questions sur lesquelles elle ne s'était pas encore penchée. Où voulait-elle mettre les nouveaux interrupteurs ? Quel genre de luminaire choisir ?

À quelle distance voulait-elle cette ouverture ? Elle n'avait jamais rien trouvé d'aussi ennuyeux de toute sa vie, ni aussi bien compris le mal que Mary se donnait pendant qu'elle s'absorbait dans sa musique. Et tout le temps que duraient ses corvées, elle s'accrochait patiemment à la promesse d'un moment de calme où elle pourrait jouer, se vider l'esprit et se souvenir du fait qu'elle n'était pas qu'une esclave domestique. Elle soupçonnait ses enfants d'apprécier leur nouvelle mère. Celle-ci était capable de cuisiner plusieurs plats convenablement, avait personnalisé l'aile est de la maison de sorte que les pièces qui n'étaient pas tapissées de plastique ou encombrées par les échafaudages devenaient accueillantes. Elle les aidait, autant que possible, à leurs devoirs. Elle était là, en permanence. Toutefois, ils ignoraient combien le caractère répétitif de ces tâches lui pesait. À peine avait-elle fini de nettoyer une surface que celle-ci était de nouveau sale. Les vêtements, même ceux à peine portés, se retrouvaient en tas froissés dans le panier et elle se mettait à crier après Kitty et Thierry, détestant sa voix de mégère. Un jour, agacée au dernier degré par la simple idée de suspendre une fois de plus le linge, elle tourna tout bonnement les talons, laissa tout en plan et se dirigea droit vers le lac, s'arrêtant uniquement pour ôter ses chaussures. L'eau glaciale lui coupa le souffle, puis elle éclata de rire : le seul fait de ressentir quelque chose était une joie. Matt se trouvait sur l'échafaudage avec son fils, et tous deux la regardèrent, éberlués.

— C'est votre façon de me dire que je dois m'activer avec la salle de bains ? plaisanta-t-il.

Elle hocha la tête en claquant des dents. Parfois, elle se demandait ce que Laurent aurait dit en la voyant ainsi, les mains gantées de caoutchouc, en train de frotter une casserole dont elle avait brûlé le fond. Ou en la voyant jurer et pousser la vieille tondeuse à gazon rouillée dans une vaine tentative d'imposer de l'ordre au jardin. De temps à autre, elle l'imaginait qui l'observait avec un sourire amusé.

Ma pauvre chérie! Mais qu'est-ce que tu fais?

En réalité, tout cela était dérisoire comparé à la liste grandissante d'inquiétudes que le chantier de Matt éveillait en elle. Elle le trouvait sans cesse en train d'enfoncer la pointe de son stylo à bille dans un morceau de bois pourri, ou de frotter entre l'index et le pouce quelque résidu mangé par la rouille. La maison était encore plus délabrée qu'elle ne l'avait imaginée. Chaque jour amenait de nouvelles surprises: des vers dans les solives, des tuyaux percés, un morceau de toiture à remplacer. Matt lui exposait le problème à contrecœur, puis ajoutait une parole rassurante.

— Ne vous inquiétez pas. On trouvera une solution.

Tous les problèmes semblaient surmontables à ses yeux, sa sérénité était magnétique. Il y avait, disait-il, peu de difficultés qu'il n'ait déjà rencontrées auparavant, encore moins qui ne puissent être rectifiées. Elle lui avait déjà versé la moitié de ses économies pour l'achat des matériaux. Le bois, les câbles électriques, les panneaux isolants et les tuiles étaient entreposés en tas ordonnés dans les dépendances, à côté de bennes pleines à craquer, comme si la maison était devenue un magasin de bricolage. Ils seraient là pour des mois, l'avait-il prévenue.

— Mais on essaiera de ne pas trop vous déranger.

Au bout d'une semaine, elle avait compris que ce serait impossible. Il y avait de la poussière de plâtre partout, elle s'infiltrait jusque dans les sillons de leur peau. Les yeux de Kitty étaient rouges et sa mère éternuait sans arrêt. Toute nourriture devait être couverte, et, de temps à autre, Isabel entrait dans une pièce pour découvrir un sol arraché ou une porte sortie de ses gonds.

— Au moins, ça veut dire qu'il se passe quelque chose, maman, dit Kitty, étonnamment placide devant le chaos. Et, à la fin, on aura une maison digne de ce nom.

Isabel tentait de garder cette idée en tête tandis qu'elle inspectait le site jonché de gravats qui leur servait d'habitation. Elle préféra ne pas se demander si elle avait assez d'argent pour parvenir au résultat escompté. Elle s'assit sur le canapé, jambes croisées, avec un énorme carton rempli de reçus et de relevés bancaires. Occasionnellement, elle fronçait les sourcils, levait deux feuilles de papier en l'air comme pour les comparer, puis les jetait dans un geste de désespoir. Kitty, luttant avec ses devoirs, essayait de ne pas faire attention à elle. Thierry était assis sur le fauteuil, les yeux rivés sur un jeu vidéo, et seuls ses doigts bougeaient. M. Granger était en bas, en train de réparer un conduit. Au-dessus, Matt, Byron et Anthony s'étaient lancés dans du gros œuvre – du moins Kitty le supposait : le bruit de perceuse faisait trembler toute la maison, et des nuages de plâtre flottaient dans l'escalier, telle l'haleine de quelque créature démoniaque. Et pendant tout ce temps il pleuvait, le ciel était bas et gris, ajoutant à la tristesse de la bâtisse déjà lugubre. L'eau gouttait dans des seaux posés sur le sol de l'entrée et d'une des chambres, produisant un clapotis irrégulier et mélancolique.

— Ah ! s'exclama Isabel en poussant la boîte loin d'elle. Je ne peux plus regarder une seule colonne de chiffres ! Je ne comprends pas comment faisait votre père pour gérer ça jour après jour.

— J'aurais bien aimé qu'il m'aide en maths, dit Kitty d'une voix triste. Je n'y comprends rien.

Isabel s'étira et regarda par-dessus son épaule.

— Oh, ma chérie, je suis désolée, mais je n'y connais vraiment rien. Ton père était le plus intelligent de nous deux.

Au même moment, Thierry glissa de son fauteuil et se dirigea vers la fenêtre. Il se mit à frapper du poing les lourds rideaux, libérant des nuages de poussière.

— Arrête ça, T, protesta Kitty, agacée.

Son frère frappa plus fort, faisant délibérément s'envoler de grandes bouffées grises. Kitty afficha un air sévère.

— Maman ! protesta-t-elle, sans que sa mère intervienne pour autant. Maman ! Regarde ce qu'il fait !

Isabel se dirigea vers Thierry et lui caressa la tête d'une main pâle.

— Ils sont affreux, hein ? dit-elle en regardant les rideaux de velours rouge. Peut-être qu'on devrait les secouer pour de bon. Les dépoussiérer totalement.

— Oh, pas maintenant, implora Kitty.

Mais c'était trop tard. Sa mère agitait vigoureusement les pans de rideaux, emplissant la pièce d'une brume poussiéreuse qui fit tousser Thierry.

— Ne t'en fais pas, dit Isabel sans s'arrêter. Je vais aspirer.

— Je ne te crois pas, s'énerva Kitty de plus belle, le souffle court.

La lourde tringle se détacha alors du plafond et s'écroula au sol, entraînant avec elle une bonne partie du mur. Sa mère se couvrit la tête des deux mains tandis qu'une pluie de plâtre s'abattait sur la pièce ; les rideaux reposaient autour d'elle, tout gonflés. Après un silence horrifié, durant lequel Kitty contempla les gros trous qui laissaient entrevoir les briques au-dessus de la fenêtre, Isabel se mit à rire.

— Oh, maman… Qu'est-ce que tu as fait ?

Sa fille s'approcha pour évaluer les dégâts. Isabel secoua ses cheveux couverts de plâtre.

— Ils étaient affreux.

— Oui, mais au moins on avait des rideaux. Maintenant, on n'a plus rien du tout.

Sa mère était vraiment infernale. Elle se dirigeait vers le lecteur CD à présent.

— Je m'en fiche, Kitty. Dans le vaste monde, c'est juste des rideaux. J'ai passé la journée enlisée dans les factures et les corvées domestiques. J'ai eu ma dose. Écoutons un peu de musique.

Au-dessus, les coups de marteau avaient cessé.

Oh non, songea Kitty. *Pas maintenant, par pitié. Pas quand Anthony est là.*

—Maman, je dois faire mes devoirs.

—Et tu dois aussi t'amuser. J'essaierai de t'aider avec les maths tout à l'heure. Viens, Thierry, décroche-moi un rideau. Je sais comment on peut les utiliser.

Isabel s'éloigna de la chaîne stéréo, et Kitty entendit les premières mesures du *Carmen* de Bizet.

Oh non. Non, tu ne peux pas me faire ça.

Mais, accroupie devant Thierry, sa mère se drapait le lourd tissu autour de la taille.

—Maman, s'il te plaît.

Déjà perdue dans la musique, Isabel tournoyait dans son nouveau costume rouge, le faisant bruisser autour d'elle tandis que l'aria se faisait de plus en plus passionnée. Thierry ramassa le deuxième pan de rideau et imita sa mère, sa bouche formant des mots qu'il ne prononçait plus à voix haute. Exaspérée, Kitty traversa la pièce pour éteindre la musique, mais en voyant le sourire de sa mère devant la danse de Thierry, elle comprit qu'elle était piégée. Les bras croisés, elle les regarda parader ensemble, mimer une scène, et pria pour que le jeu cesse rapidement et que personne ne descende au salon. Bien entendu, Anthony arriva. Byron descendit l'escalier le premier, portant sur son épaule un sac de bois à jeter. Anthony, lui, s'arrêta sur le seuil, un marteau à la main, son bonnet de laine enfoncé sur la tête. Kitty croisa son regard et lutta contre l'envie de se cacher sous le canapé. Elle crut vivre le moment le plus embarrassant de toute sa vie.

Jusqu'à ce que sa mère aperçoive le garçon et s'écrie : « Eh ! Anthony ! », tout en agitant vers lui son costume de fortune. Elle hurla ensuite « Corrida ! », et Thierry leva les doigts au-dessus de sa tête. Kitty eut envie de mourir. La corrida était le jeu que leur avait appris leur père ; ce dernier agitait des serviettes autour de lui, puis Thierry et elle essayaient de l'attaquer tandis qu'il les esquivait d'un bond sur le côté. Sa mère ne pouvait pas y jouer. Ce n'était pas bien. Et Anthony allait dire à tout le monde au lycée qu'ils étaient fous. Mais il lâcha son marteau, attrapa le rideau, et n'hésita pas une seconde à l'agiter devant Thierry pour que celui-ci se jette sur lui. Peut-être galvanisé par la présence d'un autre garçon, l'enfant se montra particulièrement féroce. Tandis que la musique gagnait en intensité et en ferveur, il fonçait à toute pompe dans le salon, envoyant valser tapis et tables basses, faisant à plusieurs reprises basculer Anthony sur le canapé. Sa mère, dans un coin de la pièce près de la chaîne stéréo, se tordait de rire. Thierry poussait des cris, martelait le sol du pied. Et Anthony souriait, balayant le sol de l'étoffe avec un grand geste de la main.

— Olé ! cria-t-il.

Soudain, Kitty cria elle aussi. Et pour la première fois depuis une éternité, au milieu du bruit, des cris et des rires, elle se sentit heureuse – vraiment heureuse. Sa mère s'était de nouveau emparée du rideau, qu'elle faisait tourbillonner autour d'elle au rythme de la musique, et sa fille s'amusa follement à se jeter sur ce tissu rouge élimé pour le lui arracher. Et puis il y eut un fracas à l'étage, assez puissant pour faire trembler le sol sous leurs pieds, et tout arrêter. Le CD s'enraya, et Isabel alla éteindre la chaîne.

— Qu'est-ce que c'était ? dit-elle.

Vint alors un autre fracas, moins retentissant, suivi d'une exclamation étouffée. Le rideau s'étalait autour de Kitty tandis que tout le monde se précipitait dans l'escalier avant de s'arrêter sur le palier. Des nuages de poussière blanche émanaient de la chambre principale, et Matt apparut, toussant et s'essuyant les yeux.

— Bon sang, c'était moins une, dit-il. Quelques minutes plus tôt et il se serait écroulé sur Anthony.

Son fils examina la pièce. Lui aussi était sous le choc et blafard – à cause du spectacle qu'il découvrait ou de la poussière qui recouvrait son visage. Isabel plaqua une main sur sa bouche et son nez puis entra, sans tenir compte des avertissements de Matt. Kitty la suivit. Le plafond avait disparu. Là où autrefois s'était trouvée une surface lisse et brillante, il y avait à présent une carcasse béante, laissant apercevoir le plafond du grenier vide au-dessus. Un gros tas de bois et de plâtre occupait le centre de la pièce, les contrefiches pointant vers le haut.

Le lit de maman était là, pensa Kitty. *Tout ça aurait pu atterrir sur elle.*

— J'étais en train d'enlever le luminaire pour vérifier l'installation électrique, expliqua Matt, et tout a été emporté d'un seul coup, les solives et tout le reste. Ça aurait pu nous tuer. Ça aurait pu tuer tout le monde.

M. Granger était tout rouge après sa course.

— Dieu merci, vous allez bien, soupira-t-il. J'ai cru que toute la maison s'effondrait. Mon vieux cœur a failli s'arrêter de battre.

— Nous sommes en sécurité ? demanda Isabel.

— Comment ? fit Matt.

— C'était tout ? Des solives pourries ? Rien d'autre ne risque de s'effondrer ?

Elle le transperçait du regard. Matt ne répondit pas.

— Je n'ai jamais vu des solives de plancher s'écrouler comme ça, affirma M. Granger.

— Mais c'est fini, hein ? insista Isabel. Tout le reste tient ? C'était seulement cette pièce, n'est-ce pas ?

Kitty remarqua qu'elle tenait son violon. Elle avait dû s'en emparer lorsqu'elle avait cru que la maison s'effondrait. Il y eut un bref silence.

Dites quelque chose, supplia-t-elle pendue aux lèvres de Matt. *Dites-le maintenant.*

— Ça devrait aller, dit Anthony derrière elle. Je ne comprends pas. Tous les autres planchers du haut sont bons. Je les ai contrôlés moi-même. Il n'y a que celui-ci…

— Oui, Anthony, mais tu n'as pas assez d'expérience pour le garantir, dit Matt.

— Mais je suis sûr…

— Tu te crois en mesure d'affirmer des certitudes, mon garçon ? Tu crois pouvoir être absolument certain que cette baraque est solide comme un roc ?

Il dévisageait son fils comme s'il le sommait de réviser son jugement.

— Que voulez-vous dire, Matt ?

Il y eut un bref silence.

— Je ne peux rien promettre, Isabel. (Il secoua la tête.) Je vous ai dit ce que je pensais de cette maison. Je ne peux pas vous rassurer.

Kitty était sur le point de descendre quand elle entendit l'explosion. Une violente détonation ricocha sur les murs.

— Bon sang, mais qu'est-ce que…, s'exclama Isabel.

On aurait dit que tout l'air de la maison avait été aspiré. Matt, les cheveux tout blancs, se précipita vers l'escalier, suivi par Kitty et sa mère.

Oh, mon Dieu, pensa cette dernière. *Cette maison va nous tuer.*

Elle courut vers Matt à la porte. Au milieu de la cuisine se tenait Byron, un fusil à l'épaule. À quelques mètres de lui, de l'autre côté de la porte, gisait un rat mort.

— Bon sang, dit Matt en entrant dans la cuisine. Mais qu'est-ce que tu fiches ?

Les entrailles rouge vif de l'animal se répandaient sur le seuil craquelé. Byron semblait lui-même abasourdi.

— Je suis juste entré pour prendre les clés du van et il se trouvait là, à faire le fier.

— Beurk, souffla Thierry, soudain animé.

Kitty examina la créature avec autant de dégoût que de pitié. Sa mère lui agrippa le bras et, soudain, se redressa.

— Je peux savoir à quoi vous pensiez en apportant un fusil chez moi ? Vous êtes malade ? fit-elle d'une voix rauque.

— Je ne l'ai pas apporté, dit Byron. C'est celui de Pottisworth.

Isabel eut un temps d'arrêt.

— Quoi ?

— Il le rangeait au-dessus de ce placard. Depuis des années.

Byron désigna le garde-manger.

— Je croyais que vous étiez au courant.

— Mais pourquoi lui tirer dessus ?

— C'est un rat. Vous alliez faire quoi ? Le prier gentiment de partir ? On ne peut pas avoir de rats dans sa cuisine.

— Vous êtes cinglé ! persista Isabel en poussant Kitty de son chemin pour se jeter sur lui. Sortez de chez moi !

— Maman !

Kitty l'agrippa. Sa mère tremblait comme une feuille.

— Calmez-vous, Isabel, dit Matt. Essayons tous de nous calmer.

— Dites-lui, exigea-t-elle. Il travaille pour vous. Dites-lui qu'on ne peut pas tirer de coups de feu à l'intérieur d'une maison !

Matt posa une main sur son épaule.

— Ce n'était pas tout à fait à l'intérieur. Mais oui, vous avez raison. Byron, mon vieux, c'était un peu extrême.

L'intéressé se frottait le crâne.

— Je suis désolé. Je me suis dit que ce n'était pas sûr, avec de jeunes enfants dans les parages. Il n'y a jamais eu de rats dans cette maison à ma connaissance. Jamais. Je me suis dit que si je le neutralisais rapidement…

— Vous trouvez plus sûr d'utiliser un fusil dans ma cuisine ?

— Ce n'était pas dans votre cuisine, contesta Byron.

— C'était sur le seuil.

Le visage blême, Isabel contempla l'animal mort.

— Ne vous tourmentez pas, madame. Personne n'est blessé, dit M. Granger d'une voix apaisante. Je vais nettoyer pour vous. Tiens, petit, passe-moi ce bout de papier journal. Allez, madame Delancey, asseyez-vous et prenez une tasse de thé. Vous êtes sous le choc. On ne s'ennuie jamais dans cette maison, hein ?

— Des planchers qui s'effondrent, des rats, des armes ? Qu'est-ce que c'est que cet endroit ? dit Isabel, ne s'adressant à personne en particulier. Qu'ai-je donc fait pour mériter ça ?

Ensuite, tandis que Kitty se tenait là, encore essoufflée par leur danse, sa mère tourna les talons et sortit lentement de la cuisine, faisant abstraction de tout le monde, serrant son violon contre son cœur. Ce soir-là, la musique qui résonna au-dessus du lac fut déchaînée. Elle n'avait plus son habituelle beauté mélancolique, mais frappa l'air de notes furieuses et saccadées. Allongée sur son lit, Kitty savait qu'elle aurait dû se lever et parler à sa mère, mais elle n'arrivait pas à en vouloir à Byron et à son stupide rat. Elle n'arrêtait pas de penser à Anthony et à son rideau rouge, à la façon dont il lui avait souri, comme s'il ne pensait pas que sa famille était folle. Pour la première fois, Kitty était presque contente d'être là.

Henry et Asad, rentrant chez eux, s'arrêtèrent de marcher quand la dernière note furieuse retentit.

— Saute d'humeur féminine, estima Henry en connaisseur.

De l'autre côté du chemin, Laura McCarthy finissait sa vaisselle.

— Ce bruit, dit-elle en s'essuyant les mains sur un torchon, va me rendre folle. Je ne comprends pas pourquoi les bois ne l'étouffent pas comme les autres sons.

— Tu aurais dû l'entendre tout à l'heure, dit Matt, qui avait été guilleret toute la soirée, même lorsqu'elle lui avait appris que sa voiture avait besoin de deux nouveaux pneus. Je n'ai jamais rien vu de pareil. Hein, Ant ?

Anthony, les yeux rivés sur l'écran de télévision, émit un vague grognement.

— De quoi parles-tu ? demanda Laura.

Matt décapsula une cannette de bière.

— Une vraie furie, celle-là. On y sera pour Noël, Laura. Crois-moi sur parole. Noël au plus tard.

Chapitre 11

Quoi de plus beau que la campagne du Norfolk en début d'été ? songeait Nicholas alors qu'il approchait de Little Barton, dépassant les maisons de silex, les rangées de pins squelettiques dont le feuillage clairsemé vacillait au sommet de troncs décharnés. Cela dit, dès que l'on quittait les environs sans charme du nord-est de Londres, presque n'importe quel site semblait vert et pittoresque. Mais ce jour-là, alors que les réservoirs, les parcs industriels et les tristes rangées de pylônes qui marquaient les limites de la ville disparaissaient au loin, les haies vives luxuriantes et le vert mentholé des accotements lui piquèrent les yeux. Tout un symbole, se dit Nicholas Trent. La banque était prête à lui accorder son soutien, mais dans une certaine mesure, exigeant de lui des plans détaillés.

— C'est bon de te voir, l'avait salué Richard Winters en lui donnant une tape dans le dos. Alors, toujours vaillant ?

Il avait maintes fois envisagé la possibilité que la femme refuse de vendre, s'était persuadé que bien d'autres sites auraient pu satisfaire ses plans. Mais, dès qu'il fermait les yeux, il voyait la maison espagnole et son terrain. Il voyait la fabuleuse vallée, entourée d'un paysage d'une perfection absolue, tout droit sorti d'un livre d'images. Et il avait beau savoir que son retour aux affaires aurait été plus simple avec un projet moins ambitieux sur quelque friche industrielle de la capitale, c'était la troisième fois en un mois qu'il prenait la route pour Little Barton, dans le but de se laisser surprendre, une fois de plus, par l'endroit qui occupait ses pensées et qui avait sa place dans les brochures en couleurs de ses rêves. Au bureau, il s'était gardé d'en parler. Il se présentait chaque matin, ponctuel et courtois, pour affronter les mêmes clients stressés, les mêmes insondables changements d'avis, les mêmes accords tombant à l'eau et les mêmes objectifs manqués. Derek se montrait de plus en plus cassant – n'ayant pas été promu au poste de directeur de secteur –, et Nicholas savait qu'en l'envoyant distribuer des prospectus ou chercher des cafés il se vengeait sur lui. Mais cela lui était égal désormais. En fait, il savourait ces moments passés à l'extérieur de l'agence, loin des colères mesquines et des jalousies tenaces, car il pouvait enfin se perdre dans ses pensées. Son cerveau bouillonnait d'idées.

—Qu'est-ce qui vous rend si joyeux? lui demandait Charlotte, visiblement offensée par son bonheur.

Douze logements à énergie renouvelable avec panneaux solaires et chauffage thermique, voulait-il lui répondre. Cinq maisons de grand standing avec un demi-hectare de terrain chacune, un immeuble résidentiel haut de gamme, avec façade en verre, offrant à chaque appartement une vue imprenable sur le lac. Tant de possibilités, tant de potentiel, avec une seule condition : que la veuve accepte de vendre.

J'étais un baratineur hors pair, se rappela Nicholas, ralentissant en voyant le panneau indiquant Little Barton. *J'aurais pu vendre des glaçons à un Esquimau. Ce sera un jeu d'enfant. Si je m'y prends bien. Tu montres trop d'ardeur et les gens sont convaincus d'avoir une mine d'or entre les mains. Tu offres trop peu et ils se sentent insultés.*

Cela ne rimait à rien de placer tous ses espoirs sur une seule propriété, se dit-il, aussi prometteuse soit-elle. Il était bien placé pour savoir que cela pouvait conduire au désastre. Il pénétra dans le village, dressant mentalement la liste des arguments, essayant de canaliser son enthousiasme. Il n'irait pas voir la maison cette fois. Il tenterait d'abord d'en savoir un peu plus, explorerait les environs, jetterait un coup d'œil aux vitrines des agences immobilières. C'était une région pleine d'avenir. De vieilles granges délabrées étaient détruites et transformées en habitations, les cottages des ouvriers reconfigurés pour satisfaire la demande grandissante. Il étudierait toutes les autres possibilités, ne laisserait pas son cœur commander sa tête. Il éviterait de trop espérer, pour ne pas être déçu en cas d'échec. Mais c'était si difficile. Nicholas Trent gara sa voiture dans une rue tranquille et resta assis quelques minutes. Finalement, il descendit de voiture.

— Ce que fait cet homme est immoral.

— Tu ne peux pas dire ça, Asad. Tu n'as aucune preuve.

— Des preuves.

Asad renifla. Il disposait des poivrons sur l'étalage de légumes. Rouges, jaunes, verts, soigneusement.

— Il est évident qu'il est en train de détruire cette maison de l'intérieur. Dès qu'on parle du chantier, Mme McCarthy devient à peu près de cette couleur.

Il brandit un poivron rouge.

— Elle est parfaitement consciente de ce qu'il fait. Ils ont sûrement mijoté le coup ensemble.

— Sa gêne ne prouve rien du tout. Elle peut très bien se sentir honteuse à cause de tous les efforts inutiles qu'elle a fournis avec le vieil homme.

Henry secoua la tête.

— En fait, un tas de choses pourraient expliquer l'embarras de Mme McCarthy dès qu'on lui parle de son mari, et tu sais très bien à quoi je fais allusion.

— Je sais ce que je sais. Et toi aussi. Cet homme est en train de voler Mme Delancey – et avec le sourire, en se faisant passer pour le bon Samaritain.

Le soleil perçait les fenêtres de la petite boutique, éclairant les seaux de fleurs qui oscillaient joyeusement dans la brise, annonciateurs de mois plus chauds. Mais les pivoines et les freesias, visibles à travers la vitre immaculée, et les pots de jacinthes qui décoraient les rebords contrastaient avec les appréhensions qui régnaient à l'intérieur. Henry vit Asad se raidir, écouta sa respiration sifflante. La saison des rhumes des foins approchait, et l'asthme d'Asad avait tendance à s'aggraver à cette période de l'année.

— Je crois, dit Henry, que tu devrais éviter de te tracasser avec ça.

— Et moi, répliqua Asad sur un ton tranchant, je crois qu'il est temps que quelqu'un tienne tête à Matt McCarthy.

La porte s'ouvrit en faisant tinter les clochettes et un homme entra dans la boutique. La cinquantaine, classe moyenne, beau costume, observa Henry. Un voyageur qui avait fait une longue route.

— Je peux vous aider ?

— Euh… pas encore, merci, répondit l'homme en se dirigeant vers le comptoir des plats cuisinés. Je cherchais de quoi déjeuner.

— Alors, oui, nous pouvons vous aider, l'assura Henry. Faites-moi savoir quand vous êtes prêt.

Il laissa le client et revint vers Asad qui, ayant terminé de garnir l'étalage de fruits et légumes, s'attaquait désormais aux étagères.

— Les conserves de poisson, murmura Henry, n'ont pas vraiment besoin d'être classées par ordre alphabétique.

Asad prit soin de parler à voix basse.

— Ça me tracasse, Henry. Ça me tracasse vraiment.

— Ce ne sont pas tes affaires. Et le crabe devrait se trouver à côté des sardines.

— Il n'y a qu'à écouter les récits de Kitty : un jour, il abat ce mur, le suivant, le plafond s'écroule… Mme Delancey se fait des cheveux blancs avec toutes ces dépenses.

— Tous ceux qui entreprennent des travaux chez eux savent que c'est un bouleversement et que ça coûte une fortune. Rappelle-toi, quand nous avons fait refaire la cuisine…

— Mais cette maison a tenu cinquante ans sans aucune transformation.

— Exactement, marmonna Henry. C'est sans doute pour ça qu'elle a besoin de quelques ravalements.

— Elle n'y connaît rien en travaux. Elle ne s'y connaît en rien sauf en musique. Elle est encore hantée par la mort de son mari. Il profite de la situation.

Sous l'effet de la colère, Asad avait haussé la voix.

— Mais nous n'avons aucune idée des problèmes qui existent dans cette maison. Comme tu l'as dit, personne ne s'en est occupé pendant cinquante ans. Va savoir ce qu'a découvert Matt McCarthy.

Asad serra les dents.

— Avec n'importe quel autre entrepreneur, Henry, n'importe qui d'autre, je serais prêt à croire qu'un tel chantier est justifié.

Il posa une boîte de sardines sur l'étagère. Le client examinait le panier de pains.

— Mais sois honnête avec moi. Tu ne penses pas que Matt McCarthy fait tout ça pour récupérer la maison ? Que c'est une sorte de vengeance ? Hein ?

Henry baissa les yeux.

— Je ne dirais pas ça. Je ne lui fais pas plus confiance que toi, mais ce ne sont pas tes affaires. Et nous en mêler ne pourra que nous nuire.

Ils s'arrêtèrent brusquement de parler quand le client apparut à côté d'Asad. Il leur adressa un sourire courtois.

— Je suis vraiment désolé de vous interrompre, mais pourrais-je avoir un de ces petits pains complets avec un peu de ce fromage de chèvre ?

Henry se précipita derrière le comptoir.

— Certainement. Je vous mets également quelques tomates en grappe ? Elles sont excellentes en ce moment.

Nicholas Trent sortit de la boutique avec un sac en papier brun. Il n'avait plus vraiment faim. Il posa ses victuailles sur le siège passager et reprit la route, le cerveau bourdonnant, l'estomac serré par l'excitation, cherchant le chemin broussailleux qui longeait la porcherie et menait à la maison espagnole.

— Un chœur de printemps.

Un charmant mélange de freesias, de narcisses et de jacinthes, disponibles en blanc, mauve et bleu pâle. Proposés en composition florale, en bouquet ou, moyennant un léger supplément, dans un vase en verre. Les prix démarraient à une trentaine de livres, livraison non comprise. Laura avait fait des recherches sur Internet. Des fleurs pour vous réchauffer le cœur à la fin du printemps. Des fleurs pour dire « Merci ». Ou bien « Je pense à toi ». Voire « Je t'aime ». Des fleurs qu'elle n'avait pas reçues. Des achats débités sur la carte de crédit de Matt le mois précédent. Bien entendu, elle n'avait pas vu le relevé – Matt était bien trop précautionneux pour laisser traîner ses documents bancaires, et elle savait qu'il utilisait sa carte professionnelle pour tout ce qu'il ne voulait pas lui montrer. Mais elle avait dû vider ses poches avant de mettre son jean à laver, et le reçu froissé en était tombé en même temps que quelques vis et pièces de monnaie. C'était clair comme de l'eau de roche. Elle ignorait seulement qui avait reçu les fleurs. Laura McCarthy gravit le chemin, son chien courant devant elle, et laissa les larmes rouler sur ses joues. Elle n'arrivait pas à croire qu'il avait recommencé. Après toutes ses belles paroles, toutes ses promesses. Elle avait cru que tout cela était derrière eux. Libérée de cette angoisse, de cette nervosité à l'idée qu'elle ne lui suffisait pas, qu'une qualité indéfinissable lui manquait, elle avait baissé la garde. Elle avait cessé de voir en chaque femme une menace potentielle.

Quelle idiote.

Laura se moucha, ne remarqua pas la beauté des haies vives en fleurs, des narcisses et des jacinthes sauvages qui sortaient de terre. Son ventre était un sac de nœuds, sa tête un vacarme assourdissant de cris de colère et d'accusations. Elle ne voyait que le visage de Matt, lorgnant celui d'une autre… *Non !* Elle savait depuis longtemps que cela pouvait la rendre folle. Elle entendait les avertissements de sa mère, lui reprochant cette union « inconvenante », la prévenant qu'elle ne pourrait s'en prendre qu'à elle-même quand les choses tourneraient mal. Elle se voyait, fermant poliment les yeux sur les infidélités de son mari en attendant qu'il soit trop vieux pour en commettre de nouvelles.

— Pauvre type ! hurla-t-elle dans la brise, regrettant que son éducation et ses bonnes manières l'empêchent d'utiliser un langage plus trivial.

Que devait-elle faire ? Que *pouvait*-elle faire ? Il savait qu'il avait toutes les cartes en main. Comment pouvait-il lui faire ça alors qu'elle l'aimait profondément, qu'elle n'avait rien fait d'autre que l'aimer durant toute leur vie commune ? Au fond d'elle-même, elle s'était doutée de quelque chose. Il s'était montré trop guilleret, et trop distant avec elle. Ils n'avaient pas fait l'amour depuis trois semaines, et la raison en était évidente, même s'il prétextait la fatigue ou le fait d'avoir veillé toute la nuit pour regarder des films « inratables ».

— Oh, mon Dieu…

Laura s'assit sur une souche d'arbre et laissa couler ses larmes. Elle avait le cuir épais, mais, ce jour-là, elle se sentait vaincue ; un minuscule morceau de papier lui faisait lâcher prise. Son mariage était une mascarade. Peu importait ce que Matt disait – que cela n'avait rien à voir avec elle, qu'il était fait comme ça. Peu importait qu'il nie. À quoi bon, puisqu'elle l'aimait ?

— Excusez-moi. Vous allez bien ?

Laura leva brusquement la tête. Un homme en costume se tenait à quelques mètres d'elle, sa voiture garée plus loin, le moteur ronronnant et la portière du conducteur ouverte. Il se pencha sur le côté, comme pour mieux l'observer, sans trop s'approcher. Bernie était assis aux pieds de l'inconnu comme si Laura n'était plus sa maîtresse. Celle-ci, mortifiée, éclata en sanglots, le visage dans les mains.

— Oh, mon Dieu.

Elle se leva rapidement, les joues en feu.

— Je vous laisse passer.

Elle était horrifiée à l'idée que quelqu'un l'ait vue dans cet état. Il était si rare que des gens passent par ces bois qu'elle se sentait prise au dépourvu. Tandis qu'elle fouillait dans ses poches, elle l'entendit approcher, un mouchoir à la main.

— Tenez, dit-il. Prenez-le, s'il vous plaît.

Elle l'accepta à contrecœur et sécha ses larmes. Plus personne n'utilisait de mouchoirs en tissu. Elle se sentit vaguement rassurée, comme s'il ne pouvait y avoir de méchanceté chez quelqu'un qui possédait un accessoire aussi désuet.

— Je suis vraiment désolée, dit-elle, essayant de ne plus trembler. Vous m'avez surprise au mauvais moment.

— Je peux faire quelque chose pour vous ?

Elle eut un léger rire. Comme si quoi que ce soit pouvait l'aider.

— Oh… non.

Il attendit qu'elle se soit essuyé le visage. Elle était si peu coutumière des larmes.

— Je ne savais pas si vous pouviez m'entendre. Je me suis dit que vous portiez peut-être ce genre de chose… (Il mima des écouteurs.) Les gens qui promènent leur chien en ont souvent, vous savez.

— Non…

Elle chercha Bernie du regard, puis s'approcha de l'homme pour lui rendre son mouchoir, et se rendit compte qu'il était trempé.

— Je suis désolée. Il est dans un piteux état.

— Oh, ça…

Il agita la main, signifiant que cela n'avait pas d'importance. Elle saisit son chien par le collier et resta un moment immobile, la tête basse, à court de mots.

— Bon, je vous laisse tranquille, dit-il sans avoir l'air de vouloir partir. Si vous êtes sûre que tout va bien.

— Oui. Merci.

Soudain, l'endroit où ils se trouvaient lui revint en mémoire.

— Vous savez que c'est un chemin privé ? Vous cherchez quelqu'un ?

Ce fut au tour de l'inconnu d'avoir l'air gêné.

— Ah, dit-il. Un chemin privé. J'ai dû me tromper au dernier embranchement. On a tôt fait de se perdre dans les bois.

— C'est une impasse. Que cherchez-vous ?

Il semblait réticent à répondre. Il désigna sa voiture du doigt.

— Juste un endroit agréable pour manger mon casse-croûte. Je vis en ville, alors n'importe quel coin de nature me semble joli.

Son sourire était si contrit, si sincère, que Laura se détendit. Elle observa son costume, usé mais de bonne facture, ses yeux tristes et gentils. Une douce imprudence s'empara d'elle. Qu'est-ce que ça pouvait faire, au fond ?

Quelle importance désormais ? se dit-elle en pensant au comportement de Matt.

—Je connais un endroit sympa pour pique-niquer, de l'autre côté du lac, hasarda-t-elle. Si vous garez votre voiture en bordure, je peux vous montrer. C'est à quelques minutes à pied.

Non loin de là, plongée dans l'ennui profond de son cours d'histoire, Kitty ruminait sa découverte. Elle avait tenté d'être juste, comme Mary le lui avait appris, mais quel que soit l'angle d'approche, le message avait la même explication.

« Bonjour, madame Delancey. C'est M. Cartwright. Je me demandais si vous aviez repensé à notre discussion. J'ai reçu un autre appel de M. Frobisher, qui aimerait toujours voir votre Gue… Gua… votre instrument. Je ne sais pas si vous avez eu mes précédents messages, mais je crois que cela vaut la peine d'étudier la question. Comme nous en avons discuté, la somme qu'il propose changerait considérablement votre situation financière. C'est plus du double que celle payée par votre mari… »

Changerait considérablement votre situation financière.

Kitty se souvenait de Cartwright, avec sa grosse mallette brillante, de son embarras devant la pile vacillante de courrier en attente. Maman l'avait envoyée dans sa chambre, alors qu'elle était incapable de gérer seule le problème. Et maintenant Kitty comprenait pourquoi. Elle ne voulait pas que sa fille sache qu'un choix était possible. En dépit de tout, ce stupide violon était plus important pour elle que le bonheur de sa famille. Thierry n'avait été d'aucune aide.

— Tu as entendu ces messages ? lui avait-elle dit dans sa chambre le soir précédent.

Assis devant son jeu vidéo, il avait continué de marteler les touches de sa manette avec ses pouces.

— Tu savais que maman aurait pu vendre son violon ?

Il avait regardé l'écran d'un air absent, comme s'il ne voulait rien savoir.

— Tu ne comprends pas ? Si elle avait vendu le violon, Thierry, on n'aurait pas été obligés de venir habiter dans ce trou. On aurait pu garder notre maison.

Thierry n'avait pas cillé.

— Tu m'entends ? Ça ne te fait rien que maman nous ait menti ?

Il avait fermé les yeux et s'était bouché les oreilles. Alors elle l'avait traité de taré, d'idiot qui ne cherchait qu'à attirer l'attention, puis s'était retranchée dans sa chambre pour broyer du noir. Sentant sa fille contrariée, Isabel l'avait assaillie de questions durant tout le dîner ; sur l'école, sa nouvelle vie. Kitty était si furieuse qu'elle arrivait à peine à la regarder. Une seule pensée occupait son esprit.

On pourrait être dans notre maison de Maida Vale. On pourrait être dans notre rue, avec les voisins qu'on connaît, dans notre école et peut-être même avec Mary.

Sa mère s'était mise à parler de donner des cours pour gagner de l'argent. Elle avait mis une annonce dans la boutique des cousins. Elle avait répété sans cesse « ce ne sera pas si mal », et Kitty avait su qu'elle redoutait cette perspective. Mais, pour autant, elle n'avait ressenti ni compassion ni reconnaissance. Car entendre sa mère discuter de ses projets lui faisait repenser au violon.

— Est-ce que tu nous aimes ? avait-elle alors demandé d'un ton sec.

Isabel avait paru choquée.

— Comment peux-tu poser cette question ? Bien sûr que je vous aime !

Kitty s'était sentie coupable en la voyant si bouleversée.

— Pourquoi ? avait demandé sa mère. Pourquoi cette question ?

— Plus que tout ?

— Plus que tout ce que tu peux imaginer, avait insisté Isabel, ardente et fébrile.

Elle l'avait serrée dans ses bras après le dîner, comme pour la rassurer, mais Kitty n'avait pu lui rendre son étreinte comme elle le faisait d'habitude. Après tout, ce n'étaient que des mots. De toute évidence, elle aimait autre chose davantage. Si ce stupide violon n'avait pas été leur seul espoir de s'en sortir, Kitty l'aurait balancé par la fenêtre du premier étage.

Cet après-midi-là, elle rentra du lycée en compagnie d'Anthony. Elle avait manqué le bus scolaire, tout comme lui, et ce ne fut qu'une fois arrivée chez elle qu'elle comprit qu'il l'avait peut-être fait exprès. Ils faisaient souvent le trajet ensemble désormais, et Kitty se montrait beaucoup moins timide qu'au début. Elle aimait bavarder avec lui et se sentait en sécurité lorsqu'ils traversaient les bois ensemble. Quand elle était seule, elle imaginait toujours que quelqu'un l'espionnait derrière les arbres.

— Qu'est-ce que tu ferais si tes parents te mentaient ? lui dit-elle au milieu du chemin.

Ils marchaient lentement, comme si ni l'un ni l'autre n'était pressé de rentrer chez lui.

— À quel propos ?

Anthony lui tendit un chewing-gum. Elle ôta l'emballage sans s'arrêter. Elle hésitait à se confier à lui.

— Quelque chose d'important, résuma-t-elle. Quelque chose qui affecte toute la famille.

Anthony renifla.

— Mon père ment tout le temps.

— Et tu ne dis jamais rien ?

Il fit claquer sa langue.

— Le truc avec les parents, c'est que les règles ne sont pas les mêmes pour toi et pour eux.

— Mon père n'était pas comme ça, dit Kitty.

Elle grimpa sur un tronc couché et marcha dessus.

— Il me parlait comme si j'étais son égale. Même quand il nous grondait, c'était comme si… comme s'il nous expliquait quelque chose, tout simplement.

Si elle continuait d'en parler, elle aurait bientôt les larmes aux yeux. Ils s'écartèrent lorsqu'une voiture approcha ; celle-ci ralentit au moment de les dépasser. Le conducteur, un homme en costume, leur fit un signe de la main. Anthony le regarda s'éloigner, puis revint au milieu du chemin, hissant son sac sur l'épaule.

— Mon père ment à tout le monde, et il s'en sort chaque fois, avoua-t-il avec amertume avant de changer de sujet.

Samedi, je vais au cinéma avec des copains. Tu peux venir si tu en as envie.

Elle en oublia pour un temps le violon. Kitty regarda Anthony par-dessous sa frange. Il avait les yeux rivés devant lui, comme si quelque chose de vraiment captivant s'y trouvait.

— Rien d'extraordinaire. Juste histoire de s'amuser un peu.

Le nœud s'était défait dans la gorge de Kitty.

— D'accord, dit-elle.

Au moment de sortir des bois, Nicholas Trent cligna des yeux, aveuglé par la lumière du soleil. Il roula jusqu'au bout du chemin, puis mit son clignotant à droite pour rejoindre la route principale. Vu le temps qu'il avait mis pour arriver, et la durée inattendue de sa pause-déjeuner, il aurait dû aller faire le tour des agences du coin, comme prévu. Mais, distrait, il reprit la direction de l'autoroute. Sa tête était trop pleine, son esprit trop bouillonnant pour y voir clair. Et, cette fois, ce n'était pas une histoire de maison.

Chapitre 12

Allongé sur le dos, l'enfant riait tandis que les petits chiens lui montaient dessus, frottaient contre son sweat-shirt leur ventre bombé et leurs pattes démesurées. Les garçons de cet âge étaient un peu comme des chiots, pensa Byron en fermant un autre carton avec de l'adhésif. Le petit avait passé presque toute la matinée à courir dans le jardin, à pourchasser le terrier, qui jappait d'excitation à ses pieds. Il était différent ici, loin de sa mère. Il était avide d'apprendre – comment réparer une barrière, comment élever les jeunes faisans, quels champignons étaient comestibles – et manifestait aux chiennes une telle affection qu'elles avaient fini par l'adopter, alors que leur fidélité se limitait normalement à leur maître. Ce n'était pas comme s'il était devenu bavard – Byron avait du mal à lui tirer un simple « oui » ou « non » –, mais il baissait un peu la garde. Un gamin de cet âge, qui se renfermait autant, ce n'était pas normal. Quand Byron le comparait à Lily, sa nièce, une vraie pipelette qui ne demandait rien d'autre que du temps et de l'affection, il se sentait triste. Les gens disaient que c'était compréhensible chez un garçon qui venait de perdre son père, que les gosses ne réagissaient pas tous de la même façon à un tel traumatisme. Byron avait surpris Isabel au téléphone avec un professeur de son école, refusant qu'on impose à son enfant toute consultation chez un psychiatre ou autre spécialiste.

— Je lui en ai parlé, et il ne veut pas y aller. Je préfère pour le moment laisser mon fils appréhender les choses à sa façon, avait-elle dit.

Elle s'était exprimée calmement, mais il avait remarqué que ses mains, crispées sur la poignée de la commode, étaient blêmes.

— Non, je suis tout à fait consciente de cela. S'il ressent le besoin de consulter, je vous le ferai savoir sans faute.

Il l'avait applaudie en silence : lui-même avait un besoin instinctif d'intimité, de liberté, affranchi de toute surveillance ou intrusion. Pour autant, comment ne pas se demander quels tourments se cachaient derrière le visage fermé du gamin ? Il se pencha par-dessus la demi-porte de la cuisine.

— Je peux te laisser une minute, Thierry ? J'ai encore quelques trucs à descendre de l'étage.

Le garçon hocha la tête, lui adressant à peine un regard, et Byron s'éclipsa pour grimper l'étroit escalier jusqu'à sa chambre. Deux valises, quatre grands cartons et un énorme tas d'objets divers, ainsi qu'une portée de chiots. Sa vie se résumait à si peu. Si peu à caser dans une nouvelle maison.

Il s'assit avec lassitude sur son lit, entendit les jappements en bas. Ce n'était pas la chambre la plus élégante ni la plus luxueuse, mais il avait été heureux ces dernières années, avec sa sœur et Lily. Il n'avait jamais amené de femmes ici – aux rares occasions où il avait ressenti le besoin d'une compagnie féminine, il avait pris soin d'aller chez elles. Ainsi, sans aucune contribution de l'autre sexe, la pièce avait l'apparence neutre et utilitaire d'une chambre d'hôtel. Sa sœur avait insisté pour lui confectionner des rideaux et une couverture assortie – désireuse, il le savait, de lui donner le sentiment d'avoir de nouveau un foyer. Il lui avait dit de ne pas s'embêter avec ça. Il passait le plus clair de son temps à l'extérieur de toute façon. Malgré tout, c'était chez lui, et il se rendit compte qu'il était triste de quitter cet endroit. Presque aucun logeur n'acceptait les chiens. Le seul qui s'était montré disposé à les accueillir lui avait réclamé une caution équivalant à six mois de loyer, « au cas où les chiens causeraient des dégâts ». C'était risible. L'autre bailleur potentiel voulait interdire l'accès aux animaux. Byron lui avait expliqué que, une fois les chiots vendus, ses chiennes se contenteraient de dormir dans sa voiture, mais le logeur n'en avait pas cru un mot.

— Comment je peux être sûr que vous n'allez pas les faire entrer dès que j'aurai le dos tourné ?

Les semaines s'étaient écoulées, sa sœur était partie, et son bail était arrivé à échéance quelques jours plus tard. Il avait pensé demander un prêt à Matt, mais même si celui-ci avait accepté, il était mal à l'aise à l'idée de lui être redevable.

— Qu'est-ce qu'on va devenir, ma vieille ? dit-il en frottant la tête du colley. J'ai trente-deux ans, pas de famille, un boulot qui rapporte moins que le salaire minimum, et je serai bientôt sans abri.

La chienne prit un air triste, comme si elle mesurait l'incertitude de leur avenir. Byron sourit et se força à se lever, en essayant d'oublier ce qu'il venait de dire, et de ne pas faire attention au silence oppressant qui régnait désormais dans la maison. Il refusait de laisser ces mots de désespoir noyer sa détermination. Il savait d'expérience combien il était facile de se perdre dans ce genre de pensées. La vie était injuste, voilà tout. Le petit Thierry en bas le savait, ayant dû apprendre une leçon bien plus cruelle que Byron, et bien trop tôt dans la vie. Le jeune homme descendit les marches. Ce serait bientôt l'heure de ramener le gamin chez lui. La gazette locale sortait cet après-midi. Il y trouverait peut-être une annonce intéressante. Il observa l'enfant, s'imprégna de sa joie, appréciant soudain cette distraction.

— Allez, viens, lui dit-il d'une voix exagérément enjouée. Si tu es sage, on demandera à ta mère si tu peux t'asseoir sur la pelleteuse de Steve pendant qu'on nettoie le champ.

Au moment où elle descendait l'escalier, Isabel entendit un petit sifflement et porta immédiatement une main au col de son chemisier trop ouvert. À l'autre bout du couloir, Matt insérait un câble électrique dans une cavité béante, sa ceinture à outils pendant sur ses hanches. Il était flanqué de deux jeunes gens qu'elle avait déjà croisés sur le chantier. Il lui souriait.

— Vous êtes très élégante, madame Delancey. Vous sortez ?

Isabel rougit, se maudissant aussitôt pour cela.

— Oh… non, bégaya-t-elle. C'est juste une vieille chemise que j'ai ressortie.

— Elle vous va bien. Vous devriez porter cette couleur plus souvent.

Il retourna à sa tâche quand un des ouvriers lui marmonna quelque chose. Il se mit alors à fredonner à voix basse. Elle reconnut l'air.

— « *Hey there, lonely girl… lonely girl…* »

Luttant contre l'envie de faire demi-tour, elle se dirigea finalement vers le salon, la main toujours sur son décolleté. C'était la troisième fois en une semaine que Matt commentait sa tenue, mais elle doutait que son chemisier de lin bleu nuit, usé et froissé comme du papier journal, mérite de tels compliments. Laurent le lui avait offert bien des années plus tôt lors d'un voyage à Paris, et c'était l'un des vieux vêtements qui, depuis peu, lui allaient de nouveau. En réalité, la plupart de ses vêtements étaient trop grands pour elle désormais. Elle avait perdu l'appétit depuis la mort de Laurent. S'il n'y avait pas eu les enfants, elle aurait vécu de fruits et de biscuits. Et elle n'avait personne avec qui discuter de sa petite famille, de la mauvaise humeur de Kitty, du silence obstiné de Thierry. Matt était sans doute l'être humain auquel elle parlait le plus.

— Cette salle de bains, dit-il en apparaissant sur le seuil. Vous êtes décidée à la déplacer finalement ? Elle serait bien mieux dans la troisième chambre.

Elle tenta de se rappeler leur dernière conversation.

— Mais vous aviez dit que cela occasionnerait des coûts supplémentaires, non ? dit-elle.

— Certes, mais vous pourriez la diviser en dressing et en salle d'eau attenante à votre chambre, et ce n'est pas très compliqué de dévier la plomberie. Ce serait bien mieux que de la laisser dans ce coin.

Elle réfléchit, puis secoua la tête. Depuis l'effondrement du plafond, elle avait du mal à ne pas regarder en l'air pendant leurs échanges.

— Je ne peux pas, Matt. On devra se contenter d'installer une baignoire correcte.

— Je vous le dis, Isabel, ce serait bien plus fonctionnel. Ça ajouterait du cachet à la maison. Une salle de bains de bonne taille et un dressing.

Il avait un véritable pouvoir de persuasion, et il était évident au ton de sa voix qu'il avait l'habitude de parvenir à ses fins.

— Je sais que vous y avez beaucoup réfléchi, mais pas cette fois-ci, résista-t-elle. En fait, j'aimerais avant tout qu'on s'occupe d'installer une prise électrique dans la cuisine. Il faut que je puisse brancher le frigo avant les beaux jours.

— Ah, oui, la prise. Ce n'est pas aussi simple que ça en a l'air avec ce fichu système de câblage, répondit-il avec un grand sourire. Mais je vais trouver une solution. Ne vous en faites pas. Cette coiffure vous va bien, au fait.

Elle lança un regard furtif à son reflet dans le miroir mural, et chercha en quoi son apparence était différente ce jour-là. Cela faisait deux remarques à présent. Puis elle se détourna, craignant qu'il ne la surprenne en train de s'examiner. Certains jours, il semblait omniprésent, surgissant d'une pièce dans laquelle elle s'apprêtait à entrer, fredonnant quand elle jouait du violon, prenant sa pause-café dans la cuisine pendant qu'elle préparait le dîner, et faisant des commentaires sur les journaux du jour. Parfois, cela ne la dérangeait pas.

— Je dois vous prévenir. J'ai trouvé quelques crottes de rat en détachant les plinthes. Ils ont dû être dérangés par les travaux.

Elle frissonna. Elle arrivait à peine à fermer l'œil depuis l'épisode du rongeur.

— Je devrais peut-être appeler le service de dératisation ?

— Inutile. Ils ont trop d'endroits où se cacher tant qu'on n'a pas remplacé le plancher. Ils viennent peut-être de l'extérieur. Attendez qu'on ait terminé.

Isabel ferma les yeux et imagina des rats détalant dans la maison au milieu de la nuit. Elle soupira profondément, puis prit ses clés et son porte-monnaie.

— Matt, je vais faire quelques courses. Je reviens tout de suite.

Elle ne savait pas vraiment pourquoi elle le tenait au courant de ses allées et venues. S'il avait besoin de sortir, il pouvait utiliser la clé rangée sous le paillasson à l'arrière de la maison. C'était lui-même qui la lui avait montrée plusieurs semaines auparavant. Elle avait découvert avec effroi que ses enfants et elle vivaient depuis des mois dans une maison dans laquelle tout le monde savait comment entrer.

— Matt ?

Il ne l'avait pas entendue. Tandis qu'elle refermait la porte d'entrée, elle distingua son sifflement qui venait de l'étage.

Elle attendit dix minutes son tour dans la file du distributeur de billets, en grande partie parce que le vieil homme devant elle insista pour lire à voix haute chaque option proposée par la machine.

— Dix livres, vingt livres, cinquante livres, autre… Bon, quelle somme je veux ?

Isabel ne broncha pas, pas plus que la femme derrière elle, alors qu'il pleuvait et qu'elle avait oublié son parapluie. Elle savait depuis peu combien il était facile de se sentir perdu devant des tâches qui semblaient élémentaires à d'autres. Alors elle lui donna une petite tape sur l'épaule quand il oublia ses billets dans la machine et accepta sa gratitude avec un sourire. Elle se dit qu'un rien pouvait distraire, et comme elle continuait de penser à ce vieil homme, après avoir tapé son code et sa demande de retrait, il lui fallut quelques secondes pour remarquer le message qui était apparu sur l'écran. « Fonds insuffisants. La transaction ne peut être effectuée. Veuillez contacter votre banque. »

Elle quitta la queue et entra dans l'agence. La femme du guichet examina sa carte, tapa quelque chose sur son clavier, puis confirma les dires de la machine.

— Le solde de votre compte courant est insuffisant, annonça-t-elle.

— Pouvez-vous me dire ce que j'ai ? demanda calmement Isabel.

La femme pianota de nouveau, puis griffonna des chiffres sur un bout de papier qu'elle glissa vers elle.

— Vous êtes à découvert. Si vous dépassez cette somme, ajouta-t-elle en griffonnant d'autres chiffres, vous aurez des pénalités car le découvert ne sera plus autorisé.

Isabel tenta désespérément de se rappeler ses dépenses récentes : il y avait eu la commande de tuiles pour le toit, le nouveau tuyau d'écoulement, les appareils d'éclairage qui avaient coûté deux fois plus cher que prévu.

— Pourriez-vous transférer de l'argent de mon compte épargne, s'il vous plaît ? Il doit y avoir de quoi me permettre de sortir du rouge.

L'employée s'exécuta avec une froide efficacité et tendit à Isabel un autre bout de papier, sur lequel figurait la somme totale de ses économies. C'était bien plus bas qu'elle ne l'avait imaginé, mais la femme tourna l'écran vers elle comme si elle lui offrait un cadeau très spécial, et lui fit remarquer toutes les transactions qui avaient eu lieu au cours du mois écoulé.

— Oh… Je fais des travaux dans ma maison, expliqua Isabel en tremblant.

L'autre lui sourit avec compassion.

— C'est une plaie, hein ? dit-elle.

Isabel rentra chez elle, découragée, avec des pommes et des haricots en sauce au lieu du poulet rôti et de la salade qu'elle avait prévu d'acheter. Pour se remonter le moral, elle mit une vieille cassette de Haendel qui traînait dans la boîte à gants. Jamais auparavant elle ne s'était souciée du prix des choses telles que les denrées alimentaires, mais à présent, confrontée à la dégringolade de ses finances, elle comprit qu'une réduction de budget s'imposait. En supprimant leur consommation de viande et de poisson, ils économiseraient une vingtaine de livres sur la facture d'épicerie, et le sirop était bien moins onéreux que le pur jus. La veille, elle avait passé la soirée à raccommoder les chaussettes de Thierry alors qu'autrefois elle les aurait jetées pour en acheter de nouvelles. Elle avait éprouvé un certain plaisir, presque méditatif, à rester assise au coin du feu avec son ouvrage, dans une posture de pure efficacité domestique.

Elle avait parcouru cinq cents mètres du chemin quand Dolores acheva de détruire les derniers lambeaux d'optimisme qu'il lui restait. Le moteur, qui lui donnait des difficultés dans les demi-tours depuis quelques jours – problème qu'Isabel avait préféré ignorer – se mit à bredouiller pour finalement se voir réduit au silence quand le châssis vacilla au-dessus d'une grosse flaque au milieu du chemin. Isabel resta assise, les essuie-glaces en travers du pare-brise, la musique à tue-tête. Elle baissa le son et tenta vainement de remettre le contact.

— Oh, saloperie ! hurla-t-elle.

Elle descendit de voiture, jura quand son pied s'enfonça dans la boue glaciale, puis pataugea vers le capot et l'ouvrit tant bien que mal. À moitié abritée de la pluie, elle examina le moteur sans vraiment savoir ce qu'elle cherchait.

— Pourquoi ? cria-t-elle. Pourquoi maintenant ? Tu ne pouvais pas attendre que je sois arrivée ?

Elle donna un coup de pied dans une roue, puis tendit la main vers la jauge – le seul élément du moteur qu'elle était capable d'identifier. Mais, une fois qu'elle eut vérifié le niveau d'huile, elle ne sut pas quoi faire d'autre. La pluie continuait de tomber du ciel gris ardoise, et elle se retint d'insulter la nature. Elle n'était même pas sûre d'avoir envie de rentrer à la maison. Certains jours, elle se sentait avalée par ce lieu, comme si tout son être y était enchaîné, toute son énergie absorbée par son interminable entretien. Ses pensées autrefois libres étaient occupées en permanence par des décisions à prendre – où mettre cette prise de courant, quel bois utiliser ici, quelle hauteur de plinthes ? Elle évitait d'imaginer la même situation avec Laurent à ses côtés. C'étaient les petits tracas qui l'accablaient désormais, plus que son deuil : la voiture qui refusait de démarrer, les relevés de banque qu'elle ne comprenait pas, les bulletins scolaires dont elle ne pouvait discuter avec personne, le rat dans la cuisine.

Je m'en fiche, avait-elle eu envie de hurler quand les ouvriers l'avaient consultée pour la quinzième fois. *Je veux seulement une maison qui fonctionne, dont je n'aie pas à me soucier. Je veux penser aux adagios, pas à l'isolation.*

— Et je veux une voiture qui me conduise au magasin et me ramène à la maison ! cria-t-elle. C'est trop demander ?

Elle donna un coup de pied dans la roue avant, appréciant presque la douleur.

— Je ne veux pas avoir à m'occuper de toutes ces choses ! Je veux récupérer mon ancienne vie !

Elle remonta dans son véhicule, les cheveux dégoulinants. Elle ferma les yeux, respira. Elle se demanda s'il serait plus long de retourner à l'épicerie pour appeler une dépanneuse ou de poursuivre à pied jusqu'à chez elle. Ce matin-là, elle avait donné à Kitty son téléphone portable, dans l'espoir d'égayer l'humeur morose de sa fille, et elle calcula qu'il lui faudrait marcher un quart d'heure sous la pluie quoi qu'elle décide. Isabel ferma les yeux et laissa la musique lui rappeler que tout cela finirait par passer, qu'elle avait un autre moyen d'exister. Quand elle les rouvrit, elle distingua, à travers le pare-brise embué, une forme rouge gravissant le chemin dans sa direction. C'était le van de Matt.

— Des problèmes de voiture ?

Il sortit et s'approcha d'elle.

— Elle s'est arrêtée, expliqua-t-elle, ne pouvant dissimuler son soulagement. Je ne sais pas ce qui cloche.

Il se dirigea vers l'avant du véhicule, ouvrit le capot et inspecta l'intérieur. La musique sortait par la portière ouverte du conducteur.

— Vous n'arrêtez jamais, hein ? dit-il.

Il fourra sa main dans le mécanisme, bricola le moteur avec dextérité, puis s'écarta.

— Mettez le contact.

Elle s'exécuta. Il écouta, puis lui fit signe de baisser la musique.

— Encore, ordonna-t-il. Attendez.

— Vous entendez quelque chose ? demanda-t-elle, intriguée. Qu'entendez-vous que je n'entends pas ?

Elle sortit du véhicule. Il lui semblait injuste de rester assise au sec pendant qu'il s'échinait. Quand il la vit, il ôta sa veste pour qu'elle s'abrite en dessous, puis retourna à son van, se pencha à l'intérieur et en sortit un chiffon. Il revint vers le moteur endommagé, dégagea un morceau de caoutchouc et l'essuya méticuleusement. Ensuite, il nettoya plusieurs bougies. Quand il eut fini, son tee-shirt gris était trempé et ses cheveux luisaient.

— Maintenant, essayez, dit-il.

Isabel grimpa de nouveau derrière le volant et remit le contact, ses doigts mouillés glissant sur la clé. Le moteur se remit docilement en marche.

— Oh ! s'exclama-t-elle, aux anges.

Elle sursauta quand le visage de Matt apparut derrière la vitre, la peau humide et brillante.

— C'était la tête d'allumage, dit-il en plissant les yeux, la pluie ruisselant sur ses joues. Elles se gorgent d'eau dans les voitures basses comme celles-ci, avec toutes ces flaques. Vous devriez utiliser du WD-40. Vous savez quoi ? Je vais monter en voiture avec vous et dire à un des gars de prendre le volant du van et de nous suivre jusqu'à la maison. Pour être sûr que vous rentrez bien.

Avant qu'elle ne puisse protester, il avait grimpé sur le siège passager et lui faisait signe de contourner sa camionnette. Elle sentit le regard des ouvriers sur elle lorsqu'elle passa devant eux, consciente du tee-shirt mouillé de Matt, de la promiscuité entre eux.

— Vous pouvez remettre votre musique maintenant, dit-il.

Elle monta un peu le son, laissant les notes triomphantes du clavecin la submerger.

— Haendel, dit-elle en le voyant regarder l'étui de la cassette.

— Ne me dites pas…

Elle se mit à rire.

— Si, si, c'est sa *Musique sur l'eau.*

Il répondit par un grand éclat de rire. Et elle se demanderait plus tard si la suite avait été causée par le soulagement de voir sa voiture rouler de nouveau, par le désespoir que lui causaient ses finances ou simplement par la libération d'une émotion longtemps refoulée. Car, tandis que sa vieille et peu fiable Dolores la ramenait en cahotant vers sa maison isolée, coûteuse et pleine de fuites, le petit rire d'Isabel alla crescendo, puis elle se mit à pleurer de rire, craignant que cette hilarité ne déclenche autre chose. Elle s'arrêta dans l'allée, coupa le moteur et cessa de rire. Sans mouvement ni musique, le silence de la voiture sembla soudain lourd. Elle étudia ses mains, le tissu obscurci de sa longue jupe trempée par la pluie, les contours visibles de ses seins à travers son chemisier mouillé. Elle sentit, plus qu'elle ne vit, le regard de Matt sur elle, et tenta de recouvrer son sérieux.

— C'est bon de vous voir sourire, dit-il d'une voix douce.

Ses yeux, d'un bleu intense, croisèrent ceux d'Isabel, qui n'y vit plus leur aplomb habituel. Il posa une main sur son épaule. Quelque chose tressauta en elle, mais il ouvrit la portière et sortit du véhicule. Il marcha sous la pluie jusqu'à son van, pendant qu'Isabel sentait l'empreinte brûlante qu'il avait laissée sur son épaule.

Il n'y avait rien – même pour quelqu'un gagnant deux fois plus que lui. Rien pour un homme qui souhaitait vivre à une distance raisonnable de l'endroit où il avait passé toute sa vie. Assis dans sa voiture, la pluie battant sur le pare-brise, les chiots gémissant et grognant à l'arrière, Byron parcourait les rares annonces immobilières du journal susceptibles de l'intéresser. Il y avait des maisons haut de gamme, des appartements à deux chambres, des cottages d'ouvriers qui n'abritaient plus d'ouvriers. Mais il n'y avait rien pour un homme au salaire modeste et sans économies. Lorsqu'il pensait à la dure réalité de sa situation, il avait du mal à y croire. C'était le genre de problèmes qu'on croyait réservés aux autres. Pourtant, les épreuves qu'il avait traversées des années plus tôt lui avaient paru insurmontables. Il se rappela un proverbe : « Si vous voulez amuser Dieu, racontez-lui vos projets. » Byron n'en avait plus, hormis celui de trouver un logement temporaire. Dans le désespoir, il avait pensé emmener les chiots dans un chenil pour se faciliter la tâche. Mais ils étaient encore si petits qu'il aurait dû laisser leur mère avec eux, et il lui était impensable de perdre Meg ou Elsie. Elles étaient à peu près tout ce qu'il avait. Il aurait pu demander à sa sœur de lui prêter son canapé pour quelques semaines, mais cela ne lui semblait pas juste. Elle avait commencé une nouvelle vie et il était trop fier pour saboter sa vie de famille. Il avait des amis au village, mais aucun dont il était assez proche pour lui demander une telle faveur. Il avait découvert qu'un grand nombre de gens étaient dans une situation similaire ; même si aucun n'aurait pu être qualifié de sans-abri, ils n'avaient pas de domicile fixe, dormaient sur les canapés d'amis, dans des lits temporairement inoccupés, des mobile homes, ou proposaient des services pour s'assurer un toit au-dessus de leur tête quelques jours de plus. Il aurait pu, sans doute, faire trois cents kilomètres en voiture pour rejoindre le pavillon pour retraités de ses parents sur la côte, mais cela n'aurait rien résolu. Il n'aurait pas de travail, et leur maison, avec sa moquette impeccable et ses innombrables bibelots, n'était adaptée ni à ses chiens ni à lui. Il ne leur demanderait pas non plus d'argent ; ils avaient déjà du mal à vivre avec leur maigre retraite. De plus, la seule idée d'avouer dans quel abîme il avait sombré – de les décevoir une fois de plus – lui faisait horreur. Personne n'avait envie de se décrire comme sans abri, et il refusait que les autres le voient ainsi. Son visage se figea dans un masque de désespoir. Il poursuivit ses réflexions jusqu'à ce que le ciel s'assombrisse et que les chiens se mettent à gémir de colère, protestant contre leur confinement. Finalement, il redémarra et roula. Il faisait nuit lorsqu'il gara sa vieille Land Rover dans la clairière près de l'enclos des faisans. Il avait choisi cet endroit car il se trouvait sur le territoire de Matt ; la présence de sa voiture ne provoquerait ni commentaire ni curiosité. Il était presque 20 heures. Il déposa les chiots dans un carton, puis, hissant un sac sur son épaule, se mit en route, suivi des deux chiennes. Byron connaissait cette terre par cœur et n'avait pas besoin de lampe. Il l'avait parcourue presque quotidiennement pendant de nombreuses années, avait grandi dans le voisinage, de sorte qu'il pouvait franchir chaque ornière, enjamber chaque branche tombée avec l'agilité d'un chamois. Il navigua dans l'obscurité profonde, sous la canopée des arbres, accompagné par le hululement lointain des chouettes, le cri désespéré d'un lapin repéré par un prédateur, mais n'entendit rien excepté le murmure de la nuit, le bruit ininterrompu de son propre pas. Enfin, il aperçut les lumières. Il s'arrêta au bord du champ, hésita un instant. Et, tandis qu'il levait les yeux vers la fenêtre, la femme fit un pas en avant, sa silhouette fluide se détacha derrière la vitre, et elle tira les longs rideaux, se soustrayant lentement à sa vue. Il se rendit compte après coup de la cruauté de ce moment : en observant ce simple geste domestique, il s'était senti plus seul que jamais. Les chiots gigotaient dans la caisse humide.

C'est juste pour quelques semaines, se dit-il en s'essuyant le visage de sa main libre. *Le temps que la portée soit sevrée, ensuite je pourrai les vendre. Le temps de remonter la pente.*

Il cala le carton sous son bras, puis, faisant taire les chiens, longea la lisière sombre du champ jusqu'à apercevoir la porte qu'il cherchait, celle de l'appentis de briques et de planches qui prolongeait le corps principal de la maison. La serrure était brisée depuis toujours, le bois pourri qui l'entourait soutenant à peine le loquet en fonte. Sans un bruit, il l'ouvrit, entendit la musique lointaine d'un violon, les mots brefs d'un enfant. Il se glissa dans l'embrasure et descendit les marches de pierre. Une odeur d'essence régnait sous la maison, mais, au moins, il était au sec, et un peu plus au chaud qu'à l'extérieur, où la fraîcheur hivernale s'obstinait encore. Il perçut le grondement sourd de la chaudière, et ce ne fut qu'une fois la porte refermée derrière lui qu'il eut le courage d'allumer sa lampe. L'endroit était tel que dans son souvenir : la chaufferie en L, l'engin délabré dans le coin, le tas de bois près de la porte, assez imposant pour se dérober au regard des visiteurs impromptus. Le vieux lavabo sale destiné aux ouvriers, et la porte qui ouvrait sur un escalier menant à la cuisine, et qui était cadenassée. Aucun risque que l'un des enfants ne s'aventure par là, aucune raison pour que quiconque y passe. Il était même probable que la veuve n'avait pas connaissance de l'existence de cette pièce. Byron posa le carton sur le sol et déroula son sac de couchage. Meg s'allongea, puis, avec un air las et satisfait à la fois, se mit à allaiter ses petits. Il irait chercher le reste de ses affaires le lendemain. Il sortit de la nourriture pour Elsie et pour lui, remplit un bol d'eau et fit une toilette sommaire dans le petit lavabo. Ensuite, il éteignit sa lampe et s'assit dans un coin, derrière une grille qui laissait entrevoir un morceau de ciel, écouta les chiens et tenta de ne pas penser à ce qui l'entourait. De ne penser à rien. Il s'était exercé à cela dans un lointain passé. Il était sur le point de se glisser dans son sac de couchage quand il aperçut le scintillement du métal. Du métal tout neuf, rutilant, différent des loquets et des fixations rouillés qui caractérisaient la vieille maison. Byron saisit sa lampe et l'alluma, dirigeant le faisceau vers sa découverte. Une cage pour transporter un animal domestique était posée sur le sol près de la porte de la cuisine. Une cage toute neuve, en fer, mais avec un plateau solide au fond, le genre de celles qu'on utilisait pour les chats. Quand Byron la souleva, il remarqua des déjections dans un coin. La cage n'avait pas été utilisée pour un félin. Le verrou de la porte menant au couloir de la cuisine était brisé. Byron s'assit, oubliant brièvement ses problèmes personnels. Il repensait au visiteur inattendu qu'il avait croisé dans la cuisine au-dessus.

Chapitre 13

On l'avait mise en garde : dans une maison aussi grande, aussi délabrée, aussi isolée, les mois d'hiver seraient particulièrement éprouvants. Le froid permanent, les fuites d'eau et les courants d'air s'infiltreraient dans la toiture ou ce qu'il en restait, tout comme l'humidité du lac dans le sol. Mais à présent que l'été était là, elle découvrait qu'un temps plus chaud apportait également son lot de nuisances. C'était comme si la nature savait que le dernier des Pottisworth était mort, qu'un usurpateur occupait sa place, et avait décidé de se réapproprier la maison espagnole, brique après brique, centimètre par centimètre. Jacinthes et tulipes avaient jailli de terre, leurs bulbes en bouquet s'étaient multipliés, tandis que, entre les dalles de pierre qui entouraient la maison, des mauvaises herbes pointaient leur nez, d'abord pousses vertes puis envahissants chardons, plantes vénéneuses ou mouron des oiseaux. Après les semaines de pluie, une mousse affleurait sur le crépi, tandis que les haies vives gonflaient, tissées de ronces et de lierre. L'herbe, auparavant tapis clairsemé et élimé, était désormais haute et luxuriante, parsemée de pissenlits et de boutons d'or, au point d'occulter les chemins et le gravier. Quelques vieux arbres fruitiers tombèrent tout simplement, accusation muette de son incapacité à dompter le jardin. Comme en réponse à l'appel de la nature, les lapins creusèrent des réseaux de terriers – trous à se tordre la cheville dissimulés dans l'herbe –, tandis que les taupes laissaient des tas de terre fraîchement retournée à intervalles réguliers, telle une affirmation cruelle d'un monde sauvage et subversif.

À l'intérieur, les choses allaient un peu mieux. Matt et ses complices s'affairaient jour après jour, faisaient des trous dans les murs puis les rebouchaient. À certains endroits, elle voyait une amélioration : le toit était plus solide, la cheminée ne penchait plus dangereusement d'un côté. Un tuyau évacuait les eaux usées de la salle de bains, lui évitant la typhoïde, de nouveaux sols avaient été posés ainsi qu'un évier convenable dans la cuisine. Il y avait plusieurs fenêtres neuves, de l'eau chaude par intermittence, et le système de chauffage, partiellement installé, promettait du confort pour l'hiver suivant – en attendant, il fuyait sur les planchers neufs. Toutefois, elle n'avait toujours pas de salle de bains fonctionnelle, ni de prise de courant pour le réfrigérateur, malgré ses demandes répétées. Le plus accablant restait la pile de relevés bancaires détaillant ses dépenses vertigineuses. Quotidiennement, elle notait dans un carnet la liste des travaux préconisés par Matt, et les coûts correspondants. La somme à plusieurs zéros était un choc chaque fois. Elle s'asseyait à la table de la cuisine toute la matinée, mettait de l'ordre dans ses papiers, constatant noir sur blanc la réalité de ses finances. Ce qu'elle voyait lui donnait le tournis, l'impression de chanceler au bord d'une falaise.

Il ne me reste plus que ça. Et il n'y a que moi. Je dois tout gérer toute seule. Les enfants comptent sur moi.

Ils n'avaient pas semblé douter de ses capacités à gérer la tâche. À ce moment-là, Matt entra dans la cuisine avec un sachet de viennoiseries. Il s'assit devant elle.

— Servez-vous, dit-il en lui tendant un croissant. Ils sont délicieux. Prenez-en une bouchée.

Elle ressentit une gêne quand elle se rendit compte qu'il regardait sa bouche avec insistance. Le visage de l'entrepreneur se fendit d'un large sourire.

— C'est bon, hein ?

Il avait de grandes mains aux doigts épais, à la peau éraflée et sèche, rendue calleuse par des années de labeur. Et, tandis qu'elle hochait la tête en mâchant, il sourit de nouveau, comme s'il se faisait une remarque à lui-même. Il lui apportait souvent des choses à présent : du vrai café, pour qu'elle puisse lui en préparer, des œufs qu'on lui avait donnés sur un précédent chantier, des muffins au chocolat ou des petits pains briochés que l'un de ses ouvriers achetait en ville. Elle ne savait jamais si elle devait se réjouir de sa présence, signifiant qu'elle n'était pas seule avec de possibles rats, des fuites ou un fourneau en panne, ou la redouter, car il avait pris le contrôle de sa maison, là où elle avait échoué. Son charisme la faisait acquiescer à ses décisions, même lorsqu'elle avait eu au départ une idée contraire.

— Regardez vos mains ! s'exclama-t-il quand elle mordit de nouveau dans un croissant. Tu as vu, Byron ? (Le jeune homme se tenait sur le seuil.) Tu as déjà vu des doigts comme ça ?

Elle rougit quand il en saisit un.

— Je les ai protégés, dit-elle. Ils n'ont pas fait grand-chose, hormis jouer du violon.

— Pas une marque. Si lisses. On dirait…, fit-il en se tournant vers son employé. Les mains d'une statue, tu ne trouves pas ?

Byron marmonna un « oui », et elle se sentit ridicule. Matt termina son café et se leva.

— Ne les mangez pas tous d'un coup, lui cria-t-il en sortant de la cuisine.

Isabel regarda son chéquier aminci et le sac en papier froissé à côté. Elle doutait qu'un bon croissant suffise à adoucir sa journée. Ses relevés lui renvoyaient l'irréfutable vérité. Elle les empila. Dehors, elle vit Matt supervisant l'homme qui conduisait la pelleteuse. Ils installaient un tuyau supplémentaire pour l'extérieur. Il fallait que cela cesse, se dit-elle. Peu importait l'état déplorable de la maison, elle n'avait presque plus rien. Isabel se fraya un chemin dans l'herbe. Elle portait une jupe longue et un épais cardigan de laine. Ses cheveux tombaient négligemment sur ses épaules, et des mèches folles lui balayaient le visage. Matt s'approcha de la pelleteuse et déposa les plans de Sven à l'intérieur.

—Je vous ai apporté du thé, dit-elle en tendant deux tasses.

Matt sourit à Byron.

—Mme Delancey sait s'occuper de nous. Pas comme certains, hein, Byron ?

—Merci.

Il regarda Byron prendre la tasse des mains d'Isabel. Les doigts de l'homme étaient encore noirs de terre.

—Nous étions en train de dire qu'il y avait un jardin potager autrefois là-bas, avant que ce mur s'écroule.

Matt désigna du doigt une zone fermée sur deux côtés par des briques rouge clair. Il pouvait encore la visualiser, se souvenait des pommiers en espalier, dont les fruits portaient des noms comme « cramoisies de Gascoyne », « D'Arcy Spice », « Enneth's Early ».

—Il y a encore quelques arbres fruitiers. Vous devriez avoir une belle récolte cet automne.

Si vous êtes encore là, pensa-t-il soudain.

Byron abaissa sa tasse.

—Il y a quelques plates-bandes surélevées à l'arrière. Là où se trouvait le potager. Thierry aimerait peut-être semer quelques graines. Ma nièce adore ça.

C'était l'un des discours les plus longs que Matt avait entendus de sa bouche.

—Je lui montrerai comment faire, si vous voulez, poursuivit-il. Les pois de senteur, c'est assez facile.

— Ça lui plairait, dit Isabel en repoussant ses mèches. Merci.

Byron fit un pas vers elle, traînant un peu ses bottes pleines de terre.

— Et aussi, je voulais vous présenter mes excuses pour l'histoire du rat. J'ai rangé le fusil dans votre grenier, à un endroit où personne ne peut le trouver.

— Merci, répéta-t-elle.

— Les rats ne vous embêteront plus

— Ça, tu ne peux pas en être sûr, intervint Matt.

— Je crois que si, affirma Byron d'une voix ferme, les yeux rivés au sol. Je peux vous assurer que c'était un cas unique.

— Eh bien… c'est un soulagement, dit Isabel. J'en ai fait des cauchemars. Je n'en dormais plus depuis des nuits. En fait, fit-elle en se tournant vers Matt, j'aimerais vous parler. À propos des travaux.

Sans un mot, Byron se remit à la tâche avec la pelleteuse. Isabel entrouvrit la bouche pour parler, puis se ravisa. Finalement, elle leva les yeux vers Matt, en tenant ses cheveux en arrière d'une main, l'air contrit et légèrement défiant.

— Il faut qu'on fasse une pause.

Matt haussa un sourcil.

— Dans les travaux, poursuivit-elle. Ce que vous avez fait jusqu'ici est fantastique, mais je ne peux plus continuer. Pas pour l'instant, du moins.

— Vous ne pouvez pas arrêter comme ça. On a lancé plein de chantiers. On ne peut pas les laisser en suspens.

— Eh bien, il va falloir. J'ai réexaminé les coûts, et c'est insensé de continuer pour l'instant. J'apprécie vraiment ce que vous avez fait, Matt, mais je dois être raisonnable.

Elle rougissait.

— Mais arrêter maintenant n'est pas raisonnable, protesta-t-il en désignant la pelleteuse. Les travaux qu'on a lancés sont indispensables. Vous n'irez pas loin sans un nouveau système électrique. On n'a pas fini d'installer la salle de bains. Vous pouvez sans doute vous passer du chauffage dans les chambres pour les prochains mois, mais mieux vaut terminer ce qu'on a commencé – quand l'hiver viendra, ce sera compliqué, et, une fois que je serai parti, mon planning sera plein.

Il remarqua soudain qu'elle avait blêmi.

— Vous ne comprenez pas, Matt.

— Alors expliquez-moi.

Elle dégageait un vague parfum de citron.

— Bon. Je n'avais pas imaginé que ça prendrait une telle ampleur, et on ne peut pas se permettre de continuer. Je ne peux plus vous payer.

Elle était au bord des larmes. Les cils aux coins de ses yeux brillaient telles de minuscules étoiles noires.

— Je vois, dit-il.

Des mottes de terre entouraient la tranchée fraîchement creusée, où les tuyaux devaient être installés. La nouvelle salle de bains était encore dans ses cartons, à l'arrière de la maison. Il était allé la chercher plusieurs mois plus tôt, une baignoire en fonte sur pieds, de style victorien, et un lavabo surdimensionné. C'était exactement ce que Laura avait voulu. Il avait tendance à oublier, ces derniers temps, que c'était la maison d'Isabel.

— Croyez-moi, dit-elle doucement. Si j'avais les moyens de continuer, je le ferais.

— Ça va si mal ? dit-il.

— Oui, répondit-elle, le regard fuyant.

Ils écoutèrent les corbeaux qui croassaient au loin.

— Ça va, Isabel ?

Elle hocha la tête et se mordit les lèvres.

— Bon, évitons de nous prendre la tête pour le moment. Je vais demander aux gars de terminer le travail qu'on a entamé, et ensuite on s'en va.

Elle voulut l'interrompre, mais il leva une main.

— Ne vous inquiétez pas. Vous n'avez pas besoin de tout me payer tout de suite. On va trouver un arrangement.

Plus tard, il se dit qu'il avait mal choisi ses mots. En fait, il avait parlé sans réfléchir. Car, même s'il avait anticipé ce moment des mois plus tôt, dès qu'il avait pris la mesure de la naïveté de la nouvelle propriétaire, Matt fut incapable de s'en délecter. Il avait été distrait par Byron, par le ton qu'avait pris le jeune homme en parlant du rat. Par la façon dont il avait regardé Isabel en acceptant la tasse de thé qu'elle lui tendait. Matt McCarthy était déstabilisé. Tandis qu'Isabel s'éloignait, tête baissée, épaules voûtées contre le vent, il se dirigea vers son employé.

— Écoute-moi bien, fit-il d'un ton léger.

Byron leva la tête.

— La veuve. Ne t'implique pas trop.

À sa grande surprise, le jeune homme, impassible, ne fit même pas semblant de ne pas comprendre. Il se redressa, de sorte qu'il dépassait Matt d'une bonne demi-tête, et planta ses yeux dans ceux de son employeur pendant plusieurs secondes. Son regard était indéchiffrable.

— Vous voulez m'empêcher de l'approcher, dit-il seulement, d'une voix basse et neutre.

Puis il s'éloigna, mais l'expression de son visage avait complété ses paroles.

Mais vous ne pouvez empêcher personne d'approcher ce qui ne vous appartient pas.

À la fin de l'après-midi, le vent s'intensifia, et Matt et ses hommes, trempés par la pluie, bataillant avec le sol de plus en plus boueux, partirent tôt. La pelleteuse reposait immobile sur la pelouse dans une mare de boue. De temps à autre, Isabel la regardait, puis détournait les yeux, son jaune aveuglant lui rappelant sa situation financière. Dans une tentative pour égayer son humeur, elle avait préparé des biscuits, mais il était impossible de contrôler la cuisson avec le fourneau, et, distraite par une symphonie de Schubert, elle les avait oubliés. Quand les enfants rentrèrent de l'école, les biscuits avaient un aspect carbonisé et un goût à l'avenant. Thierry lâcha son cartable sur une chaise de la cuisine, en prit un sur l'assiette, le sentit puis le reposa. Kitty les regarda à peine et leva les sourcils.

— Tu as passé une bonne journée, mon chéri ? dit Isabel.

Thierry haussa les épaules. Sa sœur cherchait quelque chose dans son sac.

— Et toi Kitty ? Ta journée ?

— Comme toutes les autres, répondit-elle avec désinvolture.

Isabel fronça les sourcils.

— Que veux-tu dire ?

Sa fille tourna vers elle son petit visage en pointe.

— Je veux dire : coincée dans une nouvelle école où je n'ai aucun ami, dans une maison que je déteste, dans un trou paumé. Chaque jour est aussi pourri que le précédent. D'accord ?

Isabel eut l'impression de recevoir un coup de poing dans le ventre. Kitty ne lui avait jamais parlé sur ce ton auparavant.

— Qu'y a-t-il ? Kitty, je peux savoir ce qui te prend ?

Les yeux de l'adolescente étaient pleins de mépris.

— Ne fais pas semblant de ne pas comprendre, dit-elle.

— Mais non, je ne sais pas.

Isabel haussa la voix. Elle ne pouvait pas gérer ça, en plus de tout le reste.

— Menteuse !

Isabel saisit une chaise et s'assit en face de sa fille. Elle vit les grands yeux noirs de Thierry passer de sa sœur à elle, tandis que sa bouche restait scellée.

— Kitty, dis-moi ce qui te met dans cet état. Je ne peux pas t'aider si j'ignore ce qui se passe.

— Toi ! accusa Kitty. Tu nous baratines sans arrêt avec l'amour que tu as pour nous, et finalement tu ne nous aimes pas tant que ça. Même maintenant que papa est mort, on passe après ton fichu violon.

— Comment peux-tu dire ça ? J'ai abandonné ma carrière pour être avec vous. Je suis là chaque matin, chaque soir, à vous attendre. Je n'ai pas travaillé depuis qu'on est arrivés ici.

— Ce n'est pas la question !

— Mais si, ça l'est ! Thierry et toi passez avant tout !

Tu ne sais pas combien ça me coûte d'être ici, d'avoir sacrifié ma carrière, voulait-elle ajouter, mais elle ne pouvait pas faire porter ce poids à sa fille.

— Je suis au courant ! hurla Kitty. Je suis au courant pour M. Cartwright. Je sais que tu aurais pu vendre le Guarneri et qu'on aurait pu rester dans notre maison !

Isabel blêmit. Elle avait presque oublié ce détail, tant la maison espagnole occupait ses pensées.

— Tu nous as menti ! Tu m'as dit qu'on n'avait pas les moyens de rester chez nous, dans la maison qu'on adorait, avec tous nos amis et Mary. Tu as dit qu'on devait déménager ici – et pendant tout ce temps tu aurais pu vendre le violon et on serait restés chez nous avec les gens qu'on aime. Tu as menti !

Elle reprit son souffle, puis assena à Isabel le coup de grâce.

— Papa ne nous aurait pas menti !

Thierry descendit de sa chaise et partit en courant.

— Thierry, Kitty, je ne suis même pas sûre que ça aurait…

— Arrête ! J'ai entendu ce que M. Cartwright a dit !

— Mais je…

— Ce n'est pas un foyer pour toi ! Ça ne l'a jamais été ! C'était seulement un moyen de garder ton précieux violon !

— Kitty, c'est…

— Oh, laisse-moi tranquille !

L'adolescente balança son sac sur la table et sortit en trombe, en se frottant le visage avec sa manche.

Isabel voulait suivre ses enfants, essayer de s'expliquer, mais elle comprit que cela ne servirait à rien. Car Kitty avait raison. Et elle n'avait rien à dire pour sa défense. Le dîner fut plus que morose. Toujours mutique, Thierry mangea du gratin de macaroni, refusa une pomme, puis disparut dans sa chambre. Kitty garda la tête baissée et répondit aux questions d'Isabel par monosyllabes.

— Je suis désolée. Sincèrement, Kitty. Je suis tellement désolée. Mais il faut que tu saches que rien n'est plus important pour moi que ton frère et toi.

— Peu importe.

L'adolescente débarrassa son assiette. Les deux enfants allèrent ensuite se coucher sans protestations, ce qui était dérangeant en soi, et Isabel se retrouva seule dans le salon, avec les lumières vacillantes et le vent qui sifflait dans les sous-bois au dehors. Elle alluma un feu dans la cheminée, descendit une demi-bouteille de vin rouge, et se rendit compte que même les flammes rugissantes n'offraient guère de consolation. Elle alluma la télévision et fut soulagée de tomber sur une comédie. Mais, au moment du générique de début, il y eut un clic. L'image pixélisée se réduisit à un point blanc et disparut. Simultanément, les lumières s'éteignirent, et elle fut plongée dans le silence et l'obscurité. Elle eut l'impression que le destin se fichait d'elle, que la maison la narguait. Isabel resta assise sans bouger sur le canapé, éclairée par les braises. Puis elle éclata en sanglots.

— Fichue maison ! hurla-t-elle. Maudite maison !

Elle se leva pour prendre des allumettes, puis chercha les bougies qu'elle n'avait pas pensé à ranger dans un endroit stratégique, tout en continuant de jurer, la voix étouffée par le vent, et par le désespoir.

Matt avait passé la soirée au *Long Whistle*. Il avait évité Theresa qui, détectant son indifférence avec une rare perspicacité, s'était montrée irritable, s'était agitée nerveusement derrière le bar tout en lui lançant des regards enflammés, lourds de sens. Il avait reçu ses appels avec dédain. Rien ne le rebutait davantage qu'une femme désespérée qui ne comprenait pas le message. De plus, il avait l'esprit ailleurs. Il était allé au pub pour ne pas croiser Laura. Car son épouse avait beau feindre de ne pas voir un certain nombre de choses, elle ne pouvait ignorait l'inquiétude grandissante qui le rongeait. Il était en proie à un conflit intérieur, fait inédit chez lui. Dès qu'il fermait les yeux, il voyait le visage de Byron regardant Isabel. Il avait décelé dans l'attitude du jeune homme quelque chose de sauvage, d'imprudent et, lentement, s'était rendu compte que cela reflétait ses propres sentiments. Dès qu'il fermait les yeux, il ne voyait pas Theresa ni sa femme, mais le cou laiteux d'Isabel Delancey, les taches de rousseur de son décolleté exposé au soleil. Il la voyait lui sourire, avancer vers lui de sa démarche chaloupée, voyait sa gêne se dissiper dans le plaisir sensuel que lui procurait la musique. Byron avait raison. Elle n'appartenait à personne. Elle n'était pas enchaînée, contrairement à lui. Imaginer cet homme s'approcher d'elle donna un goût amer à sa bière. Imaginer quiconque avec elle dans cette maison, la maison qui portait son empreinte dans les moindres planches de bois, le fit serrer les dents.

— Ça va être redoutable, ce soir, dit le patron du bar, les yeux sur ses mots croisés.

— Ouais, répondit Matt avant de vider son verre et de le reposer sur le bar. C'est pas impossible.

Il ignora les tentatives obstinées de Theresa pour attirer son attention. Il ne savait pas quelle excuse il utiliserait pour expliquer son retard. Pourtant, mû par une impulsion qu'il ne saisissait pas tout à fait, quinze minutes avant la fermeture, Matt était dans son van et roulait vers Little Barton.

En bas, dans la chaufferie, Byron installa les chiens, éteignit la radio et se prépara à lire son livre à la lumière des bougies qu'il avait apportées le matin. On s'adaptait étonnamment vite à son environnement, pourvu qu'on dispose d'un minimum de confort. Dans son nouveau logement sous la maison, il avait désormais un fauteuil, un poste de radio à piles, des paniers pour ses bêtes et un réchaud de camping. Après s'être lavé dans un lavabo propre, avoir mangé un repas correct et bu une tasse de thé, il se sentait, sinon joyeux, du moins plus serein quant à son sort. Les chiots pouvaient être sevrés depuis à peine trois semaines. Un des fermiers habitant de l'autre côté de l'église lui avait déjà proposé trois cents euros pour le plus intrépide de la portée. Si tous lui rapportaient autant, il pourrait réunir assez d'argent pour payer une caution. Dès qu'il serait plus stable financièrement, il se mettrait en quête d'un autre job. Il était de plus en plus mal à l'aise avec les initiatives de Matt. Sans pouvoir identifier précisément le problème, il avait le sentiment, au fond de lui, que tout n'était pas clair, que l'homme n'avait pas abandonné l'idée de posséder un jour la maison espagnole. La vérité finirait par éclater, à moins que Mme Delancey ne soit obligée de partir avant, et Byron ne voulait pas être dans les parages quand l'un ou l'autre arriverait. Il était presque 22 h 50 lorsqu'il entendit la chaudière s'éteindre. Il regarda sa montre, perplexe. Le thermostat était réglé sur 23 h 30. Il s'extirpa de son sac de couchage, sans tenir compte des regards interrogateurs de ses chiens, et alla à la porte. Toutes les lumières étaient éteintes. Quelques minutes plus tard, il entendit des sanglots. « Fichue maison ! criait-elle. Maudite maison ! » Les plombs avaient sauté. Il se figea sur place. Elle ignorait sans doute où se trouvait le tableau électrique. Il aurait pu lui remettre le courant, mais aurait dû, dans ce cas, justifier sa présence à proximité de la maison. Byron se tenait immobile, et Meg gémit, décelant son malaise. Il la fit taire. Il écouta dans le noir Isabel Delancey faire les cent pas et ressentit une profonde inquiétude. Tout cela ne lui disait rien qui vaille, et il se sentait impuissant à faire quoi que ce soit. Il entendit alors le violon ; elle traduisait son désarroi par les notes. Il n'y connaissait rien en musique classique, mais se dit qu'il n'avait jamais rien entendu d'aussi triste. Il la revoyait, plus tôt dans la journée, approchant Matt McCarthy avec son carnet de chiffres écorné, son visage où se lisait l'épuisement. Ainsi, même ceux qu'on aurait cru les mieux lotis pouvaient se retrouver au bord du gouffre. Par certains aspects, elle n'avait pas plus de chance que lui. Cette idée le fit sortir de la chaufferie – et il imagina sa sœur et Lili dans la même situation. De l'autre côté de la porte, elle poursuivait son air mélancolique. Il irait jusqu'à l'entrée principale, verrait si les lumières de la remise fonctionnaient, et frapperait à la porte. Il dirait qu'il passait par là par hasard. Il serait tranquillisé de ne plus les savoir dans le noir. Il venait de refermer la porte de son repaire quand il entendit le crissement de pneus sur le gravier. Sans sa propre voiture, il n'avait pas d'excuse convaincante pour justifier sa présence. Il ne pouvait pas se permettre d'être vu. Il rouvrit la porte sans un bruit et se terra dans sa cachette. Assis dans l'obscurité, il attendit.

Constatant que toutes les lumières étaient éteintes, Matt crut, l'espace d'un instant, qu'elle était partie avec les enfants, et ressentit une pointe de déception. Puis, comme le vent retombait momentanément, il entendit les cordes et comprit que le courant était coupé. À cause de son état d'ivresse, ou parce qu'il avait développé au cours des derniers mois un goût pour cette musique, Matt McCarthy resta où il était et écouta. La vitre baissée, le vent frais sur sa peau, il laissa la musique se mêler au déchaînement angoissé de la nature. Il resta assis devant la maison qui aurait dû être la sienne et se laissa envahir par un sentiment inédit. Les lumières ne se rallumèrent pas. Il ne sut pas quel élan le poussa finalement à entrer. Plus tard, il se dit que c'était peut-être l'envie d'aider, de contrôler la boîte à fusibles. Ou bien la musique. Dans un cas comme dans l'autre, il n'était pas honnête avec lui-même. La porte, bien évidemment, n'était pas verrouillée. Il entra et la referma délicatement derrière lui, puis se tint un instant immobile tandis que la maison grinçait doucement autour de lui, comme un vieux navire en haute mer. Devait-il appeler ? Cela ferait cesser la musique, et il découvrit, à sa grande surprise, qu'il ne le souhaitait pas. Alors, il avança à pas de loup dans le couloir, puis descendit les marches vers la cuisine, et là, sur le seuil, il la vit. Elle jouait, les yeux fermés, et des larmes coulaient sur ses joues. Il la regarda, et un court-circuit se produisit en lui. La bouche d'Isabel était légèrement entrouverte, sa tête inclinée en avant, ses épaules tirées en arrière. Elle était plongée dans un monde qui lui était inaccessible. Elle se mordit la lèvre inférieure, grimaça au moment du crescendo, comme si le son lui faisait mal. Il était incapable de détourner son regard d'elle. Il était comme un gamin épiant par le trou de la serrure, découvrant quelque chose qui le dépassait, hors de sa portée. Sa gorge se serra. Et, alors qu'il se tenait là, figé, elle ouvrit les yeux, puis les écarquilla légèrement en le distinguant dans la pénombre. Il voulut dire un mot, mais elle continua de jouer. Elle le regardait à présent, fixement, et son bras semblait bouger sans qu'elle le commande.

— Vous avez une coupure de courant, dit-il quand la musique se calma brièvement.

Elle hocha la tête. Il la regardait droit dans les yeux. Il s'approcha, attiré par le mouvement de sa poitrine, qui se soulevait et s'abaissait, par les vibrations de son corps. La profonde indépendance de cette femme fut contredite par ce qu'il vit soudain dans ses yeux – quelque chose de brut, un besoin, un manque physique. Elle laissa retomber ses mains le long de son corps avant qu'il l'atteigne et lâcha un soupir faible, comme si elle se rendait. Il avait les bras autour de sa taille, pliait à moitié son corps vers l'avant, l'écrasait contre lui, la poussait vers l'intérieur de la cuisine. Elle tâtonna pour poser son violon sur la table, puis ses mains blanches et froides se trouvèrent dans les cheveux de Matt, sa bouche ouverte contre la sienne. Il l'entendit haleter, sentit ses doigts contre sa peau, la chaleur scandaleuse de ses cuisses tandis qu'il glissait les mains sous sa jupe, la douce et gratifiante fusion de leurs deux corps. Quelque chose en lui se mit à chanter, à tue-tête, ce fut assourdissant, et elle vibrait contre lui, un son sourd et guttural s'échappant de sa poitrine. Ils glissèrent inélégamment sur le sol et elle se retrouva sous lui, là où il voulait qu'elle soit, où il avait eu besoin qu'elle soit depuis le jour de leur rencontre. Et il sut ce qu'il voulait posséder : pas seulement la maison mais aussi cette femme. Il lui mordit le cou, la fit s'abandonner, sentit ses doigts étonnamment forts lui agripper la peau et fut surpris, tandis que le vent grondait contre les vitres, que la maison grognait comme un être vivant autour d'eux, de constater que les yeux d'Isabel étaient parfaitement clos alors que les siens étaient ouverts, grands ouverts, comme s'il découvrait un monde nouveau.

Il ne savait pas combien de temps il avait dormi, peut-être des heures, peut-être quelques minutes. Quand il se réveilla contre les dalles glaciales de la cuisine, un plaid était étalé sur la moitié de son corps, des vêtements étaient éparpillés sous sa tête, et le noir profond de la nuit obstruait les fenêtres. Il tenta de comprendre où il se trouvait, ce qu'il faisait là, et la vit alors, une silhouette dans la pénombre, tout habillée, comme si rien ne s'était passé, assise sur une chaise, le regardant. Il se redressa, sentit le léger parfum de cette femme encore sur sa peau, et l'excitation le reprit de plus belle. Son esprit était encombré d'images, du contact de leurs corps, de ses cris dans ses oreilles. Il leva une main.

— Viens ici, murmura-t-il. Je veux voir ton visage.

— Il est presque 2 heures, dit-elle. Il faut que vous rentriez chez vous.

Chez lui. Il allait devoir s'expliquer. Matt se leva, laissant le plaid glisser sur le sol. Il reboutonna son jean et referma sa ceinture. L'air était froid, mais il le sentit à peine.

Quelque chose de surprenant se passait en lui, comme si son propre sang avait été lavé, renouvelé. Il marcha vers elle, ne distinguant toujours pas son visage clairement. Il caressa les cheveux qu'il avait attrapés plus tôt à pleines mains. Tout était différent désormais. Et il était étrangement ravi, l'acceptait sans mal.

— Merci, dit-il.

Il voulait lui dire ce que cela signifiait. Comment leur étreinte l'avait changé. Puis, en faisant glisser son pouce sur la joue d'Isabel, il se rendit compte qu'elle était humide et sut soudain comment y remédier.

— Ne sois pas triste. Tout va bien se passer, tu sais.

Elle ne répondit pas.

— Écoute, dit-il, voulant la voir sourire, la libérer de sa tristesse. Pour l'argent. Oublie le dernier versement. On trouvera une solution.

L'espace d'un instant de pure folie, il envisagea de lui avouer comment les choses pourraient changer. Mais il n'était pas encore assez désorienté pour en arriver là.

— Isabel ?

Il sentit que son silence n'avait plus la même qualité. Elle s'était raidie et légèrement écartée pour échapper à sa caresse.

— Je n'avais jamais fait ça avant, dit-elle d'une voix devenue froide.

— Fait quoi ? demanda-t-il, essayant de voir son visage.

— Je vous paierai tout ce que je vous dois.

Il était sidéré ; la véritable nature de leur étreinte, telle qu'elle semblait l'envisager, venait de le frapper de plein fouet.

— Écoute, je ne suis pas venu ici pour… Je… Oh, Seigneur. (Il riait à moitié, n'en croyant pas ses oreilles.) Je ne voulais pas dire… (Elle l'avait pris à contre-pied.) Je n'ai jamais… payé pour ça de ma vie.

— Et je ne l'ai jamais proposé. (Son ton était glacial à présent.) J'aimerais que vous partiez.

Matt se retrouva dehors ; la tête lui tournait quand il se dirigea vers son van. Il fallait qu'il lui fasse comprendre. Comment avait-elle pu croire que c'était une question d'argent ? Mais, tandis que le gravier crissait sous ses pieds, il perçut le bruit impitoyable du verrou. De l'autre côté, Isabel se laissa glisser au sol avec un gémissement de désespoir et de dégoût de soi. Elle posa la tête sur ses genoux, ses lèvres meurtries touchèrent le tissu doux de sa jupe, et elle y enfouit son visage, honteuse de sa propre trahison. Tout son corps souffrait de solitude, de la perte de son mari, de la communion brutale avec un homme qui n'était pas lui. Elle était sobre et vide. Plus vide qu'elle ne l'avait jamais été.

— Laurent ! cria-t-elle. Où m'as-tu conduite ? Que suis-je devenue ?

La maison lui répondit par un silence assourdissant.

Chapitre 14

Il y avait un train toutes deux heures entre son nouveau foyer et Londres, et, d'après ses calculs, même si celui qu'elle avait pris arrivait à l'heure, ses chances d'être rentrée avant le bus scolaire étaient minces. Assise sur son siège, résignée, tandis que l'homme en face d'elle parcourait méthodiquement son journal et que les deux randonneurs à sa droite bavardaient dans une langue aux sonorités rudes et nord-européennes, Isabel laissa la monotonie sourde des roues passant sur les rails bercer son esprit, le vider. Elle pensa à Mary, qui l'avait retrouvée pour un café, et qui avait compati au sujet des trajets scolaires.

— Estimez-vous heureuse de ne pas le faire à Londres, avait-elle dit d'une voix enjouée. Je passe la moitié de ma vie dans ma voiture.

C'était bon de la voir, comme le rappel qu'une autre vie avait un jour existé. Mary s'empressa de lui demander des nouvelles de Kitty et de Thierry, lui dit qu'elle avait bien meilleure mine (mensonge diplomatique, selon Isabel) et promit de leur rendre visite bientôt. Mais, de toute évidence, sa place était ailleurs désormais, elle avait trouvé une autre famille. Elle avait amené avec elle l'un des enfants dont elle s'occupait, un bébé aux yeux de biche qu'elle berçait sur son genou avec la confiance tranquille qu'Isabel lui connaissait.

— Vous n'avez pas fait de shopping, je vois ?

Isabel aperçut une passagère au visage familier au bout du wagon. Elle remarqua l'imperméable couleur pastel, le chapeau incongru ; la femme sourit.

— Linnet. Deirdre Linnet. Nous nous sommes rencontrées à l'épicerie des cousins. Vous habitez la maison espagnole.

Elle lui dit cela comme si elle lui apprenait quelque chose. Elle fit un geste vers les jambes d'Isabel.

— J'ai cru que vous étiez allée à Londres pour faire du shopping, mais vous n'avez aucun paquet.

— Des paquets ? répéta Isabel.

— Des achats.

— Non, dit-elle, pas aujourd'hui.

— Moi, j'ai fait des folies. Je monte à la capitale seulement deux fois par an et je dépense une fortune. C'est mon petit plaisir.

Elle tapota les sacs posés à côté de son siège, dont chacun portait un nom de marque annonçant au monde les avenues dans lesquelles Mme Linnet avait dilapidé ses économies.

— Mon petit plaisir, répéta-t-elle.

— Rien ne va, avait expliqué Isabel à Mary. Je me suis trompée sur toute la ligne. Les enfants sont terriblement malheureux et tout est ma faute.

Mary avait écouté son récit (Isabel avait délibérément sauté un épisode), puis émis un léger éclat de rire, comme pour dédramatiser l'affaire.

— C'est une ado, avait-elle dit. C'est son boulot d'être malheureuse. Vous vous en êtes très bien sortie jusque-là. Et Thierry… Eh bien, il retrouvera sa voix en temps voulu. Et puis, à l'école, ça se passe bien. Ils rentrent tous les jours. Ils mangent. Ça m'étonne même que ça aille aussi bien, étant donné… C'est vous la plus malheureuse des trois.

— C'était pour le travail ?

— Je vous demande pardon ?

— Votre voyage à Londres. C'était pour le travail ?

Isabel eut un faible sourire. La fatigue lui piquait les yeux. La nuit précédente, elle n'avait quasiment pas dormi, et le manque de sommeil commençait à se faire sentir.

— En quelque sorte.

— Vous êtes musicienne, n'est-ce pas ? C'est Asad qui me l'a dit. Il n'aime pas tellement les potins, ni Henry d'ailleurs, mais vous avez sans doute remarqué qu'il n'arrivait pas grand-chose dans notre village qui ne passe par la boutique.

Isabel se demanda combien de temps il faudrait pour que son égarement de la veille soit sur toutes les lèvres.

— J'ai vu votre annonce pour les cours de violon. Autrefois, je chantais, vous savez. J'aurais pu en faire mon métier, c'est du moins ce que pense mon mari. Mais j'ai été rattrapée par les enfants… (Elle soupira.) Vous savez comment c'est.

Isabel se tourna vers la vitre.

— Oui, je sais ce que c'est.

— Vous devriez retravailler, lui avait dit Mary.

Elle avait réglé les cafés, ce qu'Isabel avait trouvé affreusement humiliant.

— Il faut que vous donniez quelques concerts avec votre orchestre, ça vous fera un peu d'argent, ça vous apaisera l'esprit. Vous pouvez bien les laisser une journée. Kitty est assez grande pour veiller sur son petit frère maintenant.

Elle avait pris Isabel dans ses bras, puis était repartie avec sa poussette faciliter la vie d'une autre famille.

Ils dépassèrent le dernier arrêt avant Long Barton. Elle regarda Mme Linnet se lever et rassembler ses paquets, s'agrippant à eux, prête à descendre du train plusieurs minutes avant l'arrivée. Elle aperçut les points de repère à présent familiers, église et maisons, vit la grand-rue apparaître entre les arbres, les bordures et les haies vives verdoyantes, et se demanda ce qu'il fallait pour se sentir chez soi quelque part. Ce ne fut qu'une fois le train arrêté en gare de Long Barton qu'Isabel se leva et fit ce qu'elle s'était juré de ne pas faire. Elle tendit la main et la referma sur la poignée d'un étui à violon qui n'était plus là. À son arrivée, ils étaient assis devant la télévision, Kitty sur le canapé, les pieds sur la table basse, grignotant des chips, Thierry affalé dans le vieux fauteuil, la cravate de son uniforme d'écolier roulée en boule sur le sol.

— Tu n'étais pas là quand on est rentrés, dit Kitty d'un ton accusateur. Même Matt était absent. On a dû utiliser la clé cachée sous le paillasson à l'arrière de la maison.

Isabel lâcha son sac à main sur le guéridon.

— Thierry, tu as mangé ton casse-croûte aujourd'hui ?

Son fils hocha la tête, sans quitter des yeux l'écran de télévision.

— Tout le sandwich ?

Il tourna furtivement le regard vers elle, puis acquiesça de nouveau. La pièce était anormalement calme et elle se rendit compte que les ouvriers n'étaient pas là. Même lorsqu'ils ne donnaient pas de coups de marteau ou ne détruisaient rien, leur présence ajoutait une vibration dans l'air. Ou était-ce seulement Matt McCarthy ? Isabel se frotta les yeux.

— Je vais faire du thé, dit-elle.

— Tu étais où ?

La curiosité naturelle de Kitty avait eu raison de son refus de parler à sa mère. Elle vit sa fille remarquer sa fatigue et se sentit rougir, comme si la cause de son épuisement se lisait sur son visage.

— À Londres, répondit-elle. Je vais vous expliquer dans une minute.

Lorsqu'elle revint avec son thé, la télévision était éteinte et ils s'étaient redressés sur leurs sièges. Ils s'éloignèrent d'un bond l'un de l'autre, comme si elle les avait surpris en plein conciliabule. Mais forcément à sens unique, pensa-t-elle. Car son fils ne parlait pas. Isabel les regarda dans les yeux et commença.

— Nous pouvons rentrer à Londres, annonça-t-elle.

Elle ne savait pas exactement à quoi elle s'était attendue, peut-être pas à un tonnerre d'applaudissements, mais au moins à une certaine joie, des sourires, un semblant d'enthousiasme. Au lieu de quoi ils restèrent assis à la dévisager.

— Comment ça ? demanda Kitty, encore un peu agressive.

— Tu m'as bien entendue. Nous pouvons rentrer à Londres. Nous paierons ce qu'il faudra pour arranger cette maison et la rendre vendable, et ensuite, si tout se passe bien, nous aurons assez d'argent pour nous installer dans notre ancien quartier. Près de tes amis, ajouta-t-elle.

Ils restèrent hébétés.

— Ce ne sera sûrement pas aussi grand que notre ancienne maison, mais je suis certaine qu'on trouvera un logement à notre goût.

— Mais… comment on va faire pour payer ?

Les sourcils froncés, Kitty entortillait machinalement une mèche de cheveux autour de son doigt.

— Ça, c'est mon problème, dit Isabel. Je voulais juste vous mettre au courant.

Kitty la regarda d'un air méfiant.

— Je ne comprends pas. Tu avais dit qu'on n'avait plus d'argent. Que les travaux nous avaient coûté toutes nos économies. Qu'est-ce qui s'est passé ?

— J'ai… réorganisé nos finances. C'est pour ça que je suis allée à Londres.

— Tu n'y connais rien en finances. On n'a plus un sou.

Soudain, elle comprit. Elle regarda autour d'elle, scruta la table, le bureau.

— Oh, mon Dieu, murmura-t-elle.

Isabel avait répété un sourire calme et serein. Un sourire qui ne disait rien à ses enfants de la violence qu'elle s'était infligée par ce geste, de l'angoisse qui l'avait saisie lorsqu'elle avait tendu son instrument à l'acheteur. L'impression d'abandonner l'un de ses enfants.

— Tu ne l'as pas vendu ?

Isabel acquiesça de la tête. Kitty éclata alors en sanglots.

— Oh non, cria-t-elle. Oh non ! C'est moi qui t'ai fait faire ça.

Isabel perdit son sourire.

— Je ne voulais pas réellement que tu le vendes. Je savais qu'il comptait beaucoup pour toi. Et maintenant, tu vas être très malheureuse et tu vas me détester pour toujours. Oh, maman, je suis vraiment désolée.

Isabel se laissa tomber sur le canapé et serra Kitty dans ses bras.

— Mais non, dit-elle en lui caressant les cheveux. Tu avais raison. Cet instrument était une extravagance qu'on ne pouvait pas se permettre de garder. Et en plus, M. Forbisher m'en a trouvé un autre – beaucoup moins onéreux mais avec un très joli son. Il l'arrange et me l'envoie la semaine prochaine.

— Tu vas le détester.

La voix de Kitty était étouffée.

— Mais non, dit Isabel, sachant pourtant que sa fille avait raison. Kitty, j'ai commis une grave erreur, et je vais la réparer. La musique passera au second plan dorénavant. Plus tôt on aura réuni les sous pour remettre cette maison sur pied, plus tôt on pourra rentrer chez nous.

Elle remarqua alors l'expression de Thierry. Il n'avait pas du tout l'air ravi.

— Tu veux toujours rentrer, hein, Thierry ? Tu aimerais rentrer à Londres ?

Il y eut un bref silence. Puis, lentement, son fils secoua la tête. Isabel le regarda, puis regarda Kitty.

— Thierry ? répéta-t-elle.

Sa réponse, émise d'une toute petite voix, fut sans appel.

— Non.

Isabel se tourna vers Kitty, qui semblait désormais incapable d'affronter le regard de sa mère.

— En fait, dit l'adolescente, ça... ça ne me dérange pas tant que ça de vivre ici.

Elle jeta un regard furtif vers son frère.

— Je veux dire, ça ne me dérange pas de rester un peu... Si c'est ce que veut Thierry.

Isabel se demanda si elle comprendrait un jour ses deux enfants, si étranges et changeants. Elle inspira profondément.

— D'accord. Alors nous allons payer à M. McCarthy ce que nous lui devons, et ensuite nous verrons. Mais, au moins, nous avons le choix. Et maintenant, je vais trier un peu toute cette paperasse.

Tandis que soleil déclinait derrière la fenêtre du salon, les enfants rallumèrent la télévision. Isabel s'assit devant la table basse et commença à ouvrir les lettres qu'elle avait négligées et à dresser des listes de choses à faire. La perte de l'objet qu'elle chérissait depuis si longtemps était pour elle une amputation, les mois à venir la remplissaient d'incertitude, mais, curieusement, elle se sentait mieux. *Il a dit « non »*, pensa-t-elle en regardant son fils tout en décachetant une autre enveloppe. C'était toujours mieux que rien.

— Elle avait une mine épouvantable, dit Mme Linnet avec délectation. Blanche comme un linge, avec des cernes noirs sous les yeux. Elle ne m'a pratiquement pas adressé la parole de tout le trajet.

Asad et Henry échangèrent un regard. Les révélations de Mme Linnet ne risquaient pas de passionner grand monde.

— Cette maison va la conduire à la dépression nerveuse. Vous saviez qu'un des plafonds s'était effondré il y a deux semaines à peine ? Le pire a été évité de justesse. Ses enfants auraient pu se trouver en dessous.

— Mais ils ne l'étaient pas, dit Henry. Alors tout va bien.

— Je ne sais pas ce que Matt McCarthy avait en tête. Un homme aussi aguerri… La première chose à faire était de sécuriser la maison, il me semble. Surtout avec des enfants.

— En effet, approuva Asad.

— Je suis sûr que ça ne se reproduira plus, intervint Henry.

— Ça ne m'étonnerait pas que ce soit un coup du vieux Pottisworth, revenu hanter la maison.

Mme Linnet mima un frisson d'effroi.

— Oh, madame Linnet, vous ne croyez pas aux fantômes, la taquina Henry.

— Mais nous croyons aux mauvais esprits, pas vrai, Henry ?

Asad passa un élastique autour des factures.

— J'ai besoin de preuves pour croire à quelque chose, Asad, fit Henry avec un regard glacial à son partenaire.

— Oh, certaines entités sont bien trop intelligentes pour ça.

— Et certaines personnes voient des choses qui n'existent pas.

Mme Linnet avait perdu le fil de son récit et les regardait sans comprendre. Asad referma la caisse enregistreuse.

— Henry, tu vois le bien partout et c'est ce qui te rend si attachant, mais parfois tu refuses de voir ce qui se passe réellement autour de toi.

— Je sais parfaitement ce qui se passe, mais je crois aussi qu'il est bon de se protéger.

— Rien de tel que de rester gentiment assis sans rien faire pour que le mal prospère.

— Mais tu n'as aucune preuve.

Mme Linnet posa son sac.

— J'ai raté quelque chose ? dit-elle.

À ce moment-là, la porte s'ouvrit, et tous les trois se turent quand Anthony McCarthy entra. Téléphone vissé à l'oreille, il ne remarqua pas les échanges furtifs de regards, ni la façon dont les deux hommes derrière le comptoir parurent soudain très affairés. Mme Linnet se rappela qu'elle devait acheter de la confiture et se mit à explorer les rayonnages au fond de la boutique. Le garçon mit fin à sa conversation et raccrocha. Son bonnet de laine était enfoncé sur ses cheveux longs, et il flottait dans ses vêtements deux fois trop grands pour lui.

— Bonjour, Anthony, le salua Asad en souriant. En quoi puis-je t'aider ?

— Euh… eh bien.

L'adolescent s'appuya au comptoir froid et se mordit la lèvre.

— Ma mère m'a demandé de lui rapporter des olives, de la dinde fumée et autre chose. (Il sourit.) Mais je ne me souviens plus de quoi.

— Les hommes…, soupira Mme Linnet. Vous êtes tous les mêmes.

— Du fromage ? suggéra Asad.

— Des fruits ? hasarda Henry en désignant un panier. On a un magnifique raisin.

— Du pain ?

Le garçon ressemblait tellement à sa mère, pensa Henry. Le même nez, les mêmes manières agréables mais réservées. La même attitude, défensive et fière à la fois, comme si le fait d'être lié à Matt était tout autant une gêne qu'un honneur.

— Elle va me tuer, dit-il avec amusement.

— Je vais t'emballer les olives et la dinde, fit Asad. Ça va peut-être te revenir pendant ce temps.

— Tu es sûr que c'est quelque chose qui se mange ? demanda Mme Linnet, qui aimait les défis. Du cake aux fruits ? Elle aime bien ça.

Henry le lui montra. Anthony secoua la tête.

— Le lait, dit Mme Linnet. J'oublie toujours le lait. Et le papier toilette.

— Pourquoi tu ne l'appellerais pas ?

— Je viens de le faire. Je suis tombé sur le répondeur. Elle a dû sortir. Ça me reviendra sûrement une fois dans la voiture.

Asad glissa les deux paquets dans un sac, qu'il lui tendit par-dessus le comptoir.

— Tu aides toujours ton père dans la grande maison ? risqua-t-il pendant qu'Anthony lui tendait un billet.

— Parfois.

— Et les travaux avancent bien ?

Asad préféra ne pas relever l'air sévère d'Henry.

— Elle nous a demandé d'arrêter pour l'instant, dit Anthony. Je crois que tout va bien. Enfin, je ne sais pas. Je fais juste ce que me dit papa.

— Bien sûr, dit Asad.

Il compta la monnaie dans la main du garçon.

— Et comment va la petite Kitty ?

Le garçon rougit.

— Euh… Elle va bien. Pour autant que je sache, marmonna-t-il dans son col.

Henry réprima un sourire.

— C'est bien qu'elle se soit fait des amis, intervint Mme Linnet. La vie dans cette grande maison doit être tellement déprimante pour une jeune fille. J'étais justement en train d'en parler. Sa mère a une mine épouvantable…

Anthony croisa le regard d'Henry quand Matt ouvrit la porte de l'épicerie et se tint sur le seuil.

— Pourquoi tu es si long ? On devrait être chez les Nixon depuis un quart d'heure.

— J'ai oublié ce que voulait maman, expliqua Anthony.

— Ah, ça…, s'amusa Matt. Ce que veulent les femmes, un des éternels mystères de la vie.

Soudain, il sembla se rendre compte qu'il s'adressait à son fils, et son sourire disparut.

— Bon, il faut se mettre en route.

Asad souriait.

— Monsieur McCarthy, je m'apprêtais à dire à Anthony que j'avais vu un reportage très intéressant à la télévision, sur les entrepreneurs.

— Ah oui ?

Matt regardait la porte, comme s'il était pressé de partir.

— Il y était question de ces entrepreneurs qui surfacturent des propriétaires innocents ou inventent des travaux qui ne sont pas nécessaires. Une chose horrible, vous ne trouvez pas, monsieur McCarthy ?

Soudain, tout fut silencieux. Henry ferma les yeux. Matt entra et referma la porte derrière lui.

—Je ne suis pas sûr de comprendre à quoi vous faites allusion, Asad.

Ce dernier souriait calmement.

—Oh, je crois que vous êtes un homme bien plus avisé que vous n'avez l'air de le croire, monsieur McCarthy.

Matt se rapprocha de son fils.

—C'est gentil à vous de dire ça, Asad, mais vous ne trouverez rien de cette nature dans le village. Ici, on se bâtit une réputation, vous savez. Les entrepreneurs autant que les épiciers.

—En effet. Nous connaissons bien la réputation des gens dans ce magasin. Mais je suis ravi que vous ayez une vision si positive des choses. Car vous serez d'accord avec moi pour dire que si quelqu'un apprenait que de telles pratiques existaient, il se sentirait dans l'obligation d'en parler.

Le sourire de Matt était dur comme l'acier désormais.

—Asad, mon vieux, si j'avais la moindre idée de ce dont vous me parlez, je suis sûr que je serais d'accord avec vous. Viens, Anthony. On s'en va.

La porte se referma avec un peu plus de force que d'ordinaire, faisant tinter les clochettes pendant plusieurs secondes.

* * *

Les oreilles de Matt étaient en feu quand il traversa la chaussée. Une fois dans son van, il perdit toute retenue.

— Quel culot ! Tu l'as entendu, Ant ? Tu as entendu ce qu'il a insinué ?

La peur que sa nuit avec Isabel ne soit révélée au grand jour le rendait plus agressif qu'il ne l'aurait voulu.

— Crétin de moralisateur. Je pourrais le poursuivre pour diffamation. Fichu bigot ! Ce type-là m'a toujours gonflé.

La colère qui grondait dans la tête de Matt était si assourdissante qu'il n'entendit pas son téléphone sonner jusqu'à ce que son fils le prenne sur le tableau de bord et réponde.

— C'est Theresa, annonça-t-il d'un ton brusque.

Puis il se tourna vers la vitre.

Peu avant 7 heures le lendemain matin, Isabel repéra les chiens. Elle n'avait pas besoin d'être aussi matinale le samedi, mais ne dormant que par intermittence désormais, elle préférait se lever pour réfléchir au calme. Comment expliquer les plans qu'elle avait trouvés dans la pelleteuse jaune ? De toute évidence, ils avaient un rapport avec la maison espagnole, résumaient en quelque sorte les projets de Matt. Ils étaient trop récents pour avoir appartenu à M. Pottisworth – et elle imaginait mal son grand-oncle planifiant des travaux de cette ampleur, lui qui avait négligé la maison pendant des décennies. Mais si Matt avait engagé un architecte pour les dessiner pour elle, ne lui aurait-il pas demandé son avis ? La perspective de devoir en discuter avec lui la rebutait. Et puis, il y avait l'argent. Elle n'y avait jamais pensé avant la mort de Laurent. C'était le domaine de son époux, une abstraction destinée à faciliter les plaisirs de la vie. Les vacances en famille, les vêtements neufs, les repas au restaurant. Toutes ces extravagances la choquaient à présent. Isabel savait exactement de quelle somme elle disposait dans son porte-monnaie et sur son compte en banque. Une fois qu'elle aurait réglé la dernière facture de Matt, elle pourrait nourrir sa famille pendant trois mois sans revenu supplémentaire. Plus longtemps en donnant trois ou quatre cours de violon par semaine. Si les ouvriers pouvaient finir au moins une chambre avec sa salle de bains, elle pourrait la louer, et arriver à un total de quarante livres par semaine. Mais c'était purement hypothétique. Pour l'heure, ses enfants et elle faisaient encore leur toilette dans l'évier de la cuisine et utilisaient toujours les W.-C. du rez-de-chaussée.

— Je ne vois pas beaucoup de locataires à qui ça plairait, avait fait remarquer Kitty.

Encore ensommeillée, Isabel se tenait devant la fenêtre, d'où elle observait les canards et les oies qui voletaient au-dessus de l'eau, cancanaient contre un prédateur invisible, lorsqu'elle aperçut des chiens de l'autre côté du lac, se pourchassant en formant de joyeux cercles. Comme par réflexe, elle enfila son peignoir et se précipita vers la porte. Elle mit ses bottes et traversa la pelouse, presque au pas de course, en direction du lac, croisant les bras autour d'elle dans la fraîcheur matinale. Elle s'arrêta à l'endroit où elle avait vu les chiens ; l'herbe humide effleurait ses mollets nus, les chants des oiseaux emplissaient ses oreilles. Les bêtes avaient disparu.

— Byron ? appela-t-elle.

Sa voix résonna au-dessus du lac. Il n'était déjà plus là. Il avait dû repartir au travail. Soudain, à quelques mètres d'elle, une tête apparut à la surface de l'eau. Une chevelure brune et brillante, suivie par un torse nu. Comme il lui tournait le dos, Isabel put, pendant une poignée de secondes, le contempler librement. Elle fut frappée par la majesté de ce corps, par les épaules larges et noueuses, par la taille étroite. Il s'essuya le visage, et elle fut envahie d'émotions contradictoires : de l'admiration devant sa beauté physique, de la honte au souvenir du dernier corps masculin dont elle s'était approchée, et de la frustration – ou nostalgie d'une sensualité sans questionnement, d'un corps solide contre un corps qui s'abandonne, des plaisirs qu'elle pensait ne plus jamais ressentir. Il sursauta en remarquant sa présence, et elle se retourna, gênée d'avoir été surprise en train de l'observer.

— Je suis désolée, dit-elle, les cheveux tombant devant son visage. Je… Je ne savais pas que vous étiez ici…

Il pataugea vers le bord du lac, dans un embarras comparable au sien.

— Je viens souvent le matin pour nager, dit-il.

Ses vêtements étaient en tas près d'un buisson de laurier.

— J'espère que ça ne vous dérange pas.

— Non… Bien sûr que non. Vous êtes très courageux. Elle doit être gelée.

— On s'habitue.

Il y eut un bref silence, durant lequel les chiens passèrent en courant, la langue pendante. Ensuite, il sourit.

— Euh… Isabel… Il faut que je sorte…

Comprenant aussitôt, elle se retourna, les joues en feu. Savait-il depuis combien de temps elle se tenait là ? En peignoir, par-dessus le marché ? Soudain, elle se vit avec les yeux des autres. Matt lui avait-il parlé de leur nuit ? Avait-elle raison d'être là ?

Isabel se sentit soudain submergée. Elle serra son peignoir autour d'elle.

— Écoutez, dit-elle. Je vous parlerai plus tard. Il faut que je rentre.

— Isabel, ce n'est pas la peine de…

— Non. Vraiment. Je dois rentrer.

Ce fut à ce moment-là qu'elle vit son fils. Il sortit des arbres, tenant le bord de son sweat-shirt rempli de champignons.

— Thierry ? fit-elle, déconcertée. Je te croyais encore au lit.

— Je pensais que vous étiez au courant, dit Byron derrière elle. Il vient avec moi tous les samedis matin.

Isabel l'ignorait. Mary, elle, aurait su que Thierry se promenait dans la nature à l'aube. Elle avait froid. Son peignoir en soie était insuffisant.

— Je suis désolé, dit Byron, toujours de l'eau jusqu'à la taille. Je ne l'aurais pas laissé venir si j'avais su.

— Ça ne fait rien. Ça me fait plaisir…, admit-elle d'une petite voix.

Thierry s'avança d'un pas et lui offrit les champignons, qui dégageaient une odeur terreuse et piquante.

— Ils sont comestibles, la rassura Byron. C'est juste des chanterelles. J'en cueille depuis des années. Ils sont sur le terrain de Matt, mais ça ne le dérangera pas.

À ce nom, Isabel se cacha un peu plus derrière ses cheveux et se pencha pour récupérer la cueillette de son fils. Elle prit soin de tourner le dos à Byron et entendit des éclaboussures tandis qu'il sortait de l'eau. Le savoir nu tout près la gênait au plus haut point, alors elle marmonna quelque chose d'insignifiant à Thierry, qui triait son butin avec des doigts experts.

— En fait, j'aimerais vous demander une faveur, dit-elle à Byron sans se retourner.

Il attendit.

— J'ai besoin de cultiver la terre, expliqua-t-elle, d'en vivre autant que possible. Vous aviez parlé d'apprendre à Thierry à faire pousser des légumes, alors vous pourrez peut-être me montrer à moi aussi. Je sais que vous travaillez pour Matt, et vous êtes sans doute débordé, mais ce serait très aimable à vous de m'enseigner deux ou trois choses… Je ne vois pas à qui d'autre m'adresser pour ça.

Elle tenta de jauger sa réaction, puis poursuivit fébrilement.

— Je ne veux ni vaches ni cochons, et je n'ai pas l'intention de labourer des champs. Mais on peut sûrement faire quelque chose d'utile.

— Il va falloir vous salir les mains.

Elle se retourna et le découvrit en jean et tee-shirt, la peau encore humide. Puis elle baissa les yeux sur ses propres doigts, protégés depuis trente ans de l'usure du quotidien, et déjà maculés de terre à cause des champignons.

— Elles s'y habitueront, répondit-elle.

Byron se sécha les cheveux avec une serviette, puis scruta la terre autour de lui.

— Eh bien, voilà déjà votre petit déjeuner, dit-il en désignant les champignons. Vous pouvez en cueillir jusqu'à l'automne. Et si vous n'êtes pas une petite nature, vous pourrez nourrir votre famille pendant des mois.

Elle attendit. Un léger sourire se dessina sur les lèvres du jeune homme. Elle découvrit alors une autre personne.

— Euh…, dit-il finalement en montrant son peignoir. Vous n'irez pas loin avec ça.

— Oh ! s'exclama-t-elle avec un éclat de rire. Oh, cinq minutes, donnez-moi cinq minutes.

Ce matin-là, en compagnie de Byron, elle découvrit qu'il y avait de la nourriture partout, à condition d'y regarder de près. Tandis que Kitty papotait au téléphone dans la maison, Thierry et elle suivirent leur guide dans le jardin et autour du lac. Isabel s'efforça de mémoriser tout ce qu'il lui enseignait sur le potentiel de la terre, qu'elle voyait à présent comme une source de provisions et non comme un gouffre financier qui lui saperait le moral.

— Le plus facile à planter, ce sont les pommes de terre, les tomates, ou même les oignons et les haricots. Ça poussera sans problème sur ce sol. Tout ce coin, vous pouvez l'utiliser pour de la rhubarbe, ça poussait bien ici, avant.

Thierry fit la grimace.

— Tu aimeras ça dans un crumble, ajouta Byron en lui donnant un coup de coude.

Il faudrait que j'en fasse un, se dit Isabel. Mais elle n'avait jamais demandé sa recette à Mary.

— À côté des écuries, il y a l'ancienne serre. Si vous démarrez vos semis sous verre, que vous les protégez un peu, vous pourrez les sortir après les gelées. Ça revient moins cher de tout faire pousser à partir de graines, même si c'est un peu trop tard pour cette année. Si on nettoyait ici, poursuivit-il en tirant sur des mauvaises herbes près du mur de brique rouge, on pourrait même trouver quelques framboisiers… Les voilà. Vous coupez à ce niveau, montra-t-il avec ses pouces, et vous aurez une bonne récolte. Vous pouvez laisser toutes ces ronces pour les mûres.

Il faisait de grands pas et se montrait de plus en plus volubile. Là, dans son élément, il abandonna sa vigilance, et un sourire étrange passa sur son visage. Il parlait d'une voix douce et feutrée, comme pour ne pas déranger la nature environnante.

— Vous avez plusieurs variétés de pommes ici. Elles seront mûres à l'automne. Il vous faudrait un congélateur pour conserver tout ce que vous ne consommez pas, comme ça, vous aurez des réserves pour tout l'hiver. Cuisinez tout ce que vous pouvez et emballez le reste individuellement dans du papier journal. (Il mima le geste.) Ensuite vous les rangez dans un endroit frais des dépendances, un endroit auquel les souris n'ont pas accès. Vous avez des prunes Victoria, des poires, des pommes sauvages, des prunes de Damas…

Il désigna les arbres fruitiers d'un grand geste de la main. Elle était incapable de les nommer.

— Des reines-claudes ici, des groseilles dans ce buisson. Attention aux épines quand tu les cueilles, Thierry. Vous pouvez faire de la confiture, du chutney, et même les vendre. Beaucoup de gens vendent leur récolte au bord de la route.

— Qui viendrait jusqu'ici pour acheter de la confiture ?

— Si elle est assez bonne, vous pouvez demander aux cousins de la vendre comme produit bio. Aucun pesticide n'a été utilisé ici, pour autant que je sache.

Il marqua un arrêt.

— Les seuls trucs qui vous causeront des soucis, c'est la laitue et les carottes.

— À cause des lapins, dit Isabel.

— Exact. Mais on peut se débrouiller pour les tenir à l'écart.

— Vous voulez dire en les tuant ?

— C'est un jeu d'enfant.

Elle frissonna devant le choix de ses mots.

— Et ce n'est pas compliqué d'écorcher un lapin. Thierry l'a déjà fait.

Elle fut abasourdie, et Byron sembla soudain mal à l'aise.

— Sous ma surveillance. J'ai fait attention.

Ce n'était pas le fait que son fils ait manié des couteaux qui l'avait sidérée, mais l'expression de son visage, la fierté silencieuse qui se lut dans son regard lorsqu'il le tourna timidement vers Byron, savourant visiblement son approbation.

— Il est très doué pour ça, pas vrai, Thierry ? C'est un petit sauvage, votre garçon.

— Tu as aimé faire ça, Thierry ?

Elle crut un instant qu'il allait lui répondre. Il se contenta de hocher la tête. Elle croisa le regard de Byron et y décela la confirmation de ses espoirs. Mais il continua de parler doucement, comme si de rien n'était.

— Et il y a des faisans, des daims. Un ou deux flancs de gibier, ça vous fera presque tout l'hiver. Vous pourrez les suspendre dans une des dépendances. C'est bon. Il y a très peu de gras.

— Je ne suis pas sûre de pouvoir m'y résoudre, dit-elle avec un sourire.

Ils restèrent là quelques minutes pendant que Thierry courait avec les chiens, serpentant entre les arbres.

— Vous seriez étonnée par tout ce qu'on peut faire, dit Byron, quand on est obligé.

Ils contournèrent le lac et reprirent le chemin de la maison, le soleil réchauffant la terre de sorte que quelques abeilles volèrent autour d'eux. L'esprit d'Isabel bourdonnait de possibilités. Ses provisions pendaient dehors, dans des paniers incongrus : oignons, fruits, lait dans un baril en plastique. Elle les imagina débordant de sa propre production, se vit soudain capable de peler, d'éplucher, de cuisiner.

— Et vous pourriez m'apprendre ? dit-elle.

— À tirer ? fit-il, de nouveau gêné. Avec un fusil à air comprimé, oui. Je n'aurais jamais dû utiliser cette arme. Je n'ai pas de licence. Je connais quelqu'un qui pourrait vous apprendre.

— Je n'ai pas les moyens de me payer des cours.

— Bon, vous pouvez abattre des lapins avec un fusil à air comprimé. Vous n'avez pas besoin de licence pour ça. Je peux vous prêter le mien, si vous voulez. Je vous montrerai comment faire.

En vingt-quatre heures, Isabel était passée de premier violon à maraîchère armée. Elle s'assit sur le vieux banc de jardin, à l'arrière de la maison, le calibre .22 de Byron dans les mains, une rangée de cannettes disposées sur le mur devant le champ ouvert de sorte à ne blesser personne par accident. Il lui avait conseillé de s'entraîner. Elle mit en joue, visa sa cible. « Il faut frapper la tête, lui avait-il appris. Ça les tue sur le coup. Ce serait cruel de les blesser. »

Ce ne sont pas de jolies petites peluches, se dit-elle. *C'est de la nourriture pour mes enfants. Des économies. Notre avenir.*

« Pan ! » La détonation résonna dans la campagne, et avec un fracas métallique jouissif, le plomb toucha la cannette. Elle entendit son fils s'approcher, sentit sa main sur son épaule. Elle se retourna et il lui adressa un sourire rayonnant. Elle lui fit signe de s'écarter de nouveau.

Ça y est, Laurent, dit-elle intérieurement, tandis que son doigt blanc et délicat se refermait sur la gâchette. *Le moment est venu d'avancer.*

Chapitre 15

Ils pensaient qu'Anthony ne pouvait pas les entendre. Enfermés dans le bureau, ils semblaient croire que leurs voix ne portaient pas à travers la maison, qu'elles ne feraient pas ricochet sur les murs comme des balles.

— Je ne pense pas que ce soit trop te demander, Matt. Je veux juste être prévenue de l'heure à laquelle tu vas rentrer.

— Je t'ai déjà dit que c'était impossible. Je ne le sais jamais à l'avance.

— Autrefois, tu me donnais au moins une estimation. Maintenant, tu éteins ton téléphone et, la plupart du temps, j'ignore où tu es.

— Et pourquoi je devrais te dire où je suis à chaque minute de la journée ? Je ne suis pas un gamin. Tu veux la maison espagnole, oui ou non ? Alors, laisse-moi travailler pour l'obtenir.

Dans le salon, Anthony se laissa tomber sur un fauteuil, hésitant à mettre ses écouteurs.

— Je ne sais pas pourquoi tu es aussi agressif à ce sujet. Tout ce que je te demande, c'est de me donner une heure approximative.

— Et je te dis, pour la centième fois, que c'est impossible. Je peux être occupé dans la maison espagnole, être en pleine galère, ou bien être appelé en urgence à l'autre bout de la ville. Tu sais aussi bien que moi que je dois rester flexible. Où est passé mon fichu livre de comptes ?

Des tiroirs furent ouverts et fermés.

— Dans le classeur bleu, là où il a toujours été. Tiens.

Une pause.

— Écoute, je comprends tout ça, Matt, mais pourquoi ne pas me passer un coup de fil pour me prévenir ? Comme ça, je peux organiser ma soirée, moi aussi. Et le dîner.

— Tu n'auras qu'à foutre mon repas au micro-ondes. Si ça ne me gêne pas de manger tiède, pourquoi en faire toute une histoire ?

— Parce que tu es évasif.

— Non, c'est toi qui veux tout contrôler. Cette maison-ci, cette maison-là, les finances, Anthony, et maintenant moi. Tu dois faire ci, tu dois faire ça. Toujours sur mon dos !

— Comment peux-tu dire ça ?

— Parce que c'est vrai. Et ça me gonfle.

— Tout ce que je fais semble te gonfler, de toute façon.

C'était la troisième fois cette semaine. Son père était tendu et colérique depuis une dizaine de jours. Pour une raison inconnue, il n'avait pas dit à sa femme qu'ils ne travaillaient plus à la maison espagnole, et Anthony se demanda secrètement si c'était parce que Mme Delancey n'avait plus d'argent. Kitty disait tout le temps que sa mère était fauchée. Peut-être que son père essayait de réfléchir à une solution avant d'en parler à sa femme. De toute évidence, il se passait quelque chose. D'ordinaire, quand Matt partait sur un chantier, il prenait Anthony avec lui après l'école, pour l'entraîner, le préparer à prendre la relève. C'était ce qu'il disait du moins, même lorsque son fils le soupçonnait d'avoir besoin de main-d'œuvre gratuite. Mais, ces derniers temps, il ne l'avait pas fait. Byron était occupé à l'extérieur, preuve que lui non plus n'était plus sollicité sur les chantiers. Anthony ne savait même pas où son père travaillait – probablement chez Theresa, même si on ne pouvait pas vraiment parler de « travail ». En réalité, il s'en moquait, car ça voulait dire qu'il pouvait aller chez Kitty et passer du temps avec elle. C'était plus agréable qu'écouter son père. Il sortit son téléphone de sa poche et envoya un message à Kitty.

« Tu crois que les services sociaux accepteraient de prendre en charge mes parents ? »

— Je ne veux pas me disputer avec toi, Matt.

— Première nouvelle. Tu ne perds pas une occasion de me provoquer.

— Ce n'est pas juste. J'ai la désagréable impression d'être mariée à un… un fantôme. Parce que c'est le sentiment que j'ai. Même quand tu es là, tu sembles absent.

Le téléphone d'Anthony vibra. Il baissa les yeux sur l'écran.

« Ne m'en parle pas. La mienne se promène avec un fusil. »

— Tu me prends trop la tête. Je sors.

— Matt, non…

— Je n'ai pas de temps à perdre avec ça.

— Mais tu as du temps pour elle.

Un long silence. Anthony referma son téléphone, puis se redressa dans son fauteuil et tendit l'oreille, comme s'il attendait l'explosion.

— De quoi tu parles ?

Sa mère pleurait à présent.

— Je ne suis pas idiote, Matt. Je suis au courant. Et je ne vais pas le tolérer cette fois-ci.

Son père nia, évasif, froid.

— Je ne sais pas de quoi tu parles.

— C'est qui, cette fois-ci ? Une vendeuse ? Une barmaid ? Une cliente reconnaissante ? La femme de l'autre côté de la route, peut-être ? Avec tout le temps que tu passes là-bas…

Son père explosa.

— Qui a voulu que j'y aille ? Qui voulait que je fasse le job ? Qui a passé les neuf dernières années à me rebattre les oreilles avec cette fichue maison de ses rêves ? Ne commence pas à rouspéter contre moi alors que je fais exactement ce que tu voulais !

— Arrête de déformer mes paroles ! Tu voulais cette maison autant que moi !

— Je n'écouterai plus un mot de tes accusations, cracha son père. Je vais bosser.

Anthony se hâtait de mettre ses écouteurs quand la porte du bureau s'ouvrit. Son père sortit en trombe.

— Je rentre quand je rentre, d'accord ? Anthony, tu devrais être à l'école, au lieu d'épier les gens comme une petite vieille.

— Ne me prends pas pour une idiote, Matt.

Sa mère était en larmes.

— Je ne vais pas rester sagement à t'attendre pendant que tu te tapes la moitié du village. Matt ! Matt ?

Le van de son père disparut dans l'allée en projetant du gravier derrière lui, et Anthony retira ses écouteurs quand sa mère arriva. Elle sursauta en le voyant, puis s'essuya les yeux, essayant de recouvrer son calme.

— Je ne savais pas que tu étais encore là, mon chéri. Tu as besoin qu'on te dépose ?

— Je commence à 10 heures.

Il s'occupa avec son téléphone pour qu'elle puisse s'arranger les cheveux. Ils étaient impeccables d'ordinaire, et cette allure échevelée lui donnait l'air vulnérable.

— Je voulais juste être sûr que tu allais bien.

Ses yeux étaient rougis et sa peau marquée de plaques.

— Je vais bien. Vraiment. Tu sais comment est ton père… Un peu difficile parfois.

— Je suppose qu'il n'a pas dit où il allait travailler ? fit-il d'une voix presque désinvolte.

— Non.

— Mais il ne travaille plus dans la grande maison. Kitty a dit qu'il n'y allait plus depuis une semaine.

— Ah bon ?

— Elle le saurait sinon.

Sa mère soupira, sans savoir si cette nouvelle la décevait ou la rassurait.

— Alors ce n'est pas là-bas qu'il passe son temps, dit-elle, presque pour elle-même. Anthony, je peux te demander quelque chose ? Tu crois qu'il a une liaison avec Mme Delancey ?

Anthony était content de ne pas avoir à mentir.

— Non. Pas avec elle. Elle est… différente de nous.

Il faillit dire qu'elle n'était pas le genre de son père.

— Il est tellement…

Laura lui adressa un sourire, celui qu'elle adoptait lorsqu'elle voulait convaincre son fils que tout allait bien.

— Je suis désolée. Je ne devrais pas t'impliquer dans tout ça. Tu dois me prendre pour une idiote.

Il se rendit compte qu'il avait envie de frapper son père, de le frapper vraiment très fort. Les mots sortirent de sa bouche avant qu'il n'ait pu y réfléchir.

— On pourrait le quitter.

Sa mère écarquilla les yeux.

— Je veux dire, ne reste pas à cause de moi. Je ne serais pas dévasté si on partait.

— Mais, Anthony, c'est ton père…

Le garçon haussa les épaules et saisit son sac à dos à côté du canapé, sachant que rien de ce qu'il dirait ne changerait quoi que ce soit.

— Ça ne suffit pas à en faire quelqu'un de bien.

Au début, elle avait cru qu'il s'agissait des cousins. Qui d'autre aurait pu laisser deux boîtes d'œufs frais devant sa porte ? Elle avait manqué de les piétiner, puis en avait ramassé une, l'avait ouverte et avait examiné les œufs mouchetés, non calibrés, certains souillés de paille ou de plumes. Lorsqu'elle en avait cassé un dans une poêle, le jaune était resté entier, au milieu, au lieu de s'étaler. « Comme un implant mammaire en silicone », avait plaisanté Kitty.

— D'après les cousins, ça veut dire qu'ils sont très frais.

Elle s'était rendue au magasin à midi et les avait remerciés pour leur livraison inattendue.

— Ils étaient absolument délicieux, dit-elle. Aussi consistants que de la viande. J'ignorais que les œufs pouvaient avoir ce goût. Et la couleur, si vive !

Henry l'avait regardée sans comprendre.

— Ma chère, j'adorerais croire que nous sommes derrière cette bonne surprise, mais nous ne faisons pas de livraisons. Même pour nos clients les plus sympathiques.

Sept jours plus tard, du bois de chauffage apparut. Avec un mot dessus.

« Il faut le laisser vieillir pendant au moins un an.

J'ai mis le reste dans la grange près du verger. »

Elle était sortie et avait trouvé une pile bien rangée de bois fraîchement coupé, la sève s'échappant encore par endroits. Elle avait humé son odeur, avait passé la main sur l'écorce. Il y avait quelque chose de satisfaisant dans un tas de bois, la promesse de chaleur. Deux jours plus tard, ce furent six poules, hébétées et furieuses, entassées dans une cage en fer rouillée.

« Entrée en ponte pour celles-ci (les œufs arrivent bientôt). Elles ont besoin de maïs ou d'un mélange de céréales, d'un approvisionnement régulier en gravillons et en eau. Vieux poulailler près de la serre. Enfermez-les la nuit. Colin de la ferme des Dorney viendra prendre les vieilles palettes derrière le garage en échange. »

Thierry et elle avaient confectionné un enclos de fortune avec de vieux morceaux de grillage et des poteaux, puis avaient regardé les volatiles s'ébattre en picorant le jardin. Le garçon s'était beaucoup amusé à manier les piquets et le métal, et frotté les mains de satisfaction une fois sa tâche accomplie. La première fois qu'il avait trouvé un œuf, il avait couru vers sa mère et le lui avait collé contre la joue pour qu'elle en sente la chaleur. Elle avait prié pour que ce soit un tournant chez lui. Et puis, il y eut les lapins. Elle était en haut, en train de se brosser les dents dans la salle de bains inachevée, quand Kitty poussa un hurlement. Isabel descendit au pas de course, en chemise de nuit, la bouche encore pleine de dentifrice, et trouva sa fille prostrée derrière la porte de l'arrière. Elle était blanche comme un linge.

— Oh, mon Dieu. Quelqu'un nous veut du mal.

— Qu'y a-t-il ? cria Isabel. Dis-moi !

— Regarde !

Elle ouvrit la porte, avec Thierry à côté. Là, sur les marches, gisaient trois lapins morts, les pattes arrière liées avec de la ficelle agricole ; une petite tache de sang sur chaque tête indiquait leur provenance.

— On se croirait dans *Délivrance*.

— Byron, dit Thierry avec le sourire.

— Qu'est-ce que tu as dit ? demanda Isabel.

Mais il retomba dans le silence. Il ramassa les lapins et les porta à la cuisine, où il les disposa soigneusement sur la table.

— Beurk ! Ne les mets pas là ! Ils sont morts ! hurla Kitty, plaquée contre la porte comme si les bêtes risquaient de se réveiller et de lui sauter au visage.

— Ça va, ma chérie, l'apaisa Isabel. C'est un cadeau qu'on nous fait. Thierry va les préparer pour nous.

— On nous offre des animaux qui se sont fait écraser sur la route ?

— Ils ne sont pas morts sur la route. Les gens mangeaient du lapin tout le temps autrefois.

— Oui, et ils faisaient monter les enfants dans les cheminées. Ce n'est pas pour ça que c'est bien.

Kitty était de toute évidence horrifiée par cette idée.

— Si tu crois que je vais manger du lapin mort, tu te mets le doigt dans l'œil. Beurk ! Vous me dégoûtez, tous les deux !

Elle s'échappa de la cuisine. Thierry souriait de toutes ses dents.

— Montre-moi, mon chéri, dit Isabel. Montre-moi ce que Byron t'a appris et on va le faire ensemble.

Cela continua ainsi durant une quinzaine de jours. Des pommes de terre précoces, avec de timides pousses émergeant de leur peau fripée, des enveloppes remplies de graines, clairement étiquetées avec des instructions, deux sacs de fumier. Isabel avait cherché Byron pour le remercier, mais il était introuvable. En fait, la demeure avait été désertée, il n'y avait plus qu'elle et les enfants. Matt n'était pas revenu. Ses outils gisaient çà et là dans la maison et le jardin comme les vestiges échoués du *Mary Celeste*.

Thierry étala un sac en plastique sur la table et y posa un lapin sur le dos, sa tête face à lui. Il prit un petit couteau de cuisine et le plaça sur le côté gauche de son ventre blanc et mou, pinça un peu de fourrure entre ses doigts et commença à couper. Isabel aurait voulu l'éloigner de ces ustensiles pointus, mais ses doigts étaient aussi précis que les siens sur les cordes, et tout son être semblait absorbé par la tâche. Et tandis que sa mère l'observait, s'émerveillant de la délicatesse de ses gestes, le garçon reposa le couteau et fit glisser la peau de l'animal comme s'il lui ôtait simplement ses vêtements, dévoilant sa chair rose.

Elle ignorait encore ce qu'elle dirait à Matt de leur nuit ensemble. Elle était incapable d'expliquer son acte, encore moins son comportement à lui, et même si l'alcool avait précipité les choses, elle savait que ce n'était pas le seul déclencheur. Il lui fallait bien admettre qu'elle s'était sentie redevable envers lui, même si la triste vérité qu'avait révélée sa proposition lui avait glacé le sang. Elle était au bord du précipice lorsqu'il avait fait son apparition soudaine : un homme fort qui savait gérer les choses… Et là, dans le noir, perdue dans sa musique et sa solitude, elle s'était persuadée que ce n'était pas un parfait inconnu. Que, d'une certaine façon, elle avait convoqué Laurent dans la nuit et le vent. Une version spectrale de son époux. Elle ne pouvait prétendre avoir agi de mauvaise grâce. Elle l'avait vraiment voulu.

Son fils avait retiré la tête. Tandis qu'Isabel se retenait de grimacer, il fendit l'animal en deux et tira sur les entrailles. Concentré, il se mordait la lèvre inférieure. Il avait encore ses mains de bébé, elle le revoyait peindre avec les doigts, barbouiller le papier de rouge et de marron.

Elle avait apprécié, honteusement, le contact des mains de Matt sur elle, son souffle, son étreinte, avait aimé se livrer à lui. Trouver une réponse à son désir sauvage. Elle se rappelait encore la profonde satisfaction qu'elle avait éprouvé de le sentir en elle. Et puis le charme avait été rompu. Cela aurait pu se faire quelques minutes plus tôt. Ce n'était pas son mari. Ce n'était pas un homme qu'elle avait désiré, qu'elle avait voulu près d'elle, en elle. Mais les choses s'étaient emballées trop vite pour qu'elle y mette un frein, alors elle avait fermé les yeux, s'était détachée du réel, pendant que son corps, qui avait déjà commencé à la trahir, reprenait ses droits, avant de se refermer, la transformant en être froid, insensible et honteux. Pire que tout, Matt s'était montré si heureux, si affectueux après l'acte. Il avait semblé croire qu'elle avait envie de prolonger le moment, voire de recommencer. Et à présent, pour couronner le tout, elle devait affronter cette culpabilité écrasante, non seulement vis-à-vis de l'épouse trompée, mais aussi d'elle-même : comment une femme qui pleurait son mari depuis à peine plus d'un an, qui pensait encore à lui à chaque instant, avait pu se donner si facilement à un autre ? Elle avait trahi la mémoire de Laurent. Comme si la présence de Matt avait fait table rase du passé.

Isabel sursauta quand, d'un coup sec, Thierry brisa les pattes du lapin. Il n'y avait plus de fourrure à présent, plus de tête, plus de pattes, seulement un bloc de chair. Violente et nue. Thierry le rinça sous l'eau du robinet, en se hissant sur la pointe des pieds, puis le lui tendit fièrement. Il ne restait plus rien à l'intérieur, rien d'autre qu'une cavité propre là où son cœur s'était trouvé. Isabel réprima un frisson.

— Magnifique, mon chéri. Beau travail.

Ses mains étaient tachées de sang et de poils lorsqu'il tira le deuxième lapin sur le sac en plastique. Isabel mit la carcasse préparée dans une marmite d'eau salée, comme Byron le lui avait indiqué. C'était censé adoucir le goût de la viande.

Elle vit la voiture avant de pouvoir distinguer son conducteur, à travers les arbres de l'autre côté du lac. C'était l'endroit qu'elle lui avait montré le jour de leur rencontre. Depuis lors, elle y était retournée à plusieurs reprises, les jours où Matt s'était montré particulièrement odieux. Les mots de son fils résonnaient encore à ses oreilles.

— Nous sommes mariés, lui avait-elle dit. Crois-le ou non, ça a un sens. Ça veut dire qu'on ne fuit pas quand les choses vont mal. Ça veut dire qu'on essaie de régler nos problèmes.

— Si tu le dis, avait marmonné Anthony.

— Qu'est-ce que tu insinues ?

— Eh bien, je ne me marierai jamais si ça implique de devenir comme vous deux. Regardez-vous. Vous n'êtes pas amis. Vous ne riez jamais ensemble. Vous ne parlez même jamais de rien.

— C'est injuste de dire ça.

— Vous ressemblez à ces couples dans les séries des années 1950. Il te fait du mal. Tu lui pardonnes tout. Il fout le bazar. Tu passes ton temps à réparer ce qu'il casse. On dirait une sorte de pacte minable.

Sa voiture était garée un peu à l'écart du chemin ; quand elle passa devant, elle vit le plan, les bouts de papier éparpillés, et sut qu'il n'y avait qu'une seule explication à son retour. Laura arrangea sa veste, contente d'avoir pris la peine de se remaquiller. Il était assis sur la souche d'un arbre et se leva maladroitement à son approche, son visage s'éclairant d'un sourire. Elle lui sourit en retour. Cela faisait longtemps qu'un être sans poils ni sabots avait été aussi heureux de la voir.

— C'est vraiment vous ! s'exclama-t-il. Je l'espérais.

Il avait une jolie voix, basse, douce et légèrement nerveuse. Un peu comme celle de son père. Elle se sentit soudain timide.

— Vous profitez de la vue ? demanda-t-elle faiblement.

Il tendit la main pour caresser Bernie, qui l'accueillit sans la moindre hésitation.

— C'est un endroit fabuleux. Je rêve de cette vue toutes les nuits depuis notre… conversation.

La maison était à peine visible depuis l'autre rive, partiellement masquée par les arbres et les haies, partiellement reflétée dans l'eau immobile. Il lui était arrivé de s'asseoir là et de laisser dériver son imagination. Elle se voyait marcher avec son mari, bras dessus bras dessous, descendre avec lui les marches de pierre en direction du lac. Elle voyait les fêtes qu'ils auraient données sur la pelouse. Les élégantes tentures qu'ils auraient suspendues aux fenêtres. Plus récemment, elle s'était sentie incapable de poser un pied de ce côté du terrain, de voir la bâtisse sans être dévorée par la jalousie et la frustration en pensant que, après tous ses efforts, elle n'était pas à elle. Ce jour-là, pour la première fois, cela n'avait plus d'importance. Ni cause de rancœur ni objet de désir, ce n'était plus qu'une vieille maison en ruine, contemplant placidement le lac. Il y eut un bref silence, que vinrent briser des canards se chamaillant dans les roseaux. Nicholas caressait les oreilles du chien. Elle se rappela les choses qu'elle lui avait dites la fois précédente. Peut-être était-ce plus facile de confier ses secrets à un inconnu.

— Vous êtes… très jolie, dit-il.

Elle leva involontairement une main à ses cheveux.

— Mieux que l'autre jour.

— Vous étiez aussi très belle.

Il se leva.

— Vous voulez du café ? J'allais en boire un. J'ai… J'ai apporté une tasse en plus.

Ils se mirent à rire tous les deux. Laura s'assit sur la souche.

— Ce sera avec plaisir, répondit-elle.

Elle ne savait pas qui c'était, lui dit-elle plus tard. Elle savait que son mari couchait avec une autre, mais elle ignorait de qui il s'agissait.

— C'est infernal lorsqu'on vit dans un village.

Elle préféra ne pas le regarder en parlant, fit comme si elle était seule, sous peine de ne pouvoir aller jusqu'au bout.

— Partout où je vais, je me demande : est-ce que c'est cette femme ? Ou bien celle-là ? Ça pourrait être n'importe qui. La fille du supermarché. La mercière. La serveuse du restaurant où il m'emmène. Il a toujours attiré les femmes.

Nicholas ne dit rien. Il l'écoutait calmement.

— Je ne peux en parler à personne. Ni à mes amis ni aux voisins – j'en connais au moins une avec laquelle il a couché, même si elle nierait. Ça ne sert à rien de lui demander. Il est tellement persuasif. Il m'a assez fait marcher comme ça. Même maintenant il refuse d'admettre quoi que ce soit. Il me fait passer pour une imbécile qui se fait des idées.

Il se tourna pour étudier son visage. Elle savait ce qu'il devait penser. *Idiote*. Mais son expression disait autre chose.

— La dernière fois, il a été obligé d'avouer. Il m'a envoyé un texto qui était destiné à l'autre. Il a dû s'emmêler les pinceaux. « Retrouve-moi au *Tailor's Arms*. J'ai deux heures avant le couvre-feu. » Je n'ai jamais pu oublier ce mot. « Couvre-feu ». Comme si j'étais son geôlier.

— Qu'est-ce que vous avez fait ?

Elle rit sans joie aucune.

— Je me suis pointée au pub. Il est devenu livide en me voyant.

Nicholas sourit avec compassion. Laura tripota la manchette de son chemisier.

— Il a tout avoué et a dit qu'il était désolé. On essayait d'avoir un bébé. J'ai cru que ça allait nous rapprocher, mais il a déclaré qu'il se sentait sous pression à cause de ça et que cette femme – cette gamine – en était la conséquence. C'était il y a trois ans.

— Et maintenant ?

— Je ne sais pas. Je parle aux vendeuses, à la coiffeuse, à mes amies femmes et à mes voisines et… j'ignore laquelle d'entre elles couche avec mon mari.

Elle lutta pour contrôler sa voix.

— C'est le plus dur, vous savez. Qu'elle pourrait être en face de moi, en train de se moquer de moi. Une de ces jolies jeunes filles avec un corps ferme et une peau parfaite. C'est ce que je vois dans ma tête. Tous les deux, en train de se moquer de moi.

Elle serra la mâchoire.

— Je suis désolée, dit-elle au bout d'un moment. Vous vouliez simplement admirer la vue en sirotant votre café et je déblatère à propos de mon mariage. Vous devez me pardonner.

Ne soyez pas trop gentil, le somma-t-elle intérieurement. *Sinon, je vais m'effondrer*. Mais tandis qu'elle regardait fixement la maison au loin, une main se referma sur la sienne. Une main chaude, solide et inconnue. Et la voix qui s'adressa à elle fut étonnamment dure.

— C'est un crétin.

Au bout de deux heures, il consulta sa montre.

— Sacrée pause-déjeuner, avait-elle dit quand il avait poussé une exclamation en constatant l'heure.

Il avait souri et hoché la tête, et des sillons étaient apparus aux coins de ses yeux.

— Ce n'était pas vraiment un déjeuner, vous ne croyez pas ?

Ils avaient baissé les yeux sur l'emballage du chocolat. Matt était sorti de la conversation. L'homme avait eu l'élégance de changer de sujet, lui avait parlé d'un endroit qu'il avait connu dans son enfance, assez semblable à celui-là, où ses frères et lui aimaient camper ou traîner pendant des heures. Ensuite, ils avaient parlé des animaux de compagnie de leur jeunesse, des parents qui vieillissaient, évitant d'aborder les relations amoureuses ou la raison pour laquelle ils restaient assis tout seuls à la lisière d'un bois. Et ensuite, elle avait regardé sa montre et découvert que deux heures s'étaient écoulées.

— Peut-être me permettrez-vous de me rattraper un de ces jours, dit-il. En vous offrant un repas digne de ce nom.

Elle avait compris ce qu'il insinuait. Et son sourire avait disparu. Un vrai repas. C'était une chose de tomber sur quelqu'un pendant qu'elle promenait son chien, ou même de s'asseoir et de partager une conversation avec lui, mais un déjeuner était prémédité. Cela témoignait d'une intention. C'était le genre de choses que faisait Matt avec ses conquêtes. Il avait dû lire dans ses pensées, car son visage exprima la déception.

— Je suis désolé, dit-il. Je comprends que les choses soient… compliquées.

— Ce n'est pas vous…

Il grimaça.

— Vous êtes… d'une compagnie très agréable.

— Vous aussi, Laura.

Il se leva et lui tendit une main.

— Vraiment. J'ai adoré passer cet après-midi avec vous.

— Les lamentations d'une femme au foyer au bord de la crise de nerfs.

Elle lissa sa jupe.

— Non, dit-il. Juste une femme honnête. Je suis flatté.

Il tenait toujours sa main.

— Je suis seul depuis longtemps, en partie parce que je le voulais, mais c'était bon de simplement parler à quelqu'un – à une personne intelligente et gentille et…

— Je ferais mieux de partir, coupa-t-elle.

Il relâcha sa main.

— Bien sûr.

— Peut-être qu'on se croisera de nouveau.

Elle ne pouvait pas le lui demander. Ni raisonnablement admettre qu'elle en avait envie. Il fouilla dans sa poche, en sortit un stylo et griffonna sur un bout de papier.

— Si jamais ce déjeuner vous tente.

Et tandis qu'elle reprenait le chemin, le papier radioactif dans sa poche, la voix de l'homme résonna de nouveau derrière elle.

— Entrée-plat-dessert ou barre chocolatée. Comme vous voulez, les deux me vont.

Il la regarda s'éloigner, d'un pas un peu gauche, comme si elle avait conscience des yeux qui la suivaient. Elle ne se retournerait pas même si elle avait envie. Tout chez elle était délicatesse, une qualité qu'il rencontrait peu ces derniers temps. Même la façon dont elle avait levé son gobelet avait été gracieuse. Il aurait pu l'observer pendant des heures encore. Il s'était forcé à tourner le regard vers le lac et la maison pour ne pas l'effrayer par son intensité. Mais il avait senti sa présence à côté de lui avec acuité, ses terminaisons nerveuses s'aiguiser quand la brise avait charrié un soupçon de son parfum, sa gorge se nouer lorsqu'elle avait levé vers lui ses yeux gris et tristes. À présent, n'ayant plus à se contenir, il ne la quitta pas du regard jusqu'à ce qu'elle disparaisse au milieu des arbres, ses cheveux blonds brièvement illuminés par le soleil. Il avait l'impression de la comprendre, cette femme belle et douce qu'il connaissait à peine. Il n'avait jamais désiré quelqu'un de façon si totale, si certaine, depuis que sa femme l'avait quitté, et doutait même que cette dernière ait eu un jour autant d'effet sur lui. En retournant à sa voiture, il se dit de ne pas trop espérer. Comme pour la maison, la patience était de mise. Il ne se l'était jamais vraiment avoué, mais, en dépit de son passé récent, Nicholas était toujours un négociateur dans l'âme. Et l'existence d'un rival, aussi invisible, aussi inconnu, aussi puissant fût-il, ne faisait qu'aviver son désir.

Ce soir-là, Byron apparut enfin. On frappa à la porte de la cuisine, et Isabel ouvrit, reconnaissant son visiteur à travers la vitre. Vêtu, malgré la fraîcheur de l'air, d'un simple tee-shirt bleu usé, il emplissait tout l'encadrement de la porte.

— Salut, dit-il avec un sourire tellement inattendu qu'elle le lui rendit. J'espère que je ne vous dérange pas. J'aurais voulu vous parler.

— Vous voulez entrer ? fit-elle avec un geste vers la cuisine.

Thierry venait de finir ses devoirs et s'était levé de sa chaise.

— Non, non. C'est mieux dehors.

Il pointa le menton vers le jardin, et Isabel sortit en refermant la porte derrière elle.

Oh, mon Dieu. Il va me demander de l'argent pour toutes les choses qu'il nous a déposées.

— Tout va bien ?

— C'est à propos de Thierry, dit-il doucement.

— Oui ? fit-elle, soudain angoissée.

— Rien de grave. C'est juste que j'ai vendu la plupart de mes chiots – enfin, des gens les ont réservés –, et avant que je cède les deux derniers, je me demandais si vous en voudriez un. Thierry les adore, vous savez.

Elle vit que deux chiots noirs et blancs se chamaillaient dans un carton posé au sol.

— Ils sont presque sevrés, poursuivit-il. Et j'ai l'impression que… que ça lui plaît de passer du temps avec les animaux.

Il hésita, comme s'il avait peur de trop en dire.

— Je l'ai fait crier pour eux.

— Crier pour eux ? Comment ça ?

— Je lui ai dit qu'il devait les appeler pour les dresser. Je l'ai emmené dans les bois pour ça.

— Et il l'a fait ?

Byron hocha la tête.

— Il crie fort, parfois.

Isabel sentit sa gorge se nouer à l'idée de son fils mutique faisant enfin résonner sa voix.

— Que dit-il ?

— Pas grand-chose. Il crie leurs noms et « Au pied », « Assis », ce genre de trucs. Je me suis dit que c'était bien qu'il produise des sons. Il a l'air de trouver ça plus facile dans les bois.

Ils se faisaient face, silencieux à présent.

— Combien en demandez-vous ? s'enquit Isabel.

— Oh, environ deux cents livres chacun.

Puis, en voyant l'expression d'Isabel, il ajouta :

— Mais pas pour vous. Pour Thierry, j'avais pensé…

— Quoi donc ?

— Le lui offrir.

Isabel rougit.

— Je paierai ce que les autres ont payé.

— Mais ce n'est pas ce que…

— C'est mieux si je paie. Comme ça, nous serons quittes.

Elle croisa les bras sur sa poitrine.

— Écoutez, je ne suis pas venu vous vendre un chiot. Je suis venu vous demander si ça ferait plaisir à Thierry d'en avoir en. C'est un cadeau. Mais je devais d'abord être sûr que vous seriez d'accord.

Pourquoi nous offrir quelque chose ? voulut demander Isabel, mais la question resta sur ses lèvres.

— C'est l'avorton de la portée, ajouta-t-il en désignant le plus sombre des deux.

Elle en doutait, mais ne se risqua pas à le contredire. Elle se pencha et sortit l'animal de la boîte. Il gigota dans ses mains, essaya de lui lécher le cou.

— Vous nous avez déjà donné beaucoup, dit-elle d'un air sombre.

— Pas tant que ça. Ici, la plupart des gens s'entraident.

— Toutes ces choses, dit-elle. Le bois, les poules…

— Ça ne venait pas vraiment de moi. J'ai dit à Colin que vous seriez heureuse de troquer vos palettes en bois contre quelques graines. Vraiment. Il n'y a pas de quoi s'inquiéter.

Il cueillit l'autre chiot.

— Je suis content que ce petit gars aille dans une gentille famille.

Elle le regarda, cet homme indéchiffrable dont la gêne reflétait la sienne. Elle se rendit compte qu'il était plus jeune qu'elle ne l'avait pensé, que sa taille, sa force, sa réserve masquaient une sorte de vulnérabilité. Et elle fit ce qu'elle put pour se détendre.

— Alors merci, dit-elle avec un sourire. Je crois… Je sais qu'il sera fou de joie d'avoir son propre chien.

— Il est…

Byron s'interrompit quand un van émergea des arbres. Isabel rougit en reconnaissant le son particulier du moteur diesel. La petite fille en elle eut envie de courir se réfugier dans la maison et d'attendre qu'il s'en aille. Ce qu'il ne fit pas, bien entendu. Matt sauta de son siège et marcha d'un pas nonchalant jusqu'à la porte de derrière, puis les vit. Isabel remarqua que Byron s'éloigna d'elle de deux ou trois pas quand son employeur approcha.

— Byron, tu as été chercher l'isolant ?

— Oui.

— Et tu as fini de nettoyer le fossé d'irrigation ?

Le jeune homme hocha la tête. Ayant eu des réponses à ses questions, Matt se détourna de lui, comme s'il ne l'intéressait plus. On aurait dit que Byron était de nouveau rentré dans sa coquille. Son visage s'était fermé.

— Désolé, je n'ai pas été dans le coin ces derniers temps.

Matt faisait face à Isabel à présent.

— J'étais pris par un chantier à Long Barton.

— Pas de problème.

— Mais je voulais vous dire que je reprends le boulot à partir de demain. Comme avant.

Il la regardait intensément, comme si ses paroles avaient un sens caché. Isabel tenait le chiot contre sa poitrine, contente de pouvoir fixer son regard sur autre chose que les yeux de cet homme.

— D'accord, fit-elle.

Il ne bougea pas. Elle croisa son regard, redressa les épaules. Il soutint le sien plus longtemps que nécessaire, mais, visiblement incapable d'y lire quoi que ce soit, tourna la tête.

— Il est à qui, ce chiot ? demanda-t-il.

— À moi, répondit Byron.

— Un peu jeune pour sortir, non ?

Byron reprit l'animal des mains d'Isabel et le replaça dans la boîte.

— Je les ramène tout de suite à la maison.

Matt semblait ne pas vouloir partir. Son regard passa de l'un à l'autre, puis se posa sur Byron.

— J'ai oublié de préciser une chose. À partir de demain, je te mets sur le chantier Dawson. D'accord ? Il y a de l'élagage à faire. Oh, et j'ai quelque chose pour toi.

Il sortit une enveloppe et se mit à compter ostensiblement des billets.

— … et vingt. Voilà ta paie. Ne dépense pas tout d'un coup, dit-il avec un sourire.

Byron accepta l'argent d'un geste raide.

— Bon, mon gars, poursuivit Matt, on ne va pas déranger Mme Delancey toute la soirée. Tu veux que je te ramène au village ?

— Non, dit l'autre. Je suis garé de l'autre côté du lac.

En l'entendant siffler, ses deux chiennes apparurent et sautèrent derrière lui tandis qu'il s'engageait sur le chemin d'un pas vif. Isabel se retint de le rappeler. Matt le regarda partir, puis se tourna vers elle. Il avait perdu de sa superbe.

— Isabel, dit-il doucement. Je voulais te parler de…

La porte de la cuisine s'ouvrit soudain et Kitty apparut, une mèche de cheveux au coin de la bouche. Elle la retira brièvement pour parler.

— Tu vas m'aider à préparer le dîner ou pas ? Ça fait des heures que tu es dehors.

Se félicitant de cette interruption, Isabel se tourna de nouveau vers Matt.

— Désolée, le moment est mal choisi, on ne peut pas parler maintenant.

Kitty tendit une passoire.

— La plupart des patates ont des machins qui leur poussent dessus.

— Écoutez, dit-elle brusquement, nous avons… J'ai de quoi couvrir les autres travaux que vous aviez suggérés.

Un air ravi illumina soudain le visage de l'homme ; peut-être s'imaginait-il qu'elle avait d'autres raisons de le faire venir chez elle.

— La tuyauterie, le chauffage et la salle de bains, précisa-t-elle alors. Nous avons vraiment besoin de la salle de bains.

— Je reprends le boulot demain.

— Parfait.

Elle se glissa dans la cuisine et referma la porte derrière elle avec soulagement.

Chapitre 16

Si Byron Firth n'avait pas de grandes attentes dans la vie, il fut forcé d'admettre que la maison d'Appleby Lane ne ressemblait guère à l'idée qu'il s'en était faite. Il avait pensé trouver une petite maison jumelée, un peu comme celle que sa sœur et lui avaient quittée, nichée dans une impasse des années 1970 avec un minuscule carré de jardin à l'avant et à l'arrière. Sa sœur avait parlé de deux chambres, alors il s'était imaginé une maisonnette ou un logement social. En réalité, il découvrit une chaumière dans une rue tranquille, sur une petite parcelle de terrain, presque une parodie de campagne anglaise, avec grosses poutres et plates-bandes.

— Tu veux autre chose, Byron ?

Il s'appuya contre le canapé moelleux.

— Non merci. C'était délicieux.

— Jason met de l'eau à chauffer. Ensuite, il aimerait te montrer les plans que nous avons faits pour le jardin. Les haies et tout ça. Tu pourras peut-être nous conseiller.

Byron doutait que Jason lui demande son avis. Le courant n'était jamais vraiment passé entre eux. Il regardait les petits copains de Jan – et beaux-pères potentiels pour Lily – avec méfiance. Mais il comprenait les tentatives de sa sœur et, conscient de leur hospitalité, trouvait normal de jouer le jeu.

— Bien sûr. Je vais rester un peu.

L'été était arrivé brusquement dans ce petit coin d'Angleterre. La nature grouillait d'activité : des pousses vertes jaillissaient des taillis, tandis qu'un tapis de fleurs s'étendait du côté est depuis plusieurs semaines déjà. Pendant que sa sœur repartait dans sa cuisine immaculée, Byron laissa tomber sa tête contre les coussins et ferma les yeux. Le rôti de bœuf avait été délicieux. Mais le canapé… Il lui avait fallu dormir plusieurs semaines sur un sol en béton pour découvrir qu'un sofa pouvait être aussi confortable. Certes, c'était un homme coriace, mais comment tolérer une nuit de plus dans la chaufferie après ça ? Cela durait déjà depuis trop longtemps. Le vieil homme de Catton's End ne lui avait pas encore réglé le plus petit des chiots, et Mme Dorney de la jardinerie voulait le sien après son déménagement. Il avait trouvé une petite maison à cinq kilomètres de là, sur une immense ferme laitière. Les propriétaires ne voyaient pas d'inconvénient à ce qu'il y amène ses chiens, et avaient même quelques corvées à lui proposer, mais tant qu'il n'avait pas vendu toute la portée, il était incapable de régler l'acompte dans son intégralité. Et le fruit de la vente n'atteindrait même pas la somme que le logeur exigeait. Il lui faudrait accepter toutes les heures supplémentaires que Matt pourrait lui proposer.

— Tu peux m'aider à assembler cette chaise ?

Lily grimpa sur ses genoux et lui tendit les pièces détachées du mobilier miniature qu'il lui avait apporté. Elle lui avait montré sa chambre, et la maison de poupée qu'« oncle Jason » lui avait offerte. Surmontée d'un toit de chaume, elle mesurait presque un mètre de haut.

— Il tenait à ce qu'elle se sente chez elle, avait dit Jan. Il l'a fabriquée lui-même. C'est une réplique de son cottage.

Le monosyllabique Jason l'avait surpris, une fois de plus. Rien dans l'attitude de cet homme ne laissait penser qu'il était capable de produire une telle création.

— Passe-moi la colle, Lily.

Il se pencha en avant, en prenant garde à ne pas laisser couler le petit tube.

— Tu pourras faire les trucs de la cuisine après ?

— Bien sûr.

Elle lui lança un regard espiègle.

— L'amie de maman, Sarah, elle t'aime bien. Maman a dit qu'elle pouvait t'avoir, mais qu'il fallait aussi qu'elle prenne ton linge sale.

Sa sœur lui en avait dit autant la dernière fois qu'il lui avait tendu ses vêtements à laver.

— Bon sang, Byron. Ça traîne depuis combien de temps ?

Elle avait repoussé le sac de linge.

— Ça ne te ressemble pas.

— La machine à laver de mon pote a rendu l'âme. Alors j'ai pris un peu de retard.

Il avait fait semblant d'être distrait par le jardin. C'était un des plus gros inconvénients de son logement de fortune. La laverie la plus proche était à une vingtaine de kilomètres, ce qui lui aurait coûté de précieuses économies en essence. S'il rinçait son linge dans le lac, il avait encore l'air sale et mettait plusieurs jours à sécher. Parfois, tandis qu'il écoutait la musique d'Isabel, il s'imaginait s'introduire dans la buanderie et utiliser sa machine en douce. Mais ce n'était pas envisageable. Et s'il oubliait une chaussette dans le tambour ? À présent, il écoutait tranquillement le roulis lointain du lave-linge de sa sœur. L'estomac plein, un siège moelleux, et la promesse de vêtements propres. Il tendit à Lily la chaise de poupée assemblée. Il en fallait peu pour rendre une personne heureuse, quand on y pensait.

— Elle est très jolie, dit Lily. Elle a de longs cheveux.

— Byron.

Jason entra et s'assit sur un des fauteuils. Byron se redressa légèrement. C'était si facile de s'endormir.

— Bel endroit, dit-il. Tout est… très joli.

— J'ai fait presque tout le gros œuvre avec mon père il y a quelques années.

— C'est mieux que notre ancienne maison.

Lily apposait des autocollants sur les petits meubles en bois.

— Même si je l'aimais bien.

Tout en faisant cette remarque à Jason, Byron sourit à sa nièce.

— Tu donnerais du fil à retordre à Matt McCarthy, ajouta-t-il.

— Ne le prends pas mal, mon pote, mais je ne laisserai jamais ce type entrer dans ma maison. Avec toutes les histoires qu'on entend sur lui.

Il aurait voulu demander : « Quelles histoires ? » Lily fredonnait tout en disposant minutieusement les éléments de sa maison de poupée. Jason reprit la parole.

— Lily, mon cœur, tu peux aller demander à ta maman si elle veut que je sorte plus de biscuits ?

La fillette se leva et se rendit à la cuisine, mue par le mot magique. Quand elle fut loin, Jason parla à voix basse.

— Écoute, Byron, je sais que tu n'es pas ravi de ma relation avec ta sœur…

Byron voulut l'interrompre, mais Jason leva une main.

— Non, laisse-moi finir. Elle m'a raconté ce qui t'était arrivé. La prison et tout. Et je veux que tu saches une chose. (Son regard était intense et sincère.) Je ne lèverai jamais la main sur ta sœur ni sur Lily. Je ne suis pas… ce genre de mec. Je voulais que tu le saches. Et aussi qu'à ta place j'aurais sûrement fait la même chose.

Byron déglutit.

— Je ne voulais pas…

— Ouais ?

— Il a fait une mauvaise chute, dit-il finalement. C'était il y a longtemps.

— Ouais. Elle m'a dit.

Il sembla retenir un « mais ». À travers la porte, Byron entendait la bouilloire siffler, le bruit des tasses qu'on sortait du placard.

— Quoi qu'il en soit, maintenant tu sais. Je vais probablement la demander en mariage, quand elles seront bien installées et tout.

Byron appuya la tête contre le dossier du canapé et tenta de digérer cette information. L'homme qu'il avait voulu détester se révélait sous un jour inattendu. Il le vit autrement dans son propre foyer. Peut-être était-ce ainsi pour la plupart des gens. Plusieurs longues minutes s'écoulèrent.

— Je vais voir si le thé est prêt, dit Jason. Avec du lait et sans sucre, c'est ça ?

— Merci, répondit Byron.

Au même instant, sa sœur émergea de la cuisine avec un plateau.

— Je ne sais pas ce que tu as avec les biscuits, fit-elle en donnant un coup de coude à son compagnon avant de s'asseoir à côté de lui. Tu sais bien qu'on a fini les derniers sablés ce matin.

Elle remplit une tasse et la tendit à son frère.

— Au fait, tu ne m'as pas tout dit… même si tu m'as déversé une demi-tonne de linge sale. C'est qui ce pote chez qui tu loges ?

Depuis trois jours, Thierry était certain de l'entendre. Une sorte de grognement ou de gémissement étouffé, semblant venir de sous la terre, chaque fois qu'il passait devant la grange à l'autre bout de la maison.

— Probablement des renardeaux, avait dit Byron. Ils ont dû faire leur terrier par là. Viens, on a des faisans à nourrir.

Byron lui avait dit qu'on ne devait jamais déranger un animal sauvage sans raison, surtout un bébé. Si on prenait un bébé ou dérangeait un nid, les parents risquaient de prendre peur et de ne jamais revenir. Mais Byron était absent ce jour-là. Thierry attendait sous le soleil, parfaitement immobile, tête inclinée, cherchant à déceler la provenance du bruit. À l'étage, dans la chambre de Kitty, il y avait de la musique. Maman et elle faisaient de la peinture. Leur mère avait dit que sa sœur pouvait décorer ses murs comme elle le voulait. Il demanderait à peindre des planètes. Il aimait l'idée d'avoir le système solaire derrière sa fenêtre et à l'intérieur en même temps. Autour de lui, il entendait le murmure des pins sylvestres, dont la brise chaude charriait le parfum vers lui. Voilà que ça recommençait. Thierry sortit les mains de ses poches et contourna la maison. Il s'arrêta devant la vieille porte rouillée. Byron lui avait appris à repérer des pistes, et à présent, en examinant le sol, il vit que cette porte avait été ouverte récemment. Il fronça les sourcils. Comment un renard aurait-il pu ouvrir une porte – en particulier une aussi lourde que celle-là ? Il avança, posa les doigts sur le bord et tira. Il entra et attendit que ses yeux s'adaptent à l'obscurité. Thierry ne put que distinguer la forme en L de la pièce. Quand il referma la porte derrière lui et descendit les marches, le gémissement et le grognement reprirent et il les suivit, tombant alors sur quelque chose de familier. Il se pencha en avant et sortit un des chiots de Byron de la caisse, qu'il tint fermement dans ses bras. Il avait dû les mettre là pour qu'ils soient à l'abri pendant qu'il travaillait. Thierry s'assit sur le sol en béton, laissa les bêtes sauter sur lui et lui lécher le visage, ce que sa sœur s'obstinait à trouver révoltant. Lorsqu'ils se calmèrent et allèrent renifler ailleurs, il se rendit compte qu'il y avait autre chose dans la pièce. Une chaise pliante dans un coin, un sac de couchage sur une bâche, un sac à dos et quelques paquets. Non loin, il vit les bols des chiens. Une tasse avec une brosse à dents et un tube de dentifrice tenait en équilibre au bord d'un petit lavabo. Thierry pressa le tube dans sa bouche. Pourquoi est-ce que Byron camperait ici ?

— Thierry ! l'appela sa mère d'en haut. À table ! Thierry !

Il reposa soigneusement le dentifrice à sa place.

— Chut, chuchota-t-il aux chiens, un doigt sur la bouche. Chut.

Thierry s'y connaissait en matière de secrets ; il savait que certaines choses méritaient d'être préservées, et ne voulait pas que Byron ait le sentiment qu'on avait dérangé son nid.

Une main se rappelle la musique longtemps après avoir cessé de jouer. De la même façon, les doigts d'Isabel se rappelaient encore la sensation que leur procurait son vieux violon bien après qu'il les eut quittés. Cette pensée la traversa tandis qu'elle mimait le Dvořák, imaginant la tension des cordes, le contact du Guarneri sous son menton. Elle ne tiendrait sans doute plus jamais un tel instrument entre les mains, n'entendrait plus son timbre velouté, ne sentirait plus le frisson puissant des notes, mais il y avait des compensations, se dit-elle. L'été leur avait apporté une sorte de paix après les semaines turbulentes du printemps. Le potager s'épanouissait. Elle avait acheté un grand congélateur qu'elle avait mis dans la salle à manger pour les réserves, et à présent que les vacances d'été avaient commencé, Kitty s'occupait du poulailler ; elle élevait des poules noires, des poules naines, d'énormes Orpingtons en jupon. Les œufs et les poules leur assuraient un revenu modeste mais régulier. Les deux portes de la maison restaient ouvertes dans la journée, et Isabel trouvait souvent un jeune coq au plumage extravagant la dévisageant depuis le canapé, ou une poule taciturne nichée dans un tas de linge. Elle n'y trouvait pas grand-chose à redire, tant elle aimait voir Kitty et Thierry s'amuser avec les volatiles. C'était bon de les voir s'intéresser à quelque chose, sortir de leur deuil. Thierry passait le plus clair de son temps dans les bois, rapportait des champignons, des herbes pour la salade, ou une pleine brouette de bois de chauffage pour l'hiver à venir. Isabel l'imaginait crier pour appeler le chiot que Byron lui avait offert. En voyant l'expression de son fils au moment où il avait compris que l'animal était à lui, elle avait failli pleurer.

Dis quelque chose, Thierry, lui avait-elle intimé en silence. *Montre ta joie. Tournoie, crie, comme le petit garçon que tu es.*

Mais il s'était dirigé vers elle et avait passé les bras autour de sa taille. Elle l'avait serré fort, craignant de lui montrer qu'elle avait espéré davantage.

— Il faudra bientôt qu'il commence à dresser ce chiot, avait fait remarquer Byron devant Thierry.

Isabel avait alors espéré que le petit animal rendrait à son fils l'usage de la parole. Ce matin-là, Byron lui avait appris à débiter du bois. Elle s'y prenait très mal, apparemment. La hache était émoussée. En appuyant une extrémité du bois sur une bûche et en frappant au milieu, elle risquait de se faire crever un œil par un éclat de bois. Elle devait fendre, et non couper. De ses mains puissantes, il donna un coup net dans la masse et lui montra comment retirer la hache du bois à l'aide d'un marteau.

— Mais c'est bon pour vous, dit-il, souriant tandis qu'elle levait de nouveau l'outil. Ça vide la tête. C'est thérapeutique.

— Tant que je ne me tranche pas les pieds.

Les mains d'Isabel se couvrirent peu à peu de callosités et d'éraflures, à force de tailler, d'affronter les buissons de groseilles et les framboisiers. Elle se coupa en écorchant les lapins, tandis que les travaux de peinture – dans les pièces qui n'étaient pas recouvertes de plastique – lui durcirent les paumes. Elle était résolue à égayer cette maison partout où elle le pouvait. Elle se dit que Laura McCarty et sa clique trouveraient ses efforts désastreux, en découvrant les boiseries grossièrement peintes, les couleurs basiques, les peintures murales qui grimpaient vers l'étage comme du lierre vert et jaune. Ça lui était égal : chaque empreinte qu'ils apposaient dans ce lieu en faisait davantage un foyer, plus qu'un logement de fortune où ses enfants et elle avaient atterri par accident. Mais la maison espagnole avait cette étrangeté, ce qu'elle n'osa s'avouer qu'après la remarque de Kitty.

— J'aime bien cette maison, lui avait dit sa fille un soir. Beaucoup plus qu'à notre arrivée. Même avec tous les trous et le bazar. Mais on dirait qu'on ne peut pas se sentir chez nous ici, tu ne trouves pas ?

Isabel l'avait rassurée en lui disant que les travaux n'étaient pas terminés et que c'était impossible de juger avant qu'ils l'aient totalement arrangée à leur goût. Elle lui parla de nouvelles salles de bains et de fenêtres à remplacer. Mais elle savait qu'il y avait du vrai dans la remarque de Kitty.

Est-ce à cause de toi ? demanda-t-elle à Laurent. *Nous est-il impossible de constituer un foyer sans toi ?*

Pendant toute cette période, elle avait évité Matt – pour autant qu'on puisse éviter une personne qui passe ses journées à aller et venir sous vos yeux. Parfois, c'était facile, comme aux heures où elle sortait donner des cours de violon. Elle avait développé toutes sortes de stratégies pour s'assurer de ne jamais se retrouver seule avec lui – en restant près de Byron ou des autres ouvriers lorsqu'elle leur apportait le thé, en demandant aux enfants de l'aider dans ses tâches – et réservait tout échange absolument nécessaire aux moments où il se trouvait avec Anthony. Certes un peu moins guilleret et bavard qu'à l'accoutumée, Matt jouait le jeu, et elle était convaincue qu'il s'accommodait parfaitement de cette distance. Elle avait cru déceler des tensions entre père et fils. Ils s'adressaient à peine la parole, et Anthony regardait Matt avec un mépris à peine dissimulé. Si le garçon ne s'était pas montré aussi charmant avec elle, elle aurait pu craindre qu'il n'ait découvert la vérité. De temps à autre, elle sentait le regard brûlant de Matt dans son dos, mais se débrouillait généralement pour l'esquiver. Elle se trouvait dans le potager lorsqu'il la surprit seule. C'était la fin de l'après-midi, Kitty et Thierry étaient dans les bois avec le chiot, et elle avait décidé de déterrer quelques pommes de terre rattes pour le dîner. Évitant la pelle pour ne pas les fendre, elle les délogeait à mains nues, agenouillée sur une vieille toile, puis les jetait dans un seau en fer où elle les laverait ensuite. Elle trouvait une certaine satisfaction dans ce simple geste, aimait sentir ce présent de la terre à la forme étrange, s'étonner de sa taille en le sortant. Elle s'arrêta pour mettre ses cheveux en arrière et étudia ses doigts. Autrefois immaculés, ils étaient désormais mouchetés, et les ongles mal taillés montraient des croissants noirs de terre.

Oh, Laurent, que ferais-tu de moi, dans cet état? pensa-t-elle avec un sourire.

C'était la première fois qu'elle pensait à lui sans en avoir le cœur serré. Elle tira sur la dernière pomme de terre, la sépara de sa racine et remit la terre en place. Ensuite, elle se frotta les paumes l'une contre l'autre, et sursauta en entendant une voix.

— Tes mains sont encore magnifiques.

Matt était derrière elle, appuyé à la pelle.

Elle tenta de lire son expression, puis se redressa et secoua la toile.

— La salle de bains avance ? demanda-t-elle avec un ton neutre. Vous pensiez finir cette semaine.

— Je ne veux pas parler de ça, dit Matt. Ça fait des semaines qu'on s'évite. Je veux parler de nous.

— Il n'y a pas de nous, Matt, répliqua-t-elle avec fermeté en ramassant le seau. Vous ne pouvez pas dire ça.

Il s'approcha d'elle et Isabel se demanda si les enfants étaient dans les parages – ou n'importe qui d'autre.

— J'étais là, Isabel, murmura-t-il d'une voix complice. Et j'ai vu ce que tu as ressenti, ce que *nous* avons ressenti. Ce que j'ai dit après… C'était une erreur, un malentendu. Je n'ai pas cessé d'y penser. De penser à nous.

Isabel se dirigea brusquement vers la maison.

— Matt, s'il vous plaît, dit-elle.

— Je sais ce que j'ai ressenti, Isabel.

Elle se retourna.

— Il vaut mieux terminer le travail entamé et en rester là.

— Tu as besoin de moi ici, Isabel. Personne ne connaît cette maison mieux que moi.

— Peut-être, dit-elle dans le vent, mais je ne crois pas que ce soit bien, ni pour moi ni pour vous. Finissons la salle de bains et ensuite…

Elle était arrivée devant la cuisine.

— Je dois y aller, dit-elle.

Elle ferma la porte et se tint de l'autre côté.

— Isabel ? Qu'est-ce que j'ai fait pour te mettre en colère à ce point-là ? Pourquoi tu me fais ça ?

Elle eut peur qu'il ne tente de forcer la porte.

— Isabel, je ne pensais pas ce que j'ai dit l'autre nuit. Je me suis mal exprimé.

— Je n'ai pas envie d'en discuter.

Quelques secondes s'écoulèrent. Puis la voix de Matt résonna de nouveau près de la porte, comme s'il avait posé son visage contre elle. Il parlait tout bas, tel un conspirateur.

— Tu ne peux pas prétendre que rien n'a changé.

Isabel attendit, sentit le poids du silence au-dehors, puis, entendant ses pas s'éloigner enfin, elle poussa un profond soupir. Elle leva une main à son visage, une main sale, couverte de terre, méconnaissable. Tremblante.
Matt rentra chez lui tout seul. Byron, qui lui avait à peine adressé la parole de la journée, s'était éclipsé avant lui, et Anthony avait décidé de rester avec Kitty un peu plus longtemps.

— Ta mère t'attend, avait dit Matt, jalousant la liberté du garçon de s'attarder dans cette maison.

— Non, pas du tout. Je lui ai dit que je restais ici pour voir un film. Tu n'écoutes pas.

En d'autres circonstances, Matt l'aurait giflé pour son insolence, mais il avait été distrait par Isabel qui, loin de leurs petites chamailleries, jouait du violon à l'étage. Sa musique le gênait à présent. Elle faisait resurgir dans son esprit des images de leur nuit, lui rappelait son souffle sous lui. Il ne comprenait pas ce qui s'était passé entre eux : il savait ce qu'elle avait ressenti – pourquoi le niait-elle ? Il se gara dans son allée et claqua la portière avec agacement. Bernie clopina vers lui, mais il ne prêta aucune attention au chien, cherchant à dissiper ses pensées. « Pas de nous », avait-elle dit. Comme si cela avait été une erreur. Il ouvrit le four et constata qu'il était vide.

— Où est mon dîner ? hurla-t-il vers l'étage.

N'obtenant aucune réponse, il s'agita dans la cuisine, souleva les couvercles des casseroles, essayant de comprendre où elle l'avait mis.

— Où est mon dîner ? répéta-t-il quand Laura apparut sur le seuil.

— Bonsoir, ma chérie, tu as passé une bonne journée ? Très bonne, merci, ironisa froidement son épouse.

— Salut, chérie, dit Matt avec une patience exagérée. Je veux juste savoir où est mon dîner.

— Eh bien… il y a des côtelettes dans le congélo, une brique de soupe ou du poulet froid dans le frigo. Du fromage et des biscuits. À toi de choisir.

Il la dévisagea.

— Matt, tu refuses depuis des semaines de me dire à quelle heure tu vas rentrer ni même si tu vas rentrer, ajouta-t-elle, alors j'ai trouvé plus commode de ne pas m'en soucier. Tu n'as qu'à te débrouiller à partir de maintenant.

Il se raidit.

— Tu trouves ça drôle ?

Elle croisa son regard hostile et le lui rendit.

— Non, Matt. Je ne trouve pas ça drôle du tout, mais je ne suis pas la fée du logis. Si tu ne prends même pas la peine de dire bonsoir en rentrant, pourquoi je me fatiguerais à te préparer à manger ?

— Ne m'énerve pas. Je veux seulement quelque chose à béqueter.

— Et je t'ai répondu. Il y a plein de nourriture. Tout ce que tu as à faire, c'est te préparer une assiette.

Elle sursauta lorsque son mari tapa du poing sur le plan de travail.

— C'est ta façon de te venger, c'est ça ? Ta petite vengeance ? Tu crois que j'étais où, toute la journée, Laura ? De l'autre côté de la route, avec ton fils, en train de faire ce que tu voulais, c'est-à-dire augmenter nos chances d'obtenir un jour cette fichue maison. En train d'installer la tuyauterie, les salles de bains. De remplacer les fenêtres. Et tu crois que tu me peux laisser mourir de faim simplement parce que tu n'as pas toute mon attention ?

— Ne t'en prends pas à moi, Matt. Tu sais très bien de quoi il s'agit.

— Je vais au pub. Je refuse de m'infliger ça après une journée de travail.

Il se dirigea vers la porte.

— Je trouverai à manger là-bas, et un accueil chaleureux.

— Parfait ! cria Laura pendant qu'il grimpait dans son van. Et peut-être aussi un lit !

Un plat de lasagnes réchauffé au micro-ondes arrosé de plusieurs pintes ne suffit pas à remonter le moral de Matt. Assis sur le tabouret au bar, il répondit par monosyllabes à tous ceux qui tentèrent d'engager la conversation avec lui. Il ruminait ses idées noires. Le patron avait donné des coups de coude à Theresa à plusieurs reprises et lui avait murmuré : « Surveille-le. » Quelques habitués du lieu, qui normalement échangeaient des plaisanteries avec lui, avaient compris que l'humeur n'y était pas et gardé leurs distances.

— Ça va, Matt ?

Mike, l'agent immobilier, s'était assis à côté de lui. Je t'en offre une autre ?

Le verre de Matt était de nouveau vide.

— Une pinte, merci.

— C'est calme, ce soir.

Mike adressa son commentaire au bar dans son ensemble, déchiffrant peut-être l'humeur de Matt.

— C'est à cause du foot, expliqua le patron. C'est toujours comme ça les jours de match. Ils vont arriver vers 22 heures s'il n'y a pas de tirs au but.

— Je déteste ça, dit Theresa. C'est barbant. Mais bon, un rien m'ennuie.

— Comment avancent les travaux dans la maison, Matt ? demanda Mike en faisant glisser la chope vers lui. Il paraît que tu l'as totalement démontée ?

Matt hocha la tête.

— Tu sais dans quel état c'était, répondit-il.

— Et comment ! J'aimerais bien voir ce que tu en as fait, un de ces jours…

— Ce sera magnifique, dit Matt en levant soudain la tête. Ça va être phénoménal. Une maison de rêve. Plus beau que tout ce que tu peux imaginer.

Mike le dévisageait.

— Super ! J'ai hâte de voir ça. Je te passe un coup de fil dans la semaine.

Theresa attendit que Mike soit parti et que le patron soit en cuisine pour se diriger vers Matt.

— Vas-y mollo, dit-elle. Tu les écluses un peu trop vite.

Il la regarda avec hostilité.

— Tu vas me dire ce que je dois faire, maintenant, Theresa ?

Elle prit un air sérieux.

— Je ne veux pas que tu aies des ennuis. Que tu prennes le volant dans cet état, je veux dire.

Il la regarda, puis ce fut comme s'il la voyait pour la première fois.

— Tu t'inquiètes pour moi, hein ? bredouilla-t-il.

Elle posa discrètement une main sur la sienne et fit courir ses doigts sur ses articulations.

— Tu le sais bien. Énormément.

Il se redressa et jeta un regard dans le pub à moitié vide.

— Retrouve-moi à l'arrière, dit-il à voix basse. J'ai besoin… de te parler.

Il décela de l'excitation et de la joie sur le visage de la jeune femme. Ensuite, elle trottina vers son patron et lui marmonna quelque chose à l'oreille.

— Cinq minutes, concéda l'homme en jetant un regard sévère à Matt.

Ensuite, le sol tanguant sous ses pieds, Matt se retrouva dans la nuit fraîche, marchant vers le parking. Elle était dans la cour, à côté des caisses, et des papillons de nuit voletaient sous les lumières de sécurité au-dessus de sa tête. Tandis qu'il s'approchait d'elle, elle se jeta à son cou.

— Tu m'as tellement manqué, dit-elle en l'embrassant.

Elle avait un goût de spray pour l'haleine, comme si elle s'était rafraîchi la bouche quelques secondes avant de le retrouver.

— Dis-moi ce que tu as à me dire. Je croyais que tu t'étais lassé de moi. (Elle glissa les mains sous le tee-shirt de Matt.) Je déteste quand je ne te vois plus. Quand tu ne viens pas, la nuit paraît interminable.

— Je compte pour toi, alors ?

Elle pressa sa poitrine contre lui. Elle sentait la vanille.

— Plus que tout. Que n'importe qui.

Elle souffla dans son oreille, passa les doigts sur sa nuque.

— Lève ta jupe, ordonna-t-il d'une voix sourde.

Il la vit hésiter, mais n'en tint pas compte. Ses gestes étaient devenus lourds et maladroits, il tira sur son chemisier, attrapa sa jupe et poussa la fille contre les cageots.

— Matt, je ne sais pas si je… Pas ici.

Il ignora ses protestations. Il fit passer la jambe de Theresa autour de lui, enfouit ses lèvres dans son cou, l'embrassa, lui caressa les seins, les fesses, les cheveux, jusqu'à ce qu'elle cesse de protester. Ensuite, il donna un brutal coup de reins, se perdit en elle, les yeux fermés, essayant de retrouver les sensations qu'il avait eues dans l'obscurité de cette maison, avec les cheveux d'Isabel tombant autour de lui. Il *la* baisait, *la* possédait, entendait *sa* musique dans ses oreilles. C'était *elle.* Il fallait que ce soit elle. Il sombra dans un abîme, avec des gestes bruts et effrénés. Ça lui était égal qu'on le surprenne. Il était vaguement conscient que les gémissements de Theresa étaient passifs, comme s'il aspirait son énergie. Puis, avec un grognement étouffé, il jouit et s'écroula contre elle. Vide. Laid. C'était mal. C'était pire que mal. Il laissa échapper un long soupir et recula, reprenant son équilibre avec le bras. Il remit son jean en place et vit que la fille le regardait avec méfiance, tout en bataillant avec les boutons de son chemisier.

— Désolé, dit-il en remarquant qu'il en manquait.

Il croyait qu'elle se jetterait de nouveau à son cou, qu'elle plongerait dans son regard des yeux pleins d'adoration, avec sa mièvrerie habituelle. Qu'elle lui dirait que ce n'était pas grave. Que quoi qu'il fasse, ça lui allait. Mais elle semblait sonnée et se libéra de sa prise.

— Theresa…

— Je dois y retourner.

Elle remit sa seconde chaussure et se précipita vers le pub.

Laura était au lit à son retour. Il entra dans la maison silencieuse, remarqua les rideaux fermés, la lumière du palier allumé à l'étage. C'était immaculé, accueillant, paisible. Rien n'allait. Il n'était pas prêt à monter, ne savait même pas où il allait se coucher. Il ôta ses bottes, alluma la télévision, se versa un verre de whisky et le vida d'un trait. Comme cela ne l'aida pas à se sentir mieux, il en siffla un autre, l'esprit en ébullition. Finalement, à minuit et quart, il décrocha le téléphone et composa le numéro.

— C'est moi, dit-il.

Au premier, allongée sur leur grand lit, Laura écoutait son mari qui allait et venait d'un pas lourd en bas. Il était ivre, de toute évidence. Elle l'avait prédit, en ne le voyant pas rentrer après la fermeture du pub. Se demandant si elle devait faire amende honorable, elle avait même appelé le *Long Whistle*. Une fille avait répondu.

— Est-ce que Matt McCarthy était ici ce soir ?

Elle avait failli ajouter : « Je suis sa femme. »

Mais elle ne supportait pas d'endosser le rôle de l'épouse acariâtre. « Couvre-feu », avait-il écrit. Comme si elle était son geôlier. Il y avait eu un silence, qu'elle avait interprété comme de la diplomatie de bistrot.

— Oui, avait dit la fille. Mais il est parti.

Dix minutes plus tard, elle avait entendu des bruits de pneus dans l'allée. Laura avait hésité entre le soulagement – il s'était contenté d'aller au pub et de revenir – et la déception – il n'était pas monté la retrouver. Qu'aurait-elle fait s'il était monté ? Elle était à court de certitudes. Elle pensa à Nicholas lui tenant la main, lui disant que son mari était un crétin. Gênée, elle s'était écartée. Elle entendit sa propre voix révélant les secrets les plus intimes de son mariage à cet homme, et se sentit déloyale. Il y avait eu de l'intensité dans le regard de Nicholas. Elle avait conscience qu'il attendait simplement un signal de sa part. Elle lui en avait trop dit, mais n'avait rien fait d'autre. Le morceau de papier avec son numéro griffonné était dans la poche de son pantalon de jardinage. Elle le jetterait. Même si cela ne résoudrait en rien ses problèmes conjugaux, puisque Matt ne saurait rien de sa retenue. Il lui avait crié dessus, était allé au pub et était rentré saoul. Laura se redressa dans son lit, les mains de part et d'autre de la tête. C'était un désastre, et il fallait qu'elle agisse. « Tu veux être honnête ou tu veux être heureuse ? », lui avait dit une amie. Elle s'excuserait. Elle essaierait de réparer les dégâts. Elle était sur le point d'ouvrir la porte de sa chambre lorsqu'elle se rendit compte que Matt était au téléphone. Il avait dû utiliser son portable, puisque l'appareil de sa table de nuit ne s'était pas déclenché. Laura ouvrit la porte sans bruit et se posta sur le seuil, les orteils enfoncés dans le tapis beige.

La voix de Matt flotta vers l'escalier.

— Il faut que je te parle. Décroche. Je me suis rendu compte d'une chose.

Il s'arrêta, et elle tendit l'oreille pour décrypter les sous-entendus.

— Il faut que tu décroches, dit-il. S'il te plaît… Écoute, il faut que je te dise ce que je ressens. Tout ce qu'on s'est dit après cette nuit, c'était une erreur. Parce que je sais pourquoi tu es si bouleversée. C'est à cause de Laura. Tu n'es pas comme… Tu n'es pas ces femmes. Et je ne t'ai jamais considérée comme ça, d'accord ? Tu n'es pas qu'une distraction pour moi… On peut être heureux ensemble, toi et moi, dans la maison. C'est toi, Isabel. C'est toi…

Laura sentit son univers se déliter autour d'elle. Pendant un bref instant, elle crut qu'elle allait s'évanouir.

— Alors appelle-moi, fit la voix alcoolisée de son mari. J'attendrai près du téléphone, toute la nuit s'il le faut. Mais je sais…

Apparemment, il s'était endormi. Au-dessus de lui, Laura McCarthy regagna sa chambre d'un pas mécanique, comme en transe, et referma la porte. Elle ôta sa robe de chambre, la plia soigneusement au bout du lit, alla à la fenêtre et tira les rideaux. Elle voyait la maison espagnole se dessiner à travers les arbres, une seule lumière était allumée à l'étage. Laura la regarda et entendit au loin quelques notes de musique s'élever dans la nuit.

Un chant de sirène, pensa-t-elle, et tout son être brûla de douleur. *Un chant de sirène.*

Chapitre 17

Sans oser partager ses impressions, Isabel comparait les bois qui entouraient la maison espagnole à l'océan ; comme lui, ils lui semblaient sujets à de subtils changements d'humeur et d'apparence, tour à tour menaçants, grisants ou enchanteurs. Au bout de plusieurs mois, elle avait découvert qu'ils reflétaient ses propres sentiments. La nuit, lorsqu'elle était au plus mal, elle les trouvait sombres et terrifiants, habités par l'inconnu, pleins d'une hostilité invisible. Quand ses enfants couraient au milieu des arbres en poussant des cris de joie, avec le chiot qui aboyait à côté d'eux, c'était un lieu magique, un havre où l'innocence et l'émerveillement pouvaient encore triompher. Dès qu'elle pensait à Thierry faisant résonner sa voix dans la nature, celle-ci devenait une présence inoffensive, un endroit sûr, une barrière pour les protéger du monde cruel. À présent, tandis que pointait l'aube, les bois étaient porteurs de paix, les chants des oiseaux noyaient la cacophonie de son esprit. Ils soignaient ses maux, l'apaisaient. Là, elle pouvait oublier.

—Attention à cette racine.

Derrière elle, Byron lui désigna une grosse racine noueuse sortant de terre. Elle ajusta le panier de champignons sur sa hanche et ralentit le temps d'épauler son fusil.

—Je ne comprends pas. Je vise bien maintenant, je me suis assez exercée avec les cannettes. J'arrive à toucher une brique à cent mètres de distance, mais, dès que je sors, ils disparaissent avant même que je lève l'arme.

Byron réfléchit.

—Est-ce que vous faites du bruit ? Peut-être que vous les alertez sans le savoir.

Elle piétina des orties.

—Je ne crois pas. Je fais attention.

—Et vous sortez aux bonnes heures ? Je veux dire, vous en voyez beaucoup ?

—Tard le soir, comme vous m'avez dit. Ou tôt le matin. Ils ne manquent pas, Byron. J'en vois partout.

Il lui tendit le bras au moment où ils passèrent près d'un fossé. Isabel le saisit brièvement, même si elle n'en avait plus besoin. Elle avait gagné en adresse au cours des derniers mois, ses muscles s'étaient endurcis et élancés à force de marcher sur un sol irrégulier, de tirer, de peindre, de lever. Pour elle qui n'avait jamais été consciente de son corps excepté dans sa relation avec son violon, cette nouvelle condition physique était appréciable.

— Et vous ne portez pas votre manteau bleu clair, ajouta-t-il.

Elle sourit.

— Non. Je ne porte pas mon manteau bleu clair.

— Voyons dans quel sens souffle la brise. Si vous êtes sous le vent par rapport à eux, ils vont vous sentir bien avant que vous les voyiez. Toutes vos précautions ne serviront à rien.

— À quoi ça sert ? demanda-t-elle en désignant le foulard vert qu'il lui avait fait nouer autour du cou.

— C'est un camouflage. Pour cacher votre visage au lapin.

Elle rit.

— Pour qu'il ne me reconnaisse pas ? Comme le foulard du truand ?

— Ça peut prêter à rire, mais les lapins sont malins. Aucun autre animal n'est mieux armé pour détecter les prédateurs.

Isabel le suivit vers la lisière du bois.

— Je ne m'étais jamais vue comme une prédatrice auparavant.

Il n'avait pas amené ses chiens avec lui ce jour-là. Ils étaient trop nerveux à cette heure matinale, lui avait-il expliqué quand, encore à moitié endormie, elle était sortie par la porte de derrière. Ils alerteraient n'importe quelle créature dans un rayon de sept kilomètres. Il avait dû l'attendre, alors qu'elle lui avait demandé de la retrouver à 5 h 30. C'était la troisième fois qu'il l'accompagnait, toujours en début de journée, avant de commencer son travail pour Matt. Tout juste après l'aube : c'était le meilleur moment de la journée, lui avait-il dit. Ils avaient vu des jeunes cerfs, des blaireaux, une renarde et ses petits. Il lui avait montré les faisans qu'il élevait pour un fermier du coin, et elle s'était émerveillée de leur plumage vif et coloré, contrastant avec les bruns et les verts plus discrets de la campagne anglaise, les avait regardés se pavaner tels des rajahs indiens dans un paysage muet. Il avait arraché des oxalis et des feuilles de cresson, cueilli des feuilles d'aubépine sur les haies et lui avait raconté qu'il en mangeait, enfant, sur le chemin de l'école. Il ne les porta pas à la bouche d'Isabel, comme Matt l'aurait fait, mais les déposa délicatement entre ses doigts. Elle s'empêcha de regarder les mains de Byron. Elle ne le verrait pas de cette façon. Elle ne gâcherait pas la relation précieuse qu'ils avaient. Il lui raconta qu'il avait suivi une formation pour enseigner, et sourit devant son air surpris.

— Vous ne pensiez pas que j'étais ce genre-là ?

— Non. Je déteste donner des cours de violon, à tel point que j'ai du mal à croire que quiconque ait envie d'en faire son métier.

Elle leva les yeux vers lui.

— Mais vous êtes doué avec les enfants, ajouta-t-elle, songeuse. Avec Thierry. Vous auriez fait un bon professeur.

— Oui.

Il marqua un temps d'arrêt.

— Enfin, ça me va.

Il ne dit pas pourquoi il avait renoncé à l'enseignement, et elle ne lui posa pas la question. Quand on avait la possibilité de vivre dans un tel cadre, libéré des restrictions mesquines et des frustrations de la vie moderne, un tel choix se comprenait aisément. Elle avait le sentiment que Byron aimait se retrouver seul avec elle. Ses gestes devenaient plus fluides, sa parole se libérait. Le trouvant plus à l'aise, et n'ayant personne d'autre à qui parler, elle lui fit part de son sentiment sur la maison.

— C'est difficile. Parce que j'aime vivre ici maintenant. J'ai du mal à nous imaginer retourner habiter en ville. Mais, parfois, j'ai peur qu'elle nous mène à la ruine.

Byron sembla se retenir de lui révéler le fond de sa pensée.

Pas étonnant, songea-t-elle. *Il travaille pour Matt.*

— C'est une grande maison, dit-il prudemment.

— C'est un gouffre financier. Toutes mes économies sont en train d'y passer. Et j'aimerais que Matt finisse. Je sais que vous travaillez pour lui, Byron, mais je trouve sa présence... un peu pénible. Je serais contente de vendre, de déménager dans un endroit plus gérable, mais il a engagé un si vaste chantier – il ne reste pas une pièce intacte. Nous n'avons toujours pas de salle de bains fonctionnelle. Et je ne peux pas vendre la maison dans cet état – pas si je veux en tirer assez d'argent pour acheter quelque chose d'à peu près convenable. Le hic, c'est que je n'ai pas les moyens de lui régler la fin des travaux. Même avec tout ça, ajouta-t-elle en désignant d'un geste les champignons. Malgré toutes les économies que nous faisons. J'ai à peine de quoi payer ce qu'il a déjà fait.

Elle pensa alors à l'affreux message téléphonique qu'elle avait découvert la veille. Elle l'avait immédiatement supprimé, horrifiée à l'idée que ses enfants tombent dessus. « On pourrait être heureux ensemble », avait-il dit, comme s'il savait quoi que ce soit sur elle.

— Mais bon, je suis sûre que je vais trouver une solution.

Elle sourit, espérant qu'il ne voie pas les larmes qui lui piquaient les yeux.

— Je devrais peut-être me mettre à la plomberie et rénover moi-même ma salle de bains.

C'était une boutade, mais Byron ne rit pas. Ils continuèrent de marcher, en silence. Isabel se demanda si elle l'avait mis mal à l'aise. Il serrait la mâchoire.

— Quelle belle matinée, dit-elle enfin, regrettant de s'être confiée à lui sur son employeur. Parfois, j'ai l'impression que je pourrais passer ma vie dans ces bois.

Il hocha la tête.

— Quand on sort à l'aube comme ça, on se sent seul au monde.

Elle comprenait ce qu'il voulait dire. Parfois, lors de matins comme celui-là, elle aimait se sentir coupée de la civilisation, savourait la satisfaction de rentrer avec des provisions pour sa famille. Lorsqu'on pouvait récolter de la nourriture à partir de rien, vivre là semblait beaucoup moins intimidant. Byron leva un bras.

— Voilà, dit-il doucement.

Elle posa son panier et s'accroupit derrière l'arbre avec lui. Devant eux, les bois s'ouvraient sur le champ de quinze hectares, à présent recouverts d'épis de blé.

— Un gros terrier au bord, murmura-t-il.

Il mouilla son doigt et le leva en l'air.

— Et on est contre le vent. Asseyez-vous sans bruit et armez votre fusil.

Elle tira le foulard sur son visage, épaula le fusil et attendit, aussi immobile que possible. Byron lui avait dit qu'elle était particulièrement douée, ce qu'elle expliquait par son métier de violoniste. Elle était forte, et dotée d'une conscience aiguë du haut de son corps, de sorte qu'elle n'avait aucun mal à s'assurer que ces muscles-là ne bougent pas.

— Là, murmura-t-il.

Dans le viseur, elle repéra les lapins à une centaine de mètres, trois ou quatre, ils formaient une tache grise au bord de la piste équestre. Ils sautillaient, puis exploraient l'horizon avec méfiance.

— Laissez-les s'éloigner du terrier de cinq mètres. Souvenez-vous, on veut tuer, pas blesser. Il faut viser la tête.

Elle n'aurait qu'une seule chance, l'avait-il prévenue. L'animal au centre de son viseur avait de toute évidence décidé que la menace était faible. Il grignota un peu d'herbe, fila derrière une touffe de verdure, puis resurgit.

— Ne le voyez pas comme une petite créature poilue, lui avait dit Byron. Voyez-le comme un voleur de légumes.

Voyez-le comme un repas pour Kitty et Thierry. Du lapin et des champignons sauvages à la crème d'ail.

— Faites-le vous, dit-elle en voulant lui passer le fusil.

Il le repoussa.

— Non.

— Et si je rate ?

Elle avait peur d'infliger à l'animal une douleur atroce. Elle sentit la présence de Byron derrière elle au moment où elle arma le fusil et visa. Il dégageait une odeur d'herbe sucrée, un parfum d'été. Il ne la toucha pas.

— Vous ne raterez pas, murmura-t-il.

Isabel ferma les yeux, les rouvrit et tira.

Cela faisait longtemps qu'elle n'était pas allée à Londres, et même dans un restaurant comme celui-là. Au village, le pantalon de lin et les escarpins à petits talons de Laura seraient passés pour élégants, mais, dans cet endroit, ils trahissaient son statut de provinciale.

J'ai l'air d'une villageoise qui s'est mise sur son trente et un pour monter à la capitale, pensa-t-elle.

— Avez-vous une réservation ? demanda mollement une jeune femme sous sa frange impeccable.

— J'ai rendez-vous avec quelqu'un, répondit Laura.

Le restaurant était plein à craquer d'hommes en costumes sombres, monochromes contre les murs de granit gris.

— Son nom ?

Laura hésita, comme si le fait de le prononcer était un aveu.

— Trent. Nicholas Trent.

Il avait été si sincèrement touché d'avoir de ses nouvelles. Si heureux d'apprendre qu'elle faisait un saut à Londres, si prompt à organiser sa journée pour déjeuner avec elle.

— Vous ne travaillez pas ? s'était-elle étonnée, essayant de se rappeler son métier.

— Je viens de donner ma démission, avait-il répondu joyeusement. Ce qui signifie que je peux prendre une pause-déjeuner aussi longue que je veux. Que pourront-ils me faire ? Me virer ?

La fille se dirigea d'un pas rapide vers les tables dressées sous l'atrium, s'attendant visiblement à ce que Laura la suive. Tout le monde à Londres avait l'air si jeune, songea cette dernière, si branché et soucieux de son apparence. Même si elle avait fait des efforts pour être élégante et se coiffer comme il fallait, elle se sentait usée, en décalage. Ces derniers temps, elle ne savait plus quelle image elle renvoyait aux autres. Pas vieille, mais plus vraiment jeune. Aimée, désaimée. Désirée… non désirée. Laura prit une profonde inspiration, puis retint son souffle quand elle le vit se lever de sa chaise avec un grand sourire. Il était beau dans cet environnement, comme si les lieux reflétaient quelque chose de lui. Surtout, il semblait plus rayonnant. Peut-être aussi plus jeune. Ou alors elle s'était fait une fausse idée de lui ; comparés à la force de la nature qu'était son mari, tous les hommes lui paraissaient moins vivants.

— Vous êtes venue, dit-il en lui prenant la main.

— Oui.

Et ce mot, elle le savait, revenait à admettre qu'elle allait coucher avec lui. Qu'elle avait franchi une limite. Le plus touchant était qu'il n'avait pas l'air de voir les choses de cette façon. Il ne prenait rien pour acquis chez elle.

— Je n'étais pas sûr que vous alliez venir. La dernière fois, je m'étais dit que peut-être…

Sa voix traîna.

— Il ne m'aime plus, dit-elle en s'asseyant.

Elle avait tellement répété cette phrase dans sa tête qu'elle pouvait désormais la prononcer comme si elle ne signifiait rien.

— Je l'ai surpris au téléphone. Je sais qui c'est. Alors, poursuivit-elle d'une voix plus claire, je n'ai aucune raison de m'interdire quoi que ce soit.

Les larmes aux yeux, elle prit le menu. Elle entendit Nicholas lui commander un verre et demander au serveur de leur accorder quelques minutes de plus. Le temps que son gin tonic arrive, elle avait recouvré son calme.

— Je vous raconte les grandes lignes, et ensuite on n'en parle plus, reprit-elle calmement. J'aimerais qu'on profite de ce déjeuner et qu'on ne pense pas à ça.

Elle ne reconnaissait pas sa propre voix, fragile et tendue. Il posa une main sur la table, comme s'il avait envie de prendre la sienne mais craignait d'abuser de la situation.

— C'est la propriétaire de la grande maison, avoua-t-elle. La maison de l'autre côté du lac, celle que vous trouvez magnifique.

Elle crut le voir tressaillir et fut touchée par cette empathie spontanée.

— Mon mari fait les rénovations là-bas, alors je suppose qu'ils ont…

— Votre mari ?

Il avait répété ces mots de façon étrange, mais elle poursuivit. Si elle s'arrêtait là, elle ne pourrait sans doute plus reprendre.

— Tout ce temps, il me disait qu'il travaillait dans cette maison pour nous. Nous la voulions, vous savez. Le vieil homme qui y vivait nous l'avait pratiquement promise. Nous nous sommes occupés de lui pendant longtemps. Quand la veuve a emménagé, Matt a proposé de faire les rénovations pour elle. En privé, il disait qu'elle ne serait jamais heureuse là-bas, qu'elle n'avait pas les moyens de payer tous les travaux nécessaires, qu'elle serait partie avant Noël. Il m'a laissée croire qu'il faisait tout ça pour nous.

Elle s'arrêta pour boire une gorgée de gin.

— Et puis, j'ai surpris une conversation. Et devinez quoi ? Il a l'intention de vivre avec elle. Cette femme gagne donc non seulement la maison, mais aussi mon mari.

Elle eut un rire triste.

— Il utilise les plans que nous avons dessinés ensemble. Tous les petits détails auxquels j'avais pensé. Il voulait même que je devienne amie avec elle. Vous pouvez le croire ?

Elle avait cru que Nicholas lui reprendrait la main, qu'il lui offrirait des mots de réconfort, qu'il lui répéterait que son mari était un idiot. Mais il semblait perdu dans ses pensées.

Oh, mon Dieu, je l'ennuie, paniqua-t-elle. *Il pensait déjeuner avec une femme vive, et je lui offre l'image d'une épouse amère.*

— Je suis désolée.

— Non, Laura. C'est moi qui suis désolé. Ne prenez pas cet air effrayé. C'est juste que…

Oh, bon sang.

Il fit signe au serveur qui rôdait autour d'eux de s'éloigner.

— Non, dit Laura en le rappelant, désireuse de faire diversion. Commandons, d'accord ? Je vais prendre la dorade.

— La même chose pour moi, dit Nicholas.

— Et de l'eau, ajouta Laura. Plate. Sans glaçons.

À présent, elle redoutait ce que Nicholas avait à lui dire. Qu'il était marié. Qu'il avait changé d'avis sur elle. Qu'elle ne l'avait jamais vraiment intéressé, pas de cette façon. Qu'il était mourant. Elle leva la tête. Ses yeux à lui ne s'étaient pas détachés d'elle.

— Vous disiez ? dit-elle poliment.

— Je ne veux pas qu'il y ait de secrets entre nous. Ni de malentendus. C'est important pour moi que nous soyons francs l'un avec l'autre.

Laura prit une autre gorgée de gin tonic.

— Le jour où nous nous sommes rencontrés sur le chemin, je ne m'étais pas perdu.

Elle fronça les sourcils.

— Je voulais revoir la maison espagnole. J'étais tombé dessus par hasard deux semaines plus tôt, on m'avait raconté son histoire, et je m'étais dit que ça ferait un magnifique complexe.

— Un complexe ?

— C'est mon métier. *C'était* mon métier. Je suis développeur immobilier. Je trouve des lieux, et j'essaie de créer quelque chose de merveilleux.

Il se pencha en arrière.

— Et, pour être honnête, quelque chose qui rapportera beaucoup d'argent. Je trouvais que cette maison avait du potentiel.

— Mais elle n'est pas à vendre.

— Je sais. Mais on m'avait parlé de son état, et du fait que la propriétaire avait un maigre capital, et j'avais envisagé de lui faire une offre.

Laura plia et replia sa serviette. Un beau tissu, épais, d'un blanc immaculé. Prêt à être taché.

— Alors pourquoi vous ne l'avez pas fait ?

— Le timing, je suppose. Je voulais être sûr que c'était une bonne idée. Et je voulais en apprendre autant que possible sur la maison. Je pensais attendre que l'actuelle propriétaire soit en grande difficulté afin de l'obtenir au plus bas prix. Ça peut paraître cruel, mais c'est comme ça que ça marche.

— Je comprends mieux pourquoi nos chemins se sont croisés, dans ce cas, dit sèchement Laura. C'est pratique, une personne qui en sait autant sur la maison.

— Non, dit-il avec aplomb. Vous m'avez distrait de mon projet, bien au contraire. Rappelez-vous, nous n'avons jamais parlé de cette maison. Vous n'y avez jamais fait allusion. J'ignorais que vous aviez un lien avec elle. Je vous ai simplement prise pour… une vision dans la forêt.

Elle était devenue tellement méfiante qu'elle eut du mal à croire qu'on pouvait s'intéresser à elle sans arrière-pensée. Il tendit une main vers la sienne et elle la prit. Ce n'était pas un si grand saut. Il referma les doigts sur ceux de Laura. Elle les trouva doux, élégants, admira ses ongles parfaits. Rien à voir avec les mains de son mari.

— Durant toute ma vie d'adulte, j'ai voulu cette maison. Nous n'avons jamais été une vraie famille, et je croyais que nous arrangerions les choses en vivant là-bas.

— Je peux en tirer une fortune. On pourrait construire une maison encore plus belle.

Elle leva brusquement la tête.

— Je suis désolé, dit-il. C'est sans doute un peu prématuré. C'est juste que je n'ai pas ressenti ça depuis ma rencontre avec mon ex-femme, et c'était il y a très longtemps. Je voulais que vous sachiez la vérité.

Une ex-femme. Elle tenta de digérer l'information. Pourquoi cela aurait-il dû la surprendre ?

— Je sais très peu de choses de vous, en fait.

— Demandez, dit-il en s'appuyant contre le dossier de sa chaise. Posez-moi toutes les questions que vous voulez. Je suis un homme de cinquante ans qui a passé des années en plein marasme, à croire qu'il était un raté, et qui a soudain l'impression que de grandes choses se profilent à l'horizon. Ma carrière est de nouveau sur les rails. Je ne me suis pas senti aussi bien depuis très longtemps. J'ai de l'argent à la banque, et j'ai rencontré cette femme magnifique qui n'est pas appréciée à sa juste valeur et qui ne sait pas à quel point elle est merveilleuse.

Laura mit quelques secondes à comprendre qu'il parlait d'elle.

— Vous êtes formidable, Laura, dit-il en déposant un baiser sur sa main. Vous êtes intelligente et gentille, et vous méritez bien plus. Dans tous les domaines.

Leurs mains se séparèrent quand le serveur posa leurs assiettes devant eux dans un geste théâtral. Laura regarda le filet de poisson posé sur un lit d'épinards vert vif, dans une sauce réduite à l'extrême. Elle se rendit compte que la vague sensation d'absence qui l'habitait n'était pas causée par la faim. La douce pression de la main de Nicholas contre la sienne lui manquait déjà. Elle le regarda pendant qu'il remerciait le serveur, étudia ses traits aquilins, son expression confiante. Quand l'homme s'éloigna, elle tendit la main vers la sienne.

— À quelle heure devez-vous être de retour au travail, avez-vous dit ? demanda-t-elle tandis que leurs doigts s'entrelaçaient.

Cette fois, sa voix était calme, reconnaissable.

— Je ne l'ai pas dit. Je suis ici aussi longtemps que vous le voulez.

Elle baissa les yeux sur son poisson, puis les leva de nouveau vers Nicholas. Elle le contempla un instant.

— Je n'ai pas faim, conclut-elle.

Elle n'en revint pas d'avoir touché sa cible.

— Vous avez vu ça ? Oh, mon Dieu ! Vous avez vu ?

Elle lui saisit le bras, puis abaissa son foulard et se releva. Byron était debout.

— Net et précis, dit-il en se dirigeant vers le lapin. Je n'aurais pas fait mieux. Vous avez votre dîner.

Il ramassa l'animal encore chaud.

— On devrait aller cueillir un peu d'ail maintenant.

Il vérifia que la bête était bien morte, puis la lui apporta en la tenant par les pattes arrière. Elle tendit la main puis la retira brusquement en sentant la chaleur du pelage. Elle se décomposa.

— Il est si beau.

— Je ne les vois pas comme ça.

— Mais ces pauvres yeux…

Elle tenta de lui fermer les paupières.

— Oh, mon Dieu, je l'ai vraiment tué. C'est bizarre de se dire qu'il était vivant il y a quelques minutes et qu'il est mort à cause de moi. Je n'avais jamais ôté la vie avant.

Il y avait réellement quelque chose de choquant dans le fait de blesser une créature vivante, d'altérer le cours de son existence. Byron fronça les sourcils, cherchant une explication qui l'apaiserait.

— Pensez à une poule élevée en batterie, dit-il, et ensuite pensez à ce lapin, qui a passé sa vie à faire ce pour quoi il était né, à vivre tout ce qu'il devait vivre. Vous auriez préféré être lequel des deux ?

— Je sais que ça paraît idiot. C'est juste que je n'aime pas l'idée d'infliger de la douleur.

— C'est allé très vite, la rassura-t-il. Il ne s'est rendu compte de rien.

Il la vit tressaillir.

— Ça va ? demanda-t-il en voyant qu'elle ne bougeait pas. Isabel ?

— C'est ce qu'ils ont dit à propos de mon mari, lui confia-t-elle, les yeux rivés sur le lapin mort. Il roulait sur l'autoroute, impatient de voir son fils sur la scène de l'école. Il chantait, probablement… Une vraie casserole, ajouta-t-elle avec un sourire.

Autour d'eux, les oiseaux avaient recommencé à pépier. Au loin, Byron reconnut un merle, et les notes longues et régulières d'un pigeon ramier. Et au milieu, le doux murmure d'Isabel.

— Un camion a traversé le terre-plein et l'a heurté de plein fouet. C'est ce qu'ils m'ont dit quand ils sont venus me prévenir. « Il ne s'est rendu compte de rien. »

Byron perçut une profonde tristesse dans sa voix. Il voulait parler, mais avait parfois l'impression d'avoir retenu les choses si longtemps en lui qu'il ne trouvait plus les mots. Elle essayait de sourire de nouveau.

— Il était en train d'écouter le *Requiem* de Fauré. Le gars de l'ambulance a dit que personne n'arrivait à couper le son pendant qu'ils le désincarcéraient. C'est sans doute la dernière chose qu'il a entendue avant de mourir... Je ne sais pas pourquoi, mais ça m'aide de le savoir. (Elle poussa un profond soupir.) Le choc a été pour nous. Lui, il ne s'est rendu compte de rien.

— Je suis désolé, dit finalement Byron.

Elle le regarda, et il se demanda si elle le trouvait stupide. Ses yeux étaient presque interrogateurs, comme si elle le sondait. Elle était tellement étrange, d'abord riant aux éclats, marchant d'un pas énergique, pleine de vie, et l'instant d'après totalement méconnaissable. D'abord veuve éplorée, puis prête à accueillir Matt au beau milieu de la nuit.

Elle sortit enfin de sa torpeur, secoua sa chaussure pour la débarrasser de quelque chose.

— Vous savez quoi ? Je ne crois pas être une prédatrice. Je vous suis très reconnaissante, Byron, mais je vais m'en tenir à l'exécution des pommes de terre.

Elle lui rendit le fusil avec un geste solennel, des deux mains. Il remarqua que ses paumes étaient tachetées de peinture et couvertes de callosités aux articulations. Il eut envie de passer ses pouces dessus.

— On ferait mieux de rentrer. Vous avez du travail.

Elle lui effleura le bras, puis passa devant lui et s'engagea dans le chemin d'un pas confiant.

— Venez. Vous pourrez prendre le petit déjeuner avec nous avant l'arrivée de Matt.

« Fais profil bas, l'avait prévenu Jan quand il lui avait confié ses soupçons. Tu as besoin d'argent, et les patrons ne poussent pas sur les arbres. » Sous-entendu : *surtout quand on a un casier judiciaire.* Byron regarda Isabel marcher devant lui, fredonnant doucement tandis qu'elle se frayait un chemin au milieu des arbres. Voilà les conséquences de la prison : elle réduisait vos choix, vous rendait incapable de vous conduire en être humain normal, même des années après. Il passerait sa vie entière à réprimer ses sentiments, à tenter de faire abstraction des comportements de gens comme Matt McCarthy, pour ne pas confirmer leurs soupçons.

— Tu dors debout, Byron ?

Il était lent ce matin-là, et son visage semblait fermé, comme si ses pensées étaient ailleurs.

— Je t'ai demandé de me passer ce tuyau. Non, pas celui-là, celui en plastique. Et déplace cette baignoire de ce côté. Où a encore disparu Anthony ?

Son fils ne lui parlait plus. Il quittait la pièce dès que son père s'y trouvait. Matt hurla son nom. Il repensa à la visite d'Isabel à la bijouterie de Long Barton la veille. Il n'avait pas eu l'intention de la suivre. Il était sorti de la banque, avait remarqué sa voiture, puis la curiosité l'avait poussé à changer de chemin. C'était facile de la pister : elle ne passait pas inaperçue dans la petite ville, avec ses vêtements colorés, sa tignasse emmêlée. Il l'avait regardée traverser la rue d'un pas rapide, serrant dans sa main une trousse de velours, et avait attendu, essayant de comprendre ce qu'elle faisait. Ensuite, il était entré. L'homme avait la trousse devant lui et inspectait un objet à la loupe.

— C'est à vendre ? avait demandé Matt d'un ton désinvolte.

Il y avait un collier de perles et quelque chose de rouge.

— Bientôt, avait répondu le bijoutier.

Matt avait pris la carte du vendeur avant de retourner à son van. Elle n'avait pas vendu ses bijoux à cause de ce qu'il lui facturait. Il n'y était pour rien. Elle voulait simplement tourner la page, se libérer du souvenir de son mari, se répéta-t-il. Malgré tout, Matt était fébrile, de mauvaise humeur. Il s'était assuré que Byron passe presque toute la matinée à déplacer des déchets du vieux salon à la benne. La vue du jeune homme le perturbait, sans qu'il sache exactement pourquoi. Il était plus serein en son absence. Matt et Anthony avaient commencé les travaux dans la salle de bains. Elle lui avait tellement rebattu les oreilles avec ça qu'il était obligé de commencer cette pièce, d'une façon ou d'une autre. Ils avaient dû s'y mettre à quatre pour monter la baignoire en fonte à l'étage, et cela leur avait pris une heure, au grand dam de Matt. Quelques mois plus tard, quand la maison serait enfin à lui, il lui faudrait la déplacer de nouveau.

— Quand tu remets les planches en place, assure-toi de bien planter les clous dans les solives, et non dans les tuyaux, sinon je le déduis de ta paie, avait-il prévenu Anthony.

Son fils portait encore son bonnet de laine ridicule. Il se redressa quand Matt l'appela pour les aider à décaler encore la baignoire.

— Par là, dit-il en grognant dans l'effort. Là où les deux alimentations se voient.

Son fils se mit à tirer la masse en fonte, puis s'arrêta en cours de route.

—Attends, papa. Tu ne peux pas la mettre ici.

—Pardon ?

—Les solives. Les tuyaux se remplissent juste en dessous. Ça ne fera que quelques centimètres d'épaisseur là où la baignoire sera fixée.

—La salle de bains ne va pas rester là de toute façon, marmonna son père.

Déconcerté, Anthony fronça les sourcils, et Matt se rendit compte qu'il avait pensé tout haut.

—Je ne comprends pas, dit son fils.

—Tu n'as pas besoin de comprendre. Je ne te paie pas pour comprendre. Contente-toi de faire ce que je t'ai demandé.

Anthony reprit sa tâche, puis s'arrêta encore.

—Je ne plaisante pas, papa. Mais si Mme Delancey veut vraiment sa baignoire ici, on devrait alimenter les tuyaux de chaque côté ?

—Tu as ton diplôme de plomberie ?

—Non, mais ce n'est pas la peine d'être plombier pour voir que…

—Je t'ai demandé ton avis ? Tu as eu une promotion dont je n'ai pas été informé ? Bon. Alors épargne-moi tes commentaires. Je vous ai engagés, Byron et toi, pour porter des charges lourdes. Pour nettoyer. Pas pour réfléchir.

Anthony inspira profondément.

— Je ne crois pas que Mme Delancey serait contente d'apprendre que tu bâcles le travail.

— Ah bon, tu ne crois pas ?

— Non.

Son sang se mit à bouillonner dans ses veines. Laura avait réussi à monter leur fils contre lui. À force de le contredire.

— Je ne veux plus le faire.

— Tu feras ce que je te dirai.

Il se dressa au milieu de la pièce, lui barrant le passage, et lut l'hésitation dans les yeux du garçon. Au moins, son fils saurait qui était le patron.

— Matt ?

Byron. Toujours là quand on ne l'attendait pas.

— Qu'est-ce que tu veux ?

— Je crois que c'est à vous.

Matt prit la cage avant de se rendre compte de ce qu'il faisait. Les mots de son employé, et ce qu'ils sous-entendaient, pesèrent dans le silence.

— C'était dans la benne du fond, dit Byron. La deuxième, je l'ai trouvée ici. Mme Delancey ne tient pas à tomber sur un autre visiteur indésirable.

Matt regarda son fils et vit qu'il n'avait pas encore saisi l'implication des paroles de Byron. L'adolescent se dirigeait vers la porte, espérant visiblement s'échapper.

— Je rentre à la maison.

Anthony défit sa ceinture à outils et la laissa tomber sur le sol. Matt ne lui prêtait déjà plus attention.

— Mme Delancey, Mme Delancey. Tout le monde se croit capable de lire dans ses pensées. Eh bien, moi, je ne crois pas qu'elle serait ravie d'apprendre quel a été ton passé. Il n'y a pas beaucoup de gens ici qui seraient prêts à t'offrir ta chance comme je l'ai fait. Tu crois qu'on aurait envie de t'engager ? Tu n'es qu'un ingrat, Byron, voilà ton problème.

Il croisa le regard placide du jeune homme.

— Matt, je ne veux pas me disputer avec vous, mais je ne peux pas rester là sans rien faire quand…

Isabel était apparue sur le seuil.

— Je vous ai apporté du thé.

Ses cheveux étaient noués en arrière, et elle avait enfilé un short, révélant de longues jambes hâlées.

— Anthony, il y a une boisson fraîche pour toi. Je sais que tu n'aimes pas le thé. Oh, et Byron, vous avez laissé vos clés sur la table de la cuisine ce matin. Ne les laissez pas traîner. J'ai failli les jeter avec la poubelle.

— Ce matin ? dit Matt, sidéré par cette nouvelle information. Un petit déjeuner avec les Delancey, hein ? Comme c'est charmant…

Isabel posa le plateau sur une caisse.

— Alors comme ça, on met les pieds sous la table, hein, Byron ? insista Matt.

— Il m'aide beaucoup. Du thé et des toasts, c'est le moins que je puisse lui offrir, se justifia Isabel.

Avait-elle rougi ? Ou était-ce son imagination ? Son fils passa devant lui, plein de mépris. Matt avait le vertige.

— Je ne crois pas que vous auriez fait preuve d'une telle hospitalité si vous aviez su.

Voilà, on y était. Byron ferma brièvement les yeux et laissa tomber les épaules.

— Si j'avais su quoi ?

— Parce qu'il ne vous a rien dit ?

— C'est bon. Je démissionne, dit calmement Byron. Je ne peux plus continuer comme ça.

— Que se passe-t-il ? demanda Isabel.

Byron tendit la main pour prendre ses clés, mais Matt se montra plus rapide.

— Isabel, vous savez que j'ai toujours veillé sur vous, pas vrai ?

— Euh... oui, dit-elle prudemment.

— J'aurais aimé vous en parler avant, mais je voulais laisser sa chance à Byron. Mais, finalement, ce n'est pas juste que vous soyez la seule à ne pas être au courant, surtout que vous passez pas mal de temps avec lui, on dirait. Vous êtes contente d'accueillir un ancien détenu à votre table, au milieu de votre petite famille, de laisser cet homme dans les bois seul avec votre fils ?

Il vit le doute passer furtivement sur le visage d'Isabel. Il savait toucher le point sensible des gens.

— Vous ne saviez pas que Byron avait fait de la prison ? Je pensais qu'il vous l'aurait dit pendant une de vos petites escapades. Tu as fait combien, en tout, Byron ? Presque dix-huit mois, pour coups et blessures, c'est ça ? Si mes souvenirs sont bons, tu l'avais bien amoché, le type ? Il est en fauteuil roulant, c'est ça ?

Elle ne demanda pas si c'était vrai. L'expression de Byron servait de confirmation. Matt vit la dissipation soudaine de sa confiance, la révision instantanée de son jugement sur cet homme – il exulta.

— Je pensais que tu l'aurais dit à Mme Delancey...

— C'est bon, dit Byron. Je m'en vais.

Il ramassa ses clés sans regarder Isabel. Son visage semblait taillé dans le marbre.

— Oui, tire-toi. Et ne t'approche plus de cette maison.

Le ton de Matt était triomphant. Il se tourna vers Isabel dans la pièce désertée. Quelque part au-dessous d'eux, la porte d'entrée se referma.

— Voilà, fit-il d'un ton définitif.

Isabel le regarda comme si un brouillard venait de se dissiper sous ses yeux.

— Ce n'est pas chez vous, dit-elle.

Chapitre 18

C'ÉTAIT ASSEZ SIMPLE QUAND ON Y PENSAIT. UNE solution proche de la perfection. Matt plaça soigneusement la nouvelle vitre dans son cadre, puis travailla le mastic entre ses doigts jusqu'à le rendre chaud et malléable. Il le déposa délicatement au bord du verre, avec une précision acquise au fil d'une longue expérience, obtenant un mastic lisse, aux contours nets. La lumière rebondit sur la vitre, et les bois prirent vie, peuplés d'oiseaux et d'autres créatures. Cette obsession du détail, c'était l'arbre qui cachait la forêt. Il ne put s'empêcher de rire de sa propre plaisanterie. Pendant que le mastic séchait, Matt ajusta sa ceinture à outils et porta la pièce de bois moulé vers l'autre fenêtre. Cette chambre serait la plus belle réalisation de toute sa carrière. Il n'avait jamais mis autant de lui-même dans quoi que ce soit. Elle présentait une double orientation, de sorte que, à leur réveil, la première chose qu'ils verraient serait le lac encore voilé de brume dans le petit matin, les oiseaux volant d'arbre en arbre. Il avait commandé les corniches et les moulages à une compagnie italienne spécialisée, puis taillé et façonné les morceaux les uns après les autres pour qu'ils s'intègrent parfaitement dans un ensemble, sorte de puzzle complexe en trois dimensions. Il avait enduit le plafond de plâtre, si habilement qu'on n'y voyait aucune trace de doigt. Faire tomber le vieux plafond avait eu du bon, tout compte fait : cela avait été l'occasion de créer pour elle quelque chose de sublime. Il avait posé un plancher neuf, lame après lame, pour qu'elle ne sente jamais sous ses pieds nus la moindre aspérité. Il l'imaginait enfilant son peignoir de soie rouge au sortir de leur gigantesque lit défait. Il la voyait si clairement, l'aube éclairant son visage quand elle ouvrirait les rideaux. Elle se tournerait vers lui avec un sourire, et la lumière dessinerait les contours de son corps à travers la soie. Pourquoi n'y avait-il pas pensé plus tôt ? Cela résoudrait tout. Il emménagerait avec elle et continuerait le travail qu'il avait commencé. Elle n'aurait rien à payer, une fois qu'ils seraient ensemble. Ses soucis financiers seraient derrière elle. De toute évidence, elle était incapable de se débrouiller seule. Depuis le début, elle s'en était remise à son jugement, il l'avait rassurée. Cette maison serait la leur. Il serait maître du foyer de ses rêves. Propriétaire d'Isabel Delancey. Laura serait très bien dans son ancienne maison, avec ses réunions matinales entre copines et ses lamentations. Elle était aussi lasse que lui. C'était étrange – il ne pensait presque plus à elle désormais. Comme si elle était devenue accessoire. Isabel avait tout balayé sur son passage. Elle était tout. Tout ce pour quoi il avait toujours œuvré, tout ce qui lui avait toujours été interdit. Tout ce à quoi il avait dû renoncer quand son père avait été exclu du domaine. Parfois, il n'arrivait même plus à distinguer Isabel de la maison. Avec une motivation renouvelée, Matt donna un coup sur la pièce de moulage, adoptant un nouveau rythme intérieur. Il aurait pu, peut-être, n'en ôter qu'une partie, et conserver la structure de base, mais l'expérience lui avait appris qu'il était préférable, dans certains cas, de retirer la totalité du bois mort.

Byron fut réveillé par des coups de marteau et vit un trait de lumière au bas de la porte. En une seconde, il comprit. Il consulta sa montre, vit qu'il était 7 h 30. Matt était déjà au travail. À côté de lui, les chiens attendaient en silence, les yeux rivés sur lui. Il se leva, se frotta le visage, les cheveux. Dehors, les oiseaux avaient abandonné leur joyeuse cacophonie des premières heures pour adopter un chant plus doux.

— Vous auriez pu me prévenir, murmura-t-il à Meg et Elsie. Comment on va faire pour sortir maintenant ?

La veille, il avait arpenté les bois jusqu'à minuit et, une fois revenu à la chaufferie, n'avait pu fermer l'œil de la nuit, inquiet pour la suite. Il pensa appeler Jan, mais après les avoir vus dans cette petite maison, il ne se sentait pas de s'imposer. Il n'avait pas encore assez d'argent pour payer la caution du cottage. Sa démission avait peut-être été trop hâtive, mais comment continuer à travailler avec un homme aussi malhonnête ? Il n'était pas sûr que les moqueries incessantes de Matt ne l'auraient pas conduit un jour ou l'autre à commettre un faux pas. Il repensa au visage d'Isabel apprenant son passé. À sa surprise, suivie de l'incertitude. *Mais il avait l'air si gentil, si normal.* Byron avait été confronté si souvent à cette expression.

— Bon sang.

Il s'enfonça dans son sac de couchage quand la porte s'ouvrit, avant de se refermer derrière Thierry et le chiot, qui courut vers Byron et lui sauta dessus.

— Chut, chut !

Il tenta désespérément de faire cesser ses jappements. Quand il leva les yeux, Thierry se tenait en équilibre sur une jambe. Byron se redressa.

— Bon Dieu, Thierry. Tu m'as fichu une de ces… Comment tu savais que j'étais ici ?

L'enfant fit un signe de tête à Pepper, le chiot, qui reniflait sa mère.

— Tu… tu l'as dit à quelqu'un ?

Byron s'extirpa de son couchage et jeta un coup d'œil derrière l'enfant, vers la porte. Thierry secoua la tête.

— Bon sang, j'ai cru que c'était…

Il se passa la main sur le visage, essayant de calmer sa respiration. Thierry semblait ne pas comprendre la frayeur qu'il lui avait causée. Il s'agenouilla devant les chiens, les caressa, les laissa lui lécher le visage.

— Je… Je dors ici en attendant que ma nouvelle maison soit prête. S'il te plaît, ne dis rien, d'accord ? Ça pourrait… sembler bizarre.

Il n'était pas sûr que Thierry l'ait entendu.

— Je ne voulais pas laisser Meg et Elsie. Tu comprends, hein ?

Le garçon acquiesça. Un instant plus tard, il plongea la main sous le col de sa chemise et sortit un petit paquet carré, emballé dans une serviette blanche, qu'il tendit à Byron. Ce dernier l'ouvrit et trouva deux tranches de pain grillé encore tièdes formant un sandwich. Puis l'enfant tira de sa poche une briquette de jus de fruit cabossée et la lui offrit également. Ensuite, il s'agenouilla de nouveau avec les chiens et chatouilla le ventre de Meg. Byron n'avait rien avalé depuis midi la veille. Il mordit dans le pain fourré de beurre et de confiture. Puis, touché par cet acte de générosité inattendu, il posa une main sur l'épaule du garçon.

— Merci, dit-il, recevant un grand sourire en retour. Merci, Thierry.

— Qu'est-ce que tu fabriques ? Tu devais être là à 15 heures…

Allongée sur une couverture au bord du lac, Kitty écoutait les criquets et contemplait le bleu infini au-dessus d'elle. De temps à autre, un bourdon passait devant son oreille, sans provoquer chez elle le moindre tressaillement, même lorsqu'il se posa sur son tee-shirt. Il faisait trop chaud pour bouger. De plus, elle essayait de bronzer. Elle avait lu dans un magazine que des jambes hâlées étaient plus flatteuses. À Londres, leur minuscule jardin orienté vers le nord n'avait jamais été ensoleillé.

— Ma mère se comporte bizarrement, dit Anthony à l'autre bout du fil.

L'adolescente mâchouilla un brin d'herbe.

— Ils sont tous bizarres, c'est leur boulot.

— Non. Elle est… Je crois qu'un truc pas net se passe entre nos parents.

Kitty lâcha son brin d'herbe et attendit, écoutant sa mère qui clouait des plinthes en bas. Le bruit résonnait au-dessus du lac, brisant la quiétude des lieux. Elle préférait quand elle jouait du violon, songea-t-elle.

— Bizarre dans quel sens ?

Il sembla gêné.

— Ne dis rien, d'accord ? Mais je crois que mon père surfacture ta mère.

— Surfacture ?

Elle regarda un nuage en plissant les yeux et tira sur une mèche de ses cheveux.

— C'est un entrepreneur, Ant. Je croyais que ça faisait partie du job.

— Non, je veux dire beaucoup. Des sommes énormes.

Anthony se mit à chuchoter.

— Je suis entré dans le bureau ce matin, et ma mère y était, elle consultait les factures concernant ta maison. Elle avait l'air vraiment bizarre…

— Papa et toi, vous ne vous parlez toujours pas ? lui avait-il demandé.

— Nous n'avons pas grand-chose à nous dire pour le moment, avait-elle répondu calmement.

Elle avait regardé les copies des factures, toutes au nom d'Isabel Delancey, puis en avait saisi une.

— Il semble que ton père et moi n'ayons pas la même conception de ce qui est correct.

— Qu'est-ce que tu veux dire, maman ?

Elle avait levé les yeux, comme si elle venait de prendre conscience de sa présence.

— Rien, mon chéri. Je parle toute seule.

Elle s'était levée, avait lissé son pantalon, repris son sourire radieux.

— Tu sais quoi, je vais préparer du thé glacé. Ça te dirait ?

Anthony parlait tout bas et rapidement.

— Je crois qu'elle a découvert que mon père surfacturait. Elle est très vieux jeu, ma mère. Elle n'aime pas ce genre de choses. Quand elle est descendue, j'ai jeté un coup d'œil à quelques factures. Le ballon d'eau chaude – je suis pratiquement sûr qu'il l'a compté à ta mère le double du prix qu'il l'a payé.

— Ce n'est pas pour la main-d'œuvre ? (Sa mère en parlait tout le temps.) Je veux dire, ma mère n'a pas l'air de croire qu'il y a un problème. Elle dit que ça coûte une fortune, mais quand on voit ce qu'il a fait…

— Tu ne comprends pas.

— La maison tombait en ruine.

Anthony perdait patience.

— Écoute, Kitty, mon père est un connard. Il n'en fait qu'à sa tête et il se fout des autres. Il voulait votre maison depuis des années, et c'est pour ça qu'il vous surfacture, à mon avis. Pour vous faire partir.

Kitty se redressa. Elle appuya le menton sur ses genoux. Un frisson froid la traversa soudain malgré la douceur de l'air.

— Il voulait notre maison ?

— Avant votre arrivée, oui. Maman et lui la voulaient. Après que vous avez emménagé, j'ai cru qu'ils étaient passés à autre chose. C'est juste une maison, au fond.

— D'accord, dit Kitty, hésitante.

— Et puis, je ne suis pas très attentif à ce que fait mon père, d'habitude. On apprend à la boucler, dans cette famille. Mais il y a eu cette facture, et puis l'attitude de ma mère. Je crois que ce qu'il fait n'est pas correct. Et j'ai aussi entendu Asad faire des allusions bizarres l'autre jour.

— Asad ?

Anthony comprit qu'il en avait trop dit.

— Bon, ne dis rien à ta mère. Pour le moment. Je pense que ma mère va le forcer à rembourser une partie de l'argent, à arranger les choses. Il a besoin de se faire pardonner en ce moment.

Kitty entendit Anthony donner une réponse étouffée à quelqu'un.

— Je dois y aller. Écoute, tu veux me rejoindre au pub plus tard ? Ils font un barbecue en plein air et tout le monde peut venir. C'est moi qui régale, ajouta-t-il.

L'eau était opaque sur les bords, un film marécageux avançait vers la rive.

— D'accord.

À genoux sur le sol, Isabel enduisait le plancher du couloir d'une peinture gris clair à l'odeur âcre.

— Ne t'approche pas trop, dit-elle tandis que Kitty grimpait à la hâte les marches de la cuisine. Je ne veux pas de traces de pas.

Elle se redressa et examina son œuvre. Elle avait une tache de peinture grise sur la joue, et sa chemise blanche glissait sur ses épaules.

— Qu'en penses-tu ?

— C'est joli, répondit Kitty.

— Je n'avais pas vraiment l'intention de les peindre, mais le mélange de couleurs était tellement hideux. J'ai pensé que ça égayerait la pièce.

— Je sors, annonça sa fille. Il y a un barbecue au pub et je retrouve Anthony.

— C'est bien, ma chérie. Tu as vu Thierry ?

— Il était avec les poules.

Elle l'avait surpris en train de leur parler, de gronder les plus grosses qui embêtaient les autres, mais dès qu'il avait vu sa sœur, il s'était tu.

— Je suis coincée là pour un moment, dit Isabel. Je dois attendre que ce côté sèche avant de m'attaquer à l'autre. Tu crois que la peinture sèche plus vite en été ?

Elles entendirent des pas dans l'escalier et Matt apparut, sa ceinture à outils autour de la taille et son tee-shirt collé à son torse.

— J'ai fini. J'ai pensé qu'on pourrait aller prendre un verre si…

Il sursauta quand il vit Kitty, puis se reprit.

— Si ça vous dit à toutes les deux.

— Non merci, répondit Isabel. J'ai encore à faire. Est-ce qu'on peut utiliser la salle de bains maintenant ?

— Je me suis occupé de la grande chambre. Vous devriez y jeter un coup d'œil.

Sa mère leva les yeux vers lui.

— Mais je vous ai demandé de faire la salle de bains. Nous avons besoin d'une salle de bains, Matt. Nous nous étions mis d'accord.

Il poursuivit comme s'il ne l'avait pas entendue.

— Je la ferai demain. Vous devriez aller voir la chambre. Vous allez adorer. C'est magnifique. Allez-y, allez voir.

Kitty vit sa mère serrer la mâchoire. Elle voulut dire quelque chose, mais avait promis à Anthony de se taire.

— J'en ai marre de cette bassine en fer-blanc, dit-elle à la place. Ça ne doit pas être si compliqué de raccorder une salle de bains.

Matt reprit sans lui prêter attention :

— On n'imaginerait pas que le plafond s'est écroulé. En fait, les nouvelles corniches sont plus belles que les originales. Allez-y, je veux que vous voyiez.

Sa mère soupira et repoussa une mèche de cheveux de son visage en sueur. Visiblement, elle retenait sa colère.

— Matt, vous pouvez vous pousser, j'aimerais finir ce sol ? Kitty, ma chérie, je veux que tu sois rentrée avant la tombée de la nuit.

— D'accord, dit sa fille avant de regarder Matt.

— Anthony fera le chemin avec toi, hein ?

— Oui.

— Tu vas au barbecue, c'est ça ? Tu veux que je t'y dépose ?

L'adolescente le foudroya du regard, puis, sentant les yeux de sa mère braqués sur elle, ajouta :

— Non merci.

— Comme tu veux. Vous êtes sûre que vous n'êtes pas tentée, Isabel ?

Kitty attendit que les feux de stop de Matt aient disparu, puis traversa le bois d'un pas vif en direction de la route, appréciant le répit que lui offrait l'ombre des arbres, dans la moiteur de l'air qui emplissait encore la vallée malgré la fin de journée. Elle n'imaginait plus de fantômes cachés derrière les arbres, ni de tueurs à la hache dans le lointain. À présent, elle savait que la véritable menace était chez eux. Elle pensa à Matt, à ses plaisanteries et son bavardage, à ses croissants, à la façon dont il avait prétendu être leur ami. Ils avaient *tous* fait semblant d'être leurs amis. Combien de gens savaient ce qu'il faisait ? Quand elle sortit des bois, la tête lui tournait. Elle avait promis de retrouver Anthony à 18 heures, mais elle vit que la boutique était encore éclairée et qu'il y avait du monde à l'intérieur. À la dernière minute, Kitty Delancey changea de direction.

— Alors il dit : « Comment osez-vous ? », racontait Henry avec un air sérieux. « Mon nom est Hucker. Rudolph Hucker ».

Il frappa du plat de la main sur le comptoir et éclata de rire.

— Ne me fais pas rire, s'étouffa Asad, qui remplissait le tiroir-caisse de monnaie. Je vais faire une crise d'asthme.

— Je ne comprends toujours pas, dit Mme Linnet. Racontez-moi encore.

— Tu aurais peut-être dû le présenter à Tansy Hyde.

Mme Linnet posa sa tasse de thé.

— Qui ça ? L'une des Hyde de Warburton ?

La porte s'ouvrit et Kitty entra, apportant une bouffée d'air chaud et de la musique provenant de la terrasse du pub de l'autre côté de la route.

— Notre adolescente préférée, dit Henry. Oh, comme j'aimerais être jeune de nouveau.

— Mais non, fit Asad. Tu m'as dit que c'était la période la plus malheureuse de ta vie.

— Alors j'aimerais retrouver mon corps d'adolescent. Si j'avais su, à l'époque, à quel point j'étais beau et lisse, au lieu de complexer pour quelques boutons, j'aurais passé mon temps en Speedo.

— Quand on arrive à mon âge, fit remarquer Mme Linnet, on s'estime heureux que le corps fonctionne encore.

— Tu pourrais porter ton Speedo maintenant, plaisanta Asad. On pourrait lancer une journée thématique. Mettre une pancarte : « Jour du Speedo ».

Henry remua un doigt.

— Je n'ai jamais trouvé très classe pour un commerçant d'exhiber ses prunes de Damas.

— Des prunes, vraiment ?

Asad gloussa de nouveau. Henry luttait pour garder son sérieux.

— Je suppose que je dois te remercier de ne pas avoir parlé de raisins secs.

— Madame Linnet, vous avez une mauvaise influence sur lui, fit remarquer Asad.

— Arrêtez, maintenant.

— Oui, arrêtez, madame Linnet. Nous avons une jeune fille impressionnable parmi nous. Que puis-je pour toi, Kitty ? Peut-être nous as-tu apporté des œufs ? Nous avons presque écoulé la dernière livraison.

Henry se pencha sur le comptoir.

— Depuis combien de temps vous savez que Matt McCarthy essaie de nous chasser de la maison ?

Le silence s'abattit sur la boutique. Henry lança un regard à Asad. Kitty l'intercepta.

Elle constata avec amertume :

— Un bout de temps, visiblement…

— Vous chasser de votre maison ? s'étonna Mme Linnet.

— En nous surfacturant ses travaux, à ce qu'il paraît, expliqua platement Kitty. J'ai comme l'impression qu'on est les derniers au courant.

Asad sortit de derrière le comptoir et s'approcha d'elle.

— Assieds-toi, Kitty. Parlons autour d'une tasse de thé.

— Non, merci, dit-elle, les bras croisés. J'ai rendez-vous. Je voulais juste savoir combien d'entre vous se moquaient de nous dans notre dos, de ces gens de la ville qui croient pouvoir rénover tout seuls cette grande maison ?

— Tu te fais des idées, dit Asad. J'avais l'impression que quelque chose clochait, mais je n'avais pas de preuves.

— Et je l'ai mis en garde, interrompit Henry. On ne peut pas lancer d'accusations dans le vide. Nous n'avions aucune idée de ce qui se passait chez vous, de ce qu'il faisait.

— Mais vous saviez qu'il voulait la maison. Avant notre arrivée.

Les deux hommes échangèrent des regards consternés.

— Oui, ça, tout le monde le savait.

— Pas nous, insista Kitty. Ça nous aurait aidés si quelqu'un nous avait prévenus que le gars qui mettait notre maison sens dessus dessous et nous facturait une fortune avait des vues sur notre propriété. Au moins, maintenant, on sait qui sont nos vrais amis.

Elle se tourna pour partir.

— Kitty ! la rappela Asad. Est-ce que ta mère est au courant ? Tu lui en as parlé ?

Henry perçut le sifflement dans la voix de son ami, signe d'une détresse respiratoire.

— Je ne sais pas ce qu'elle sait, répondit l'adolescente. Je ne veux pas causer davantage d'ennuis.

Soudain, ils découvrirent en face d'eux une fillette dépassée par la situation.

— Je ne sais pas quoi faire. Je suppose que ça n'a plus d'importance maintenant, puisqu'il va être obligé d'arrêter. On n'a plus d'argent. On va se retrouver dans une maison à moitié délabrée, à essayer de comprendre ce qu'on a perdu, et on va reprendre le cours de notre vie.

Elle dramatisait un peu, mais Henry ne pouvait le lui reprocher.

— Kitty, attends, s'il te plaît. Laisse-moi t'expliquer...

La clochette tinta de nouveau et la porte se referma derrière elle.

— Eh bien ! s'exclama Mme Linnet, brisant le silence.

— Elle va revenir, dit Henry. Quand elle aura réfléchi. Allez savoir ce que cet homme a fait chez eux. Je suis désolé, Asad, dit-il en se dirigeant vers le fond de la boutique pour fermer les stores. Tu peux m'assener ton « Je te l'avais bien dit ». Nous aurions dû agir, même sur la base de soupçons.

— Vous saviez qu'il manigançait quelque chose, alors, comprit Mme Linnet.

— Pas vraiment, répondit Henry en se tordant les mains. Là était le problème. On ne savait rien. Et que peut-on faire ? Je veux dire, personne n'aime répandre des rumeurs infondées. Surtout sur quelqu'un comme lui.

— Il est au pub, dit Mme Linnet. Je l'ai vu entrer il y a dix minutes à peine, comme si de rien n'était. Vous savez, j'ai toujours pensé qu'il y avait quelque chose de pas tout à fait net chez lui. Quand il s'est occupé de l'extension de Mme Marker, elle a dit qu'il avait posé les poignées trop près des encadrements de porte. Combien de fois elle s'est écorché les doigts...

Asad défit son tablier.

— Tu vas quelque part ? lui demanda Henry.

— Je n'ai jamais eu aussi honte de ma vie. Jamais.

Il y avait quelque chose d'à peine retenu derrière ses mots.

— Cette gamine a raison, Henry. Tout ce qu'elle a dit est vrai. Nous devrions tous avoir honte de notre comportement.

— Mais où vas-tu ?

— Parler à M. McCarthy, avant que Mme Delancey apprenne ce qui se trame depuis le début. Je vais lui demander de se conduire en honnête homme. Et lui dire exactement ce que je pense de lui.

— Asad, ne fais pas ça, le prévint Henry en lui barrant le passage. Ne t'en mêle pas. Ce ne sont pas tes affaires.

— Au contraire, ce sont *nos* affaires. C'est même notre devoir en tant qu'amis, en tant que bons voisins.

— Notre devoir ? Qui s'est déjà soucié de nous, Asad ? criait Henry à présent, se moquant de qui pouvait l'entendre. Qui s'est déjà interposé quand nous avons dû affronter ces bigots à notre arrivée ? Qui nous a aidés quand ils ont jeté des pierres sur nos fenêtres ? Gribouillé des insultes sur notre porte ?

— Elle est seule, Henry.

— Nous l'étions, nous aussi.

— C'était il y a des années, fit Asad en secouant la tête d'incompréhension. De quoi as-tu si peur ?

L'instant d'après, il était parti.

L'homme derrière le barbecue portait un bermuda à fleurs et un tablier avec des seins en trompe-l'œil. De temps à autre, il plaquait les mains sur sa fausse poitrine, levait une saucisse avec sa pince, ou mettait sa bouche en cœur comme pour suggérer quelque chose d'obscène. Par moments, il se déhanchait lascivement au rythme de la musique sortant de la stéréo que quelqu'un avait posée sur une petite table près de la porte. Kitty y fit à peine attention. Elle avait les nerfs à vif. Les cousins s'étaient montrés choqués, bouleversés par ses révélations, qui, de toute évidence, n'en étaient pas pour eux. Pourquoi n'avaient-ils rien dit ?

— La voilà, dit Anthony.

Une femme passait derrière le barbecue pour dire quelque chose au cuistot. Ses cheveux, savamment décoiffés, présentaient un mélange de mèches blondes et rousses.

— C'est la femme que mon père se tape.

Kitty immobilisa son verre au bord des lèvres.

— Quoi ?

— Theresa Dillon. La barmaid. Mon père se l'envoie depuis des mois.

Il lui livra cette information avec une totale désinvolture, comme s'il était presque normal qu'un père couche avec une autre femme que la sienne. Kitty reposa son verre de soda.

— Tu en es sûr ?

— Parfaitement.

Il regarda la femme avec mépris.

— Et ce n'est pas la première.

À certains moments, au cours de l'année écoulée, Kitty avait eu l'impression de ne pas être une adolescente comme les autres. D'être la seule personne de son foyer capable de prendre des décisions sensées, de payer les factures, d'organiser le quotidien face au chaos dans lequel sa mère les plongeait. Et pourtant, il lui arrivait encore, comme ce jour-là, de ne rien comprendre au monde dans lequel elle avait atterri. Matt s'était avancé d'un pas nonchalant en la voyant assise à côté de son fils. Il avait plaisanté en disant qu'elle aurait pu boire gratis si elle avait accepté qu'il la conduise en voiture. Anthony l'avait à peine regardé, et Kitty s'était murée dans un silence furieux, alors il avait fini par se lever en marmonnant quelque chose à propos des ados, pour rejoindre d'autres personnes.

— Si tu en es sûr, dit-elle prudemment, pourquoi tu ne le dis pas à ta mère ?

Il la regarda comme on regarde une parfaite innocente, et elle se rappela ce qu'elle lui avait confié sur ses propres parents – combien ils avaient été heureux ensemble, comment sa mère s'était effondrée après la mort de son père. Il lui offrit une chips.

— Tu ne connais pas mon père, dit-il d'un ton dédaigneux.

Ils s'attardèrent longtemps sur ce banc, le soleil couchant réchauffant le tissu de la robe de Kitty.

— Tu veux encore des chips ? Je vais en chercher avant qu'il n'y en ait plus.

Anthony fouilla dans ses poches. Puis il s'arrêta.

— Oh, mais qu'est-ce qui se passe ?

Asad se tenait face à Matt, qui était assis à une table à l'autre bout du jardin. Kitty ne put entendre tout ce qu'ils se disaient, mais devina à l'expression crispée de Matt et à la posture d'Asad qu'ils n'échangeaient pas des politesses.

— Vous ne savez pas de quoi vous parlez, Asad, alors vous feriez mieux d'arrêter de vous en mêler avant de vous couvrir de ridicule.

La voix de Matt couvrait la musique dans l'air immobile.

— Vous n'avez aucune vergogne, fit l'autre. Vous profitez de ce que les gens ont peur de vous. Eh bien, moi, je n'ai pas peur de vous. Et je n'ai pas peur de dire la vérité.

Le silence régnait dans le jardin. Tout le monde écoutait.

— La vérité ? Des potins de village, plutôt. Vous restez assis dans votre petite boutique et vous répandez vos saloperies comme des vieilles dames. Tous les deux. Vous êtes grotesques.

Matt se mit à rire. Le cœur de Kitty s'arrêta de battre. Elle regarda Anthony, qui secoua la tête.

— Oh non, murmura-t-il.

Matt se leva, et Kitty s'avança, mais le bras d'Anthony la retint. Henry, qui venait d'arriver avec Mme Linnet, chercha Asad du regard, puis se précipita vers lui en murmurant quelque chose d'inaudible. Son compagnon n'en tint pas compte.

— Je vous demande de réparer vos erreurs, dit-il calmement.

— Vous vous prenez pour qui ? Le gardien de la morale ?

— Quelqu'un qui n'est pas disposé à voir une femme bien se faire abuser.

Matt répliqua d'une voix sèche.

— Asad, un conseil d'ami : allez jouer avec vos boîtes de conserve.

— Tout cet argent – faire ça à une veuve. Vous n'avez donc pas honte ? reprit Asad d'une voix forte.

— Mme Delancey est très contente du travail que je fais chez elle. Demandez-lui. D'accord ? Demandez-lui à quel point elle est heureuse.

— C'est parce qu'elle n'a pas encore découvert le pot aux roses.

— Asad, lâchez-moi la grappe.

Matt saisit son verre et le vida d'un trait.

— Vous commencez à m'emmerder.

— Elle ignore que vous la surfacturez depuis le début, que vous la saignez.

Henry tira sur le bras de son ami.

— Asad, allons-nous-en.

— Oui, Asad. Tirez-vous, avant de dire quelque chose que vous regretterez.

— Mon seul regret est de ne pas avoir parlé plus tôt. Sachez que je vais…

— Que vous allez quoi, bon sang ?

— Que je vais le lui dire, fit Asad, d'une voix sifflante à présent. Je vais aller voir Mme Delancey et lui expliquer ce que vous faites.

Soudain, Matt McCarthy changea de comportement. Il bondit sur ses pieds et se dressa devant le vieil homme.

— Rentrez chez vous, cracha-t-il comme du venin, le visage à quelques centimètres de celui d'Asad. Vous me gonflez.

— Ça vous dérange que quelqu'un lui ouvre les yeux ?

Matt braquait un doigt sur lui.

— Non, c'est vous qui me dérangez. Si vous alliez voir ailleurs si j'y suis ? Si vous restiez dans votre coin et arrêtiez de vous mêler de ce qui ne vous regarde pas ?

— Matt…

Un homme posa une main sur son bras, mais Matt le repoussa.

— Non ! Cet idiot me poursuit depuis des semaines avec ses insinuations. Je vous préviens, Asad. Ne vous mêlez plus de mes affaires ou vous aurez des ennuis.

Le cœur de Kitty battait la chamade. Près du barbecue, une femme saisit son enfant par la main et le conduisit vers la sortie. Henry tirait Asad par le bras à présent.

— S'il te plaît, allons-y, Asad. Pense à ton cœur.

Asad refusa de bouger.

— J'ai croisé des brutes dans votre genre toute ma vie, dit-il à bout de souffle. Et vous êtes tous les mêmes. Vous faites régner la terreur en croyant que personne n'osera réagir.

Matt frappa la poitrine d'Asad d'un coup de paume.

— Vous ne laisserez pas tomber, hein ? Vieil imbécile, vous n'êtes pas fichu de lâcher l'affaire !

Il poussa Asad en arrière, le faisant chanceler.

— Matt ! cria la barmaid aux cheveux bicolores en le tirant par la chemise. Ne fais pas…

— Vous fourrez votre nez partout, vous menacez. Alors que vous savez que dalle, vous m'entendez ! Que dalle.

Matt hurlait au visage d'Asad. Kitty tremblait, et Anthony se précipita vers son père. Mais ce dernier semblait ne plus entendre personne.

— Vous la fermez et vous foutez le camp, vous m'entendez ?

Il le poussa encore.

— Arrêtez de répandre votre poison, espèce de vieux fou.

Il le poussa de plus belle.

— Pigé ? Vous la fermez et vous foutez le camp.

Il poussa une dernière fois. Asad trébucha ; il respirait difficilement.

— Vous… ne… me… faites… pas… peur, haleta-t-il.

Kitty vit le regard de Matt et eut froid dans le dos.

— Laissez tomber, Asad.

— Matt, arrête. C'est un vieil homme.

Le cuisinier se dressait désormais devant Matt, ses pinces toujours en main.

— Henry, faites sortir Asad. Matt, je crois qu'on ferait mieux de se calmer.

Matt l'esquiva et continua d'aiguillonner son adversaire.

— Vous dites un mot à Isabel Delancey et vous êtes un homme mort, compris ?

— C'est ça.

L'homme du barbecue avait été rejoint par d'autres, et tous tentaient d'éloigner Matt d'Asad.

— Contrôle-toi, McCarthy. Rentre chez toi.

— Un homme mort, compris ?

Il se libéra des mains qui le tenaient.

— J'y vais. Laissez-moi tranquille. C'est lui que vous devriez flanquer à la porte.

— Oh, mon Dieu !

Entouré d'un demi-cercle de spectateurs, Asad était en train de s'écrouler, ses longues jambes se repliant élégamment sous lui, un poing serré contre sa poitrine.

— Allez chercher son inhalateur ! hurla Henry. Que quelqu'un lui apporte son inhalateur !

Il baissa la tête.

— Respire fort, mon amour.

Asad ferma les yeux. Kitty remarqua son teint, étrangement violacé, tandis que la foule se refermait sur lui. Quelqu'un parla d'asthme. Mme Linnet agitait un trousseau de clés.

— Je ne sais pas laquelle c'est ! s'affolait-elle. Je ne sais pas quelle est la clé de la boutique !

Anthony parlait de manière pressante à son père devant la grille. Sur le barbecue, quelque chose brûlait, et une fumée âcre s'élevait dans l'air tiède du soir. Kitty vit la scène s'estomper sous ses yeux comme si elle n'en faisait plus partie, comme si elle l'observait à travers une vitre. Les oiseaux, remarqua-t-elle distraitement, chantaient toujours.

— Que quelqu'un le tienne. Tenez-le pour moi. Oh, par pitié… Appelez une ambulance ! Que quelqu'un appelle une ambulance !

Ensuite, tandis qu'Henry passait en trombe devant elle, courait vers la boutique, elle l'entendit dire, comme à lui-même : « Voilà, Asad… » Il pleurait presque, le visage rouge, son propre souffle devenu saccadé. « Voilà ce que je craignais. »

Chapitre 19

Andreas Stephanides avait les ongles les plus immaculés que Nicholas ait jamais vus : lisses, parfaitement réguliers, tels des coquillages rosés soigneusement polis. Manucurés, très probablement. L'idée de demander à Andreas Stephanides s'il fréquentait les instituts de beauté fit naître un rire nerveux au fond de sa gorge et Nicholas toussa pour le refouler.

— Vous allez bien ?

— Oui, fit Nicholas en balayant son inquiétude d'un geste de la main. La clim…

L'homme plus âgé recula contre le dossier de son siège et désigna les documents devant lui.

— Vous savez quoi ? Vous m'avez rendu un service. Ma femme, elle a atteint un âge où… elle a besoin d'un projet. (Il saisit un des documents.) C'est ce que tout le monde fait, maintenant, non ? Quand les enfants quittent le nid. Avant c'était les rideaux. Elle choisissait les combinaisons de couleurs. Faisait un peu de bénévolat. Maintenant, elle veut redessiner une maison tout entière. (Il haussa les épaules.) Ça m'est égal. Si ça la rend heureuse. Et elle aime cette maison. Elle l'aime beaucoup.

— Elle a du potentiel.

Nicholas croisa les jambes, se félicitant d'avoir un nouveau costume. Cela faisait des années qu'il n'avait pu s'en offrir un de cette qualité, et en sentant la laine fine contre sa peau, il s'était rappelé l'effet que produisaient les vêtements sur mesure : ils donnaient un sentiment – et même une apparence – de virilité. Il lui semblait inconcevable à présent qu'il ait pu se présenter à son bureau avec quoi que ce soit d'autre sur le dos. L'avance que lui avait versée Andreas avait servi à cela. Ce dernier hocha la tête.

— Elle est d'accord avec vous. Comme je l'ai dit, elle est très heureuse. Et si elle est heureuse…

Nicholas attendit. Il savait d'expérience qu'il était sage de ne pas trop en dire avec Andreas. En joueur de poker aguerri, il vous prenait davantage au sérieux si vous lui donniez l'impression de ne pas avoir entièrement dévoilé votre jeu. « Seul un idiot révèle toutes ses cartes », se plaisait-il à dire.

Nicholas profita de ce silence pour admirer la vue sur Hyde Park. Il faisait beau et les employés de bureau avaient pris leur pause-déjeuner plus tôt ; ils étaient assis sur l'herbe, manches retroussées pour les hommes, jupes remontées jusqu'aux genoux pour les femmes. La circulation était dense et figée autour d'eux, elle progressait par à-coups nerveux, mais Nicholas entendait à peine les klaxons et les moteurs. Dans ce bureau aux murs lambrissés et aux fenêtres équipées de double vitrage, on était isolé du bruit, des émanations, du chaos de la vie quotidienne. L'argent vous protégeait de presque tout.

— Vous voulez un acompte en espèces ?

Nicholas lui sourit.

— Cinq pour cent suffiront.

— Vous pensez pouvoir en trouver d'autres comme celle-là ?

Nicholas sortit de sa rêverie.

— Andreas, vous savez aussi bien que moi que de telles propriétés ne poussent pas sur les arbres, en particulier dans ce quartier de Londres. Mais je reste à l'affût.

Il les avait « retournés », avait fait une évaluation basse pour une vente rapide, puis accepté un pot-de-vin en espèces du vendeur mais aussi de l'acheteur, agissant en intermédiaire invisible. Ce n'était pas légal, mais le monde de la propriété était plein de zones d'ombre. Le vendeur, le fils du propriétaire décédé, avait apprécié cette dispense de frais d'agence.

— Et vous, ça vous avantage ?

— C'est de la petite monnaie, pour être honnête avec vous.

Andreas était un bel homme. Avec sa chevelure brune et fournie malgré ses soixante ans, ses costumes impeccables et sa nonchalance trompeuse, on aurait dit un chanteur de salon des années 1950. Ses boutons de manchettes étaient incrustés de minuscules diamants. Tout en lui et dans son bureau évoquait la fortune, le luxe. Il tendit la main vers le téléphone et appela sa secrétaire.

— Shoula, apportez-nous à déjeuner, je vous prie, et à boire.

Il haussa un sourcil à l'intention de Nicholas.

— Vous avez le temps ?

Son interlocuteur haussa les épaules, comme si le temps n'avait pas d'importance. Andreas reposa le combiné et alluma une cigarette.

— Bon, dites-moi, qu'est-ce que vous y gagnez ? C'est le deuxième bien que vous me trouvez qui soit très en dessous du prix du marché. Vous n'êtes pas un idiot, Nicholas. Vous êtes un développeur vous-même. Pourquoi me faire cette faveur ?

Nicholas avait espéré que cette question serait abordée après la boisson. Il inspira profondément, puis tâcha de prendre un air désinvolte.

— Eh bien… Je pensais que vous pourriez m'aider sur un projet… Il y a cette propriété, commença-t-il prudemment, un lieu unique en son genre. J'aimerais la développer moi-même, mais j'ai besoin d'un soutien financier.

— Pourquoi ne pas développer ces deux-là ? fit Andreas en désignant les dossiers sur son bureau. Vous pourriez dégager une somme à six chiffres, même en les vendant telles quelles. Et avec un bon entrepreneur, quelques mois de travaux, ce serait le double.

— Je ne voulais pas être distrait. C'est un projet qui demande beaucoup d'attention. Et j'ai besoin d'aller vite.

— Mais vous ne voulez pas d'un partenaire pour s'occuper avec vous de ce bien si « unique en son genre » ?

Nicholas posa les mains sur le bureau.

— Je voudrais un prêt. Je peux vous obtenir un pourcentage, ce qui rendrait les choses plus intéressantes pour vous. Il s'agit d'un projet personnel, Andreas.

— Personnel ?

— Il y a une femme…

— Ah ! Il y a toujours une femme.

Les deux hommes s'interrompirent quand la secrétaire entra avec un plateau. Il contenait une demi-douzaine de petites assiettes bien garnies : du pain pita, du houmous, du tzatziki, des olives et du halloumi. Elle leur servit du vin, étala deux serviettes de table, puis quitta la pièce.

— Je vous en prie, dit Andreas en désignant la nourriture.

Nicholas était trop nerveux pour manger, mais il se força à prendre une ou deux olives. Andreas sirota son vin et tournoya sur sa chaise pour faire face à la fenêtre.

— La plus belle vue de Londres, fit-il en contemplant l'étendue verte au-dessous.

— C'est magnifique, acquiesça Nicholas en se demandant où poser son noyau d'olive.

— Cette propriété, elle est à vous ?

— Non.

— Elle a un permis de construire ?

— Non.

— Pas de propriété, pas de permis de construire, répéta Andreas comme pour lui faire remarquer, sans le vexer, qu'il délirait.

— Je peux obtenir les deux. Je sais ce que je fais.

Ils picorèrent les plats pendant quelques minutes, puis Andreas reprit la parole.

— Vous savez quoi, Nicholas ? J'ai été surpris quand vous m'avez appelé. Très surpris. Lorsque votre affaire a périclité, beaucoup de gens ont dit que vous étiez fini. Que vous aviez perdu la tête. Que sans l'argent de votre femme, vous n'étiez rien.

Devant le silence de Nicholas, il poursuivit.

— Je vais être honnête avec vous. Il y a encore des gens qui vous considèrent comme un mauvais investissement. Que dois-je leur dire ?

Nicholas tordit sa serviette entre ses doigts. Les banques ne lui prêteraient pas la somme dont il avait besoin, loin de là. Peu d'investisseurs lui accorderaient même de leur temps. Et Andreas en avait conscience. Nicholas réfléchit un instant.

— Ces gens ont raison. Sur le papier, je suis trop risqué. Je ne vais pas vous faire perdre votre temps en essayant de vous convaincre, surtout si votre décision est déjà prise, mais vous savez aussi bien que moi, Andreas, que c'est avec les outsiders qu'on fait le plus d'argent.

Une éternité sembla s'écouler avant que l'homme esquisse un sourire, du moins un temps assez long pour que Nicholas sente la sueur perler au creux de son dos malgré l'air conditionné.

— Ah ! fit Andreas. C'est bon de constater que votre ex-femme n'a pas emporté vos *arxidia* en partant… D'accord, Nicholas. J'aime les belles histoires de come-back. Dites-m'en plus sur ce projet. Et ensuite on parlera argent.

Elle laissa passer plusieurs sonneries avant de répondre. Quand elle le fit, elle sembla essoufflée, comme si elle avait couru vers le combiné.

— C'est moi, dit-il avant un grand sourire.

— Je sais.

— Tu m'as enregistré dans tes contacts ?

Il était surpris par son audace.

— Pas exactement. Sous le nom de Sheila.

Il se trouvait dans la rue, au milieu du vacarme londonien, des pots d'échappement, des odeurs de poubelle et de fast-food. S'il appuyait fermement le téléphone contre une oreille et se bouchait l'autre, il arrivait à distinguer les chants des oiseaux, à l'imaginer dans le champ près des bois, à sentir le parfum sucré de ses cheveux contre sa peau.

— Je voulais te dire… J'ai obtenu l'argent.

Il avait le sentiment d'avoir passé une sorte de test, la dernière étape de sa résurrection. Il était redevenu quelqu'un. Il voulait partager tout cela avec elle, sachant qu'elle comprendrait. C'était pour elle qu'il agissait. Elle lui avait donné une raison de s'affirmer de nouveau.

— Oh.

— Je vais sans doute revenir après le week-end pour rencontrer la propriétaire. Je me disais qu'on pourrait en profiter pour se voir.

— Tu vas lui faire une offre ?

— En quelque sorte.

Le silence de Laura fut assez long pour le mettre mal à l'aise.

— Ça va ?

Un camion freina bruyamment derrière lui et il dut tendre l'oreille davantage.

— C'est bizarre. L'idée que cette maison soit rénovée.

— Tu aimerais mieux qu'ils y vivent ensemble ?

C'était une remarque cruelle, et il eut honte de l'avoir prononcée.

— Je suis désolé, cria-t-il par-dessus le trafic. Je n'aurais pas dû dire ça.

Quelque chose se brisa dans sa voix.

— Non, tu as tout à fait raison. Ce serait insupportable. Il vaut mieux qu'elle aille à quelqu'un d'autre.

— Écoute, dit-il, sans se soucier des regards curieux des passants. On trouvera un plus bel endroit. Un endroit sans mauvais souvenirs. (Il n'entendit pas sa réponse.) Laura, je t'aime.

Cela faisait des années qu'il n'avait pas prononcé ces mots. Il les répéta.

— Je t'aime.

Il y eut un bref silence.

— Je t'aime aussi, répondit-elle.

Laura raccrocha et inspira profondément plusieurs fois avant de retourner à l'intérieur, pour que le rouge de ses joues s'estompe. Elle avait eu du mal à croire, ces derniers jours, que Matt n'ait pas vu ce qui se lisait sur son visage. Elle, en revanche, avait toujours su le décrypter. Elle portait le contact de Nicholas sur sa peau. Ses mots tendres flottaient dans son esprit. Ils n'annulaient pas la douleur mais l'atténuaient, réduisant les effets dévastateurs de la destruction de son amour-propre par Matt. Cet homme gentil, cultivé, l'aimait. Non seulement elle avait couché avec lui quelques heures à peine après leur rencontre, mais en plus elle lui avait dit qu'elle l'aimait. À presque quarante ans, Laura McCarthy était un des piliers de son assommante petite communauté, une femme au foyer dont la buanderie était organisée avec une précision militaire et qui avait toujours assez de nourriture dans son congélateur pour improviser un repas pour douze personnes. Soudain, elle se demanda ce qu'elle était en train de devenir. Matt était dans son bureau.

— Je vais au magasin. Tu ne travailles pas aujourd'hui ? demanda-t-elle poliment.

Elle ne lui servait plus son thé ; même lorsqu'il l'acceptait, il le laissait refroidir. Elle retrouvait les tasses, intactes et glacées, sur le buffet ou la table.

— Je pensais que tu irais travailler en face.

— J'attends des matériaux.

— Tu ne pouvais pas aller sur le chantier Dawson à la place ?

— Ils ont annulé.

— Pourquoi ? Je croyais qu'ils étaient contents du devis.

— J'en sais rien. Ils ont annulé, c'est tout.

— Matt, est-ce que ça a un rapport avec ce qui est arrivé au pub ?

Il garda les yeux baissés sur le bureau, levant des feuilles de papier et les reposant.

— Anthony m'en a un peu parlé, mais je pensais que tu allais tout me raconter.

Elle s'exprimait d'une voix neutre, ne souhaitant pas provoquer de dispute. Elle ne lui parla pas des voisins, qui avaient évité son regard au supermarché, ni de Mme Linnet, croisée sur le parking, marmonnant que Matt devrait avoir honte.

— Des ragots, comme d'habitude, dit-il d'un ton dédaigneux.

— Asad est à l'hôpital, Matt.

— Juste une crise d'asthme. Ça ira.

— Ce n'est jamais « juste une crise d'asthme ». C'est un vieil homme, Matt, et tu aurais pu le tuer. Qu'est-ce qui s'est passé ?

Il se dirigea vers le meuble à tiroirs, sortit des dossiers qu'il remit en place.

— Il m'a énervé, d'accord ? On s'est disputés. Il a fait une crise d'asthme. Pas de quoi en faire tout un plat.

— Tout un plat ? Et pourquoi est-ce que Byron a disparu du registre du personnel ? Il y a à peine quelques semaines, tu voulais l'engager comme salarié.

Il semblait chercher quelque chose. Soudain, elle se rendit compte que la pagaille régnait dans ses factures. Toute la paperasse en lien avec ses différents chantiers était mélangée et reposait en tas chaotiques sur le bureau. Matt était d'ordinaire très méticuleux. Il aimait savoir exactement où il en était, pouvoir rendre compte de chaque sou. Elle n'avait jamais vu le bureau dans cet état.

Ça m'est égal. Bientôt, ce sera le problème d'une autre. Bientôt, je serai avec quelqu'un qui m'apprécie.

« Tu aimerais mieux qu'ils y vivent ensemble ? »

— Matt ?

Cet homme distant et hostile était son mari. Elle ne comprenait pas comment leur couple avait pu se déliter aussi radicalement, et à une telle vitesse.

Tu ne vois donc pas vers quoi on se dirige ? lui demanda-t-elle en silence. *Un autre homme vient de me dire qu'il m'aimait. Un homme qui a passé plusieurs heures la semaine dernière dans une chambre d'hôtel de Londres à vénérer mon corps nu. Un homme qui affirme que son idée du paradis est de se réveiller chaque matin à mes côtés jusqu'à la fin de ses jours. Un homme qui dit que je suis tout pour lui. Tout.*

Mais Matt n'en avait rien à faire. Il aimait Isabel Delancey. Laura fit disparaître l'émotion de son visage.

— Matt ? J'ai besoin de savoir où on en est avec lui pour régler la paperasse.

— Je ne veux pas parler de Byron, dit-il en feuilletant un registre.

Il ne leva même pas la tête. Elle s'attarda un instant, puis tourna les talons et descendit l'escalier.

Une autre longue journée, étouffante, touchait à sa fin. Dans la clairière, de nouveaux sons s'élevèrent : une fois la table du dîner débarrassée dans un cliquetis de vaisselle, ce furent les notes d'un violon, l'aboiement d'un chiot surexcité voulant jouer à la balle, ou encore les confidences étouffées d'une adolescente au téléphone, qui s'échappèrent des fenêtres ouvertes d'une vieille maison fatiguée, mais aussi, de temps à autre, le gémissement strident d'un moustique, suivi d'un claquement sec. Byron était assis sur sa chaise au milieu de la chaufferie, les yeux dans le vide. Ces bruits lui étaient devenus familiers au cours des deux derniers mois, ils constituaient la toile de fond de ses soirées. À présent, il se demandait quels sons habiteraient sa vie future, et l'inventaire ne fut pas prometteur : le bourdonnement incessant du trafic, le beuglement de la télévision traversant une cloison aussi fine que du papier, les sonneries infernales des téléphones portables. La cacophonie d'un trop grand nombre de personnes dans un espace trop petit. Lorsqu'il était venu là pour la première fois, il avait eu honte. À présent, il se sentait étrangement chez lui, dans ce qui n'était qu'une remise poussiéreuse et sombre. Il était toujours hanté par les bruits de la prison : le fracas métallique des portes qu'on ouvrait et fermait de façon répétée, la musique tonitruante provenant des autres ailes, les disputes, les protestations et, en fond sonore permanent, le grondement de la menace, de la peur, de la colère et des regrets mêlés. En comparaison, cet environnement spartiate n'évoquait pas le déracinement, mais plutôt une drôle de liberté, quelque chose de civilisé et de chaleureux à portée de main. Une autre façon de vivre. Cela signifiait être près de Thierry, de Kitty et d'Isabel, entendre le rire léger de celle-ci lorsqu'elle marchait dans les bois à l'aube, l'entendre s'abandonner à la musique, observer malgré lui l'inquiétude qui menaçait à tout moment d'assombrir son visage. Si sa situation actuelle et son passé avaient été différents, il aurait pu offrir bien plus que des biens comestibles et du bois de chauffage. Byron se força à se lever. La rêverie menait à la tristesse. Il fit le tour de la pièce, rassembla ses maigres possessions en tas, déplaçant agilement sa silhouette musclée dans l'obscurité. Il entendit la porte s'ouvrir et Thierry se glissa à l'intérieur, le chiot sur les talons. Le garçon tenait un bol rempli de framboises, de fraises des bois, de crème et d'un biscuit fait maison.

— Tu as dit à ta mère que tu allais manger ton dessert dehors, c'est ça ?

Le visage de Thierry se fendit d'un grand sourire.

Byron regarda cet enfant silencieux et accommodant, et ressentit une soudaine culpabilité pour ce qu'il s'apprêtait à lui dire.

— Viens. Je ne vais pas te laisser partir avec ton pudding. On va partager.

Isabel a de la chance avec le temps, cet été, pensa plus tard Byron tandis qu'il jouait aux cartes avec Thierry, en essayant d'empêcher le chiot de dérober la caisse en carton qui leur servait de table. Le goût des fruits rouges s'attardait dans sa bouche. Peut-être avait-elle un don pour faire pousser des choses. Chez certaines personnes, c'était inné.

— Bataille ! annonça-t-il.

Thierry ne le disait toujours pas à voix haute. Il émettait un grognement, puis frappait de la paume sur la table. Byron ramassa les cartes et répondit au sourire mélancolique du garçon. Thierry avait grandi depuis son arrivée dans la maison, son teint blafard avait disparu au profit de taches de rousseur, de sourires furtifs et d'une mine éclatante. Mais alors, s'il n'était plus plongé dans le chagrin et avait retrouvé sa joie de vivre, ainsi qu'il le montrait lorsqu'il s'aventurait dehors ou jouait avec son chien, pourquoi ne parlait-il toujours pas ? Byron toussa doucement, se racla la gorge. Puis il distribua de nouveau les cartes. Il s'adressa à l'enfant sans le regarder.

— Je vais, euh… Je vais partir.

Le garçon leva brusquement la tête.

— Il n'y a plus de travail pour moi ici, lui expliqua gentiment Byron. Et je n'ai pas d'endroit correct pour vivre, alors je dois faire mes bagages et aller ailleurs.

Thierry le dévisageait.

— Je ne partirais pas si je n'y étais pas obligé. Mais c'est comme ça quand on est un adulte. On a besoin d'un travail et d'un toit au-dessus de sa tête.

Thierry pointa le doigt vers le haut.

— Je ne peux pas me cacher ici éternellement. Il me faut une vraie maison, surtout avant qu'il recommence à faire froid.

Le garçon contenait ses émotions, mais Byron percevait son désarroi, qui reflétait le sien.

— Je suis désolé, Thierry. J'ai apprécié ta compagnie.

Il s'était habitué au garçon, à le voir se suspendre aux branches, courir après les chiens, chercher des insectes dans la corolle des morilles avec un air concentré. Byron avait un nœud dans la gorge ; il ne regrettait pas le faible éclairage.

— Désolé, répéta-t-il.

Il tendit la main derrière lui pour caresser la tête de Meg, ce qui lui donna une excuse pour détourner le regard. Alors Thierry fit le tour de la table et s'assit à côté de lui. Il posa la tête contre le bras de Byron. Ils restèrent ainsi pendant quelques minutes. La musique d'Isabel monta en crescendo, puis s'arrêta. Il entendit la même note rejouée inlassablement, comme un questionnement.

— Je te dirai où je suis, poursuivit doucement Byron. Je t'écrirai si tu veux. Tu pourras venir me rendre visite.

Il n'y eut aucun mouvement.

— Tu ne m'as pas perdu, tu sais. Tu as Pepper, et j'ai sa maman, alors on est lié d'une certaine façon. Et il y a toujours le téléphone.

Le téléphone. Appareil inutile. Byron baissa les yeux sur la tignasse brune. Il attendit un peu.

— Pourquoi tu ne parles pas, Thierry ? Je sais que tu peux le faire. Qu'est-ce qui est si difficile à dire ?

Byron ne voyait pas son visage, mais l'immobilité obstinée du garçon le fit s'interroger. D'une voix enrouée, il demanda :

— Thierry, est-ce que quelque chose de mal est arrivé ?

Il y eut un hochement de tête presque imperceptible. Il le sentit contre son bras.

— Quelque chose d'autre que ce qui est arrivé à ton papa ?

Un autre hochement de tête.

— Tu ne veux pas en parler.

Le garçon fit signe que non. Byron attendit. Puis il se mit à chuchoter.

— Tu sais ce que je fais quand il m'arrive quelque chose de triste ? J'en parle à Meg ou à Elsie. (Il laissa ces mots peser dans le silence.) Les chiens sont très utiles. Tu leur racontes quelque chose, et ils écoutent toujours. Mais ils ne répètent jamais rien. Si tu disais ton secret à Pepper ? Pendant ce temps, j'irai m'asseoir là-bas pour ne pas entendre.

Aucun mouvement. Dehors, un oiseau délogé de sa branche la quitta à tire-d'aile.

— Allez, Thierry. Ça va te faire du bien. Tu verras.

Byron regarda le mur et attendit en silence ; alors qu'il commençait à perdre espoir, un faible murmure se fit entendre. Puis ce fut le frottement des pattes du chiot qui gigotait dans les bras du garçon. Et tandis que la voix de Thierry devenait de moins en moins audible, Byron ferma les yeux.

Le soleil, boule de feu écarlate, déclinait derrière les arbres, projetant des rayons de couleur vive qui ne percèrent que légèrement la canopée. Isabel marchait en dessous, essayant de retenir une mélodie dans sa tête, pinçant des cordes imaginaires. Autrefois, la musique habitait son cerveau en flot continu, à peine interrompu par les exigences de ses enfants ou ses conversations avec son mari. À présent, ce flot était saccadé, inlassablement brisé par les réalités du quotidien. Ce jour-là, comme presque tous les autres, il s'agissait de problèmes d'argent. La dernière facture de Matt n'était pas arrivée, mais, d'après son petit carnet, il lui restait des centaines de livres à régler en location de matériel et fenêtres. Elle avait cru que la vente de son violon leur permettrait de respirer un peu, d'achever les travaux, mais il restait beaucoup à faire, et M. Cartwright parlait à présent d'impôt sur les plus-values.

— Pourquoi devrais-je payer un impôt sur la vente d'un bien qui m'appartient ? lui avait-elle demandé avec effroi lorsqu'il avait soulevé cette question au téléphone. J'essaie seulement de survivre.

Il n'avait pas répondu. Elle avait vendu tous ses bijoux, à l'exception de son alliance. Et elle voyait encore ses économies se réduire comme peau de chagrin de semaine en semaine.

— Brahms, dit-elle à voix haute. Deuxième mouvement. Allez, concentre-toi.

L'espoir était vain ce soir-là, mais elle avait découvert qu'une promenade dans les bois aidait. Le problème ne venait pas seulement des bruits sourds qui emplissaient continuellement la demeure – la télévision, Thierry et le chiot, Kitty au téléphone. La véritable nuisance sonore était le silence, tellement plus invasif. Cette maison n'était plus un refuge : c'était une série de difficultés, un rappel des travaux inachevés, des factures impayées. Elle hésita, jeta un coup d'œil au lac à travers les arbres. Le paysage était au comble de sa beauté à cette heure de la journée, les derniers rayons du soleil dessinaient des traits de couleur vive sur la surface de l'eau, les oiseaux étaient à peine audibles, perchés sur leurs branches. Elle pouvait demander à différer le paiement jusqu'à ce qu'elle ait vendu la maison. Elle pouvait emprunter. Elle pouvait donner à Matt tout ce qu'il lui restait d'économies, en espérant que sa famille et elle puissent subvenir à leurs besoins en attendant qu'elle retrouve du travail. Isabel s'assit lourdement sur une souche. Elle pouvait aussi se recroqueviller là et ne plus penser à rien.

— Isabel ?

La silhouette de Byron apparut dans le soleil, ses contours se dessinèrent, sombres, contre les arbres. Elle bondit sur ses pieds, espérant dissimuler sa frayeur. Mais il l'avait perçue.

— Je ne vous ai pas entendu.

Elle ne voyait pas son visage.

— Je vous ai appelée.

— Ah, d'accord ! dit-elle d'une voix trop enjouée.

Ses épaules étaient si larges – tout son corps respirait la vigueur. À présent, pourtant, elle ne put s'empêcher de penser aux dégâts qu'une telle force pouvait infliger, à la menace sous-jacente. Depuis qu'il était sorti de la maison quelques jours plus tôt, Byron, son gentil complice un peu gêné, était devenu un étranger pour elle. Matt avait pilonné par ses mots tout ce qu'elle avait cru savoir de lui.

— Je m'apprêtais à rentrer. Vous avez besoin de quelque chose ?

Elle se mit à marcher vers le lac, comme si dans la lumière du jour, loin des limites obscures des bois, elle était davantage en sécurité. Quand il se retourna, il semblait encore plus nerveux qu'elle. Il lui tendit des lettres. Elle les prit, vit quelque chose de familier dans l'écriture. Les deux enveloppes avaient été ouvertes.

— Je ne les ai pas lues, dit Byron. Mais Thierry l'a fait. Il faut que je vous dise… Il pense… qu'il est dangereux pour lui de parler.

— Quoi ?

Isabel lut les quatorze premières lignes de cette belle écriture arrondie. Elle regarda les mots écrits par une inconnue. La femme qui n'avait pas su que Laurent était mort, qui avait cru qu'il l'évitait. Elle relut la lettre, essayant d'en comprendre le sens, se forçant à accepter la vérité. Était-ce une plaisanterie ? Elle faillit rire. Puis elle relut. C'était la lettre que Kitty avait essayé de lui faire lire des mois auparavant, lorsque M. Cartwright l'avait contrainte à consulter l'impressionnante pile de courrier en attente. Une des premières lettres qu'elle avait reçues, à peine une semaine après la mort de Laurent. Elle ne l'avait pas décachetée, n'avait rien ouvert depuis des mois. Pourquoi Thierry l'avait-il prise ? Il y avait un problème, visiblement. La seconde lui avait été transférée par le bureau de Laurent, et, tandis qu'elle lisait les mots empressés, son cœur, ou ce qu'il en restait, sombra dans un abîme.

Non, dit-elle en silence.

Et la musique se tut. Il n'y eut plus que le silence assourdissant de son ignorance obstinée.

Non. Non. Non. Non.

Byron se tenait encore là, et la regardait. Et elle comprit qu'il savait ce que les lettres disaient. Qu'avait-il dit ? « Il pense qu'il est dangereux pour lui de parler. » Pas son mari. Son fils. Et une autre émotion se substitua à son sentiment de trahison.

— Il savait ? demanda-t-elle d'une voix tremblante en levant la lettre. Thierry était au courant ? Il porte ce fardeau depuis tout ce temps ?

Byron hocha la tête.

— La femme a remis la première lettre en mains propres. Il l'a reconnue. Et plus tard il a vu l'autre sur une pile de lettres.

— Il l'a *reconnue* ? Oh, mon Dieu.

À présent, tout faisait sens, et elle fut engloutie par la trahison de son mari, par sa propre trahison ignorante vis-à-vis de son fils, qui n'osait parler parce qu'il en savait trop. Il ne restait plus rien de la petite famille qui avait autrefois vécu dans une jolie maison à Maida Vale. Parce qu'il n'y avait pas de souvenirs, pas d'innocence, rien qu'elle aurait pu sauver de cet accident de voiture. Isabel s'appuya contre un arbre. Personne n'était en mesure de l'aider, d'arranger les choses. Elle ne pouvait même plus pleurer l'amour de son mari perdu, parce qu'elle savait désormais qu'elle l'avait perdu bien avant sa mort.

— Isabel ? Vous allez bien ?

La question lui sembla si bête. *Thierry*. Il fallait qu'elle aille voir Thierry. Elle se redressa, un peu vacillante.

— Merci, dit-elle poliment, surprise par le semblant de normalité qu'elle avait pu donner à ce mot. Merci de m'avoir mise au courant.

Elle marcha rapidement vers la maison, trébuchant sur le sol irrégulier dans la lumière déclinante. Les bois ondulaient devant elle, se troublaient. Byron était à côté d'elle.

— Je suis désolé, dit-il.

Elle se retourna vivement.

— Pourquoi ? Vous couchiez avec mon mari ? Vous conduisiez le camion qui l'a tué ? Vous avez traumatisé mon fils au point de le rendre mutique ? Non. Alors ne soyez pas ridicule. Ça n'a rien à voir avec vous.

Elle était un peu essoufflée et sa voix était cinglante.

— Je suis désolé de vous avoir apporté de mauvaises nouvelles, dit-il. Je pensais que vous deviez savoir, pour le bien de Thierry.

— Eh bien, bravo.

Elle trébucha sur un tronc couché.

— Isabel, je…

— Qui d'autre est au courant ? Peut-être que vous devriez faire un saut chez les cousins, pour être le premier à leur raconter l'histoire. Dès demain matin, je suis sûre que tout le village en parlera.

— Personne n'est au courant.

Elle apercevait la maison. Son fils était à l'intérieur. En haut, peut-être, absorbé dans un jeu vidéo.

Comment ai-je pu ne rien voir? Comment ai-je pu le laisser souffrir comme ça?

— Isabel. Attendez. Prenez le temps de réfléchir avant d'aller lui parler.

Il posa une main sur son épaule, mais Isabel se libéra d'un mouvement brusque.

— Ne me touchez pas!

Il recula comme s'il s'était fait piquer. Il y eut un bref silence.

— Je les aurais brûlées si j'avais pu. Je voulais simplement aider Thierry.

— Eh bien, je n'ai pas besoin de vous pour venir en aide à mon fils, répliqua-t-elle sèchement. Nous n'avons pas besoin de votre aide, ni de l'aide de personne.

Il étudia son visage, puis, la mâchoire serrée, s'éloigna. Isabel le regarda partir.

— Je peux le protéger moi-même! hurla-t-elle.

Il était à une quinzaine de mètres quand elle ajouta:

— Je peux les protéger tous les deux!

Il ne ralentit pas. Un gros sanglot s'échappa de la gorge d'Isabel.

— Très bien, dit-elle, la voix brisée. Byron, dites-moi pourquoi.

Il s'arrêta et se retourna. Le lac s'étendait derrière elle dans la pénombre. Elle se tenait debout à côté d'un chêne couché, les mains sur les hanches, le visage en feu.

— Pourquoi vous a-t-il parlé à vous et pas à moi ? Pourquoi ne pouvait-il rien me dire ? Je suis sa mère, non ? Je n'ai pas toujours été une très bonne mère, mais je l'ai toujours aimé. Je suis tout ce qu'il lui reste. Pourquoi vous parler à vous et pas à moi ?

Il lut la douleur sur son visage, le choc et la tristesse sous le masque de colère. Un animal blessé s'en prenait à n'importe qui.

— Il avait peur, répondit-il.

Elle sembla sur le point de s'effondrer. Elle leva les yeux au ciel, les ferma brièvement. S'il avait été un autre, songea soudain Byron, n'importe qui d'autre, il aurait pu la rejoindre et passer ses bras autour d'elle. Il aurait pu offrir à cette femme meurtrie un peu de réconfort.

— Son silence était censé vous protéger.

Il attendit qu'elle ait repris sa marche pour faire de même ; d'un pas calme, il se dirigea vers la route.

Thierry était éveillé quand elle entra dans sa chambre. Même dans la pénombre, elle put voir ses yeux sur elle. Elle le soupçonna de l'avoir attendue. Il avait dû deviner que Byron irait lui parler. Mais à présent qu'elle était devant lui, elle ne savait pas quoi lui dire. Elle n'était même pas sûre d'avoir bien saisi ces révélations. Néanmoins, elle savait qu'elle devait délester son fils de ce fardeau. Elle posa une main sur sa tête, sentit la chevelure soyeuse et familière.

— Je sais tout, murmura-t-elle, et ce n'est pas grave.

Elle s'efforça de garder une voix calme.

— Les gens… ne font pas toujours ce qui est bien, mais ça ne fait rien. J'aime toujours ton papa et je sais qu'il m'aimait.

Une petite main émergea des couvertures et prit la sienne. Elle lui caressa les doigts.

— Ce que tu as lu dans ces lettres n'a pas d'importance, Thierry. Ça ne change rien à l'amour que nous avions pour papa, ni à l'amour qu'il avait pour nous. Tu ne dois pas te tourmenter pour ça.

Elle ferma les yeux.

— Et il faut que tu saches une chose. C'est très important. Rien n'est trop grave pour que tu m'en parles. Tu comprends, Thierry ? Il n'y a rien que tu doives garder pour toi de cette façon. Je suis là pour ça.

Il y eut un long silence. Il faisait nuit noire à présent, et Isabel s'allongea sur le lit à côté de son fils. Derrière la fenêtre, les étoiles formaient des points lumineux dans le ciel, évoquant une plus grande lumière au-delà. Quelle mère indigne avait-elle été pour que son petit garçon n'ait pas osé se reposer sur elle ? Comme elle avait dû leur sembler fragile, égocentrique et immature, pour que ses enfants se soient sentis obligés de la protéger, *elle*.

— Tu peux tout me dire, ajouta-t-elle, presque pour elle-même.

Elle était épuisée par le chagrin et le choc, et se demanda brièvement si elle ne devrait pas simplement dormir là. Monter dans sa chambre lui semblait impossible. La voix de Thierry rompit le silence.

— Je lui ai dit…, murmura-t-il. Je lui ai dit que je le détestais.

Isabel sortit immédiatement de sa torpeur.

— Ce n'est pas grave, dit-elle. Tu as le droit de dire ce que tu ressens. Je suis sûre que papa comprenait. Vraiment, je…

— Non.

— Thierry, mon chéri, tu ne dois pas…

— Le jour où je les ai vus. Avant le concert. Elle est venue à la maison et je les ai vus… et papa a fait comme si de rien n'était. Mais je ne suis pas stupide. Et je lui ai dit… Je lui ai dit que je voulais qu'il *meure*.

Il se mit à sangloter contre elle en froissant sa chemise entre ses petits poings. Isabel ferma les yeux pour ne plus voir l'obscurité, pour ne plus voir l'abîme dans lequel son fils s'était retranché depuis des mois, puis elle ravala le cri qui montait dans sa gorge et le serra très fort dans ses bras.

Chapitre 20

Ce jour-là, elle était sortie deux fois de la maison, la première pour aller cueillir des herbes dans son potager ; elle avait longé le chemin, tête baissée, une passoire à la main. Elle portait un tee-shirt usé et un short coupé, et ses cheveux voletaient autour de son visage, maintenus négligemment par une grande épingle dont s'échappaient plusieurs mèches rebelles. Ses vêtements lui collaient à la peau. La chaleur flottait toute la journée au-dessus du lac, étouffant les mouvements et les sons, et seul un murmure de brise offrait du répit. L'air était un peu plus frais dans les bois, mais, à travers les arbres, la maison miroitait sous le soleil. Les quelques tuiles neuves du toit scintillaient, libérées de la mousse qui recouvrait encore leurs voisines. De même, les nouveaux parements extérieurs contrastaient de manière frappante avec l'ancien bois. À terme, tout serait peint d'une seule et même couleur, mais il était déjà évident qu'un travail de qualité avait été accompli. La bâtisse serait métamorphosée par cette rénovation.

Lorsqu'il travaillait à partir de ses propres plans, Matt McCarthy ne faisait pas les choses à moitié. Sensible à la belle ouvrage et à l'artisanat, il avait appris au fil des ans que les éléments sur lesquels on avait voulu faire des économies – installations électriques bon marché, revêtements de sol à prix cassé – étaient toujours ceux qui empoisonnaient l'existence au bout du compte. Si on voulait du beau, on ne lésinait pas sur les moyens. Sa maison serait parfaite. Au début, si son bon goût et son obsession du détail avaient coûté à Isabel plus qu'elle ne pouvait se le permettre, il ne s'en était pas préoccupé. Cela ne faisait que précipiter le moment où il allait emménager avec sa famille dans la maison espagnole, et elle ramener la sienne à Londres. Quant aux choses qu'elle lui avait demandé de faire, les rares exigences qu'elle avait eues, il les avait satisfaites avec négligence, pensant qu'il était absurde de s'attarder sur des tâches qu'il aurait à défaire quelques mois plus tard. Voyant qu'elle n'était pas découragée par ce qu'il lui facturait, ni par les dangers apparents que présentait la maison – rongeurs ou sol pourri –, il avait inventé de nouveaux travaux. Une cloison à abattre, des solives à remplacer. Il s'était étonné qu'elle tarde autant à remettre en question ses initiatives.

Matt écrasa une mouche qui s'était infiltrée par la vitre ouverte. Isabel était sortie une deuxième fois peu après le déjeuner, en se frottant les yeux comme si elle venait de se réveiller. Il avait pensé aller vers elle, mais l'enfant était sorti à son tour, avec le chiot qui glapissait à ses pieds. Elle s'était penchée pour embrasser son fils, et il s'était souvenu du contact de ses lèvres contre les siennes, de son corps enroulé autour du sien. Il avait dû s'assoupir un moment, sur le siège incliné de son van, pour se reposer les yeux. Il dormait si mal. Sa propre maison était devenue une zone hostile : les regards accusateurs de Laura le suivaient partout, et ses questions étaient d'une politesse acide. Il était plus simple d'éviter l'endroit autant que possible. Matt la soupçonnait de s'être installée dans la chambre d'amis : la porte était close la dernière fois qu'il y était monté. Mais celle de leur propre chambre également. Les dernières semaines avaient pris un drôle d'aspect. La chaleur ruisselait, le faisant se réveiller ou s'assoupir à des heures indues, le rendant tour à tour exténué puis bouillonnant d'énergie. Son fils l'évitait. Byron avait disparu. Oubliant qu'il l'avait congédié, Matt lui avait téléphoné pour lui demander des comptes, et avait été abasourdi quand le jeune homme le lui avait sèchement rappelé. C'était la chaleur, avait expliqué Matt, qui lui embrouillait l'esprit. L'autre n'avait pas répondu. Matt avait continué de parler un certain temps avant de se rendre compte qu'il n'y avait plus personne au bout du fil. Il s'était rendu au *Long Whistle*. Il ne se rappelait pas à quand remontait son dernier vrai repas. Theresa allait sûrement lui préparer quelque chose, lui adresser un sourire amical. Au lieu de quoi, elle lui avait dit sans détour qu'ils ne servaient plus à manger, et quand il l'avait suppliée, elle lui avait apporté un sandwich au jambon desséché. Elle avait refusé de lui parler, même lorsqu'il l'avait taquinée sur la longueur de sa jupe. Plantée derrière le bar, bras croisés, elle l'avait surveillé d'un œil méfiant tel un chien de garde. Il était resté assis un certain temps avant de se rendre compte que personne dans le pub ne lui adressait la parole.

— Il me pousse une deuxième tête ou quoi ? s'était-il agacé, ne supportant plus d'être dévisagé.

— Tu ferais mieux de réparer celle que tu as déjà, mec. Mange ce sandwich et tire-toi. Je ne veux pas d'ennuis.

Le patron avait pris son journal sur le bar avant de disparaître à l'arrière.

— Tu devrais rentrer chez toi, Matt.

Mike Todd s'était approché de lui et lui avait parlé à voix basse. Il lui avait donné une tape dans le dos. Avec un regard apitoyé.

— Rentre chez toi et repose-toi.

— Tu attends quoi pour venir voir ma maison ? lui avait dit Matt.

— Rentre chez toi, avait simplement répété l'autre.

Autant rester dans le van. Il y était sans doute depuis des heures, mais avait perdu la notion du temps. Et peu lui importait que la batterie de son téléphone portable soit à plat, il n'avait envie de parler à personne de toute façon. Matt contempla la façade de la maison, sans voir l'échafaudage à l'arrière, la benne surchargée, la fenêtre devant laquelle une bâche s'agitait sous la brise. Ce qu'il voyait, c'était sa propriété, une grande demeure ayant retrouvé sa splendeur d'antan, et lui se promenant tranquillement sur l'herbe en direction du lac. Enfant, il s'était arrêté à vélo à cet endroit précis et s'était juré qu'il se vengerait un jour. Ils avaient accusé son père d'avoir volé deux roues de secours sur les voitures de collection, et par gêne, ou paresse, n'avaient pas fait marche arrière quand les objets du délit avaient été retrouvés dans le garage. Au service de la famille depuis quinze ans, George McCarthy s'était pourtant toujours montré irréprochable. Mais c'était trop tard : Matt et sa sœur avaient dû quitter leur maison pour emménager dans un logement social à Little Barton, et le nom de la famille avait été sali par la désinvolture des Pottisworth. Depuis ce jour, il savait que la maison devait lui revenir. Il effacerait le sourire narquois du visage de Pottisworth. Il montrerait à la famille de Laura, qui avait regardé avec un dégoût poli ses chaussures, la façon dont il tenait ses couverts, de quoi il était capable. Il aurait la maison pour les McCarthy. Il prouverait à tout le monde que le plus important n'était pas d'où l'on venait mais ce qu'on pouvait accomplir. Il restaurerait la bâtisse et laverait son nom. Éloigner la veuve, l'intruse, de son chemin aurait dû être une tâche aisée. Et puis, par une nuit venteuse de début d'été, cette personne était devenue Isabel, haletante, palpitante Isabel, une femme qui avait empli sa tête de musique et lui avait fait comprendre combien sa propre vie était terne, grise et silencieuse. Isabel l'éthérée, qui flottait entre les arbres, dont les hanches se balançaient au rythme de ses mélodies, qui avait posé sur lui un regard oblique et provoquant. Grâce à elle, il savait désormais à quoi il aspirait, ce qui lui manquait depuis toujours, lui qui n'avait eu en tête que détails pratiques et mètres carrés. C'était la seule femme qui avait constitué un défi pour lui. Il voulait toujours la maison – oh oui, elle était toujours sienne à ses yeux. Mais cela ne lui suffisait plus. Matt McCarthy ferma les yeux, puis les rouvrit, essayant de faire taire le vacarme de son esprit. Il toucha les boutons du lecteur CD sur le tableau de bord jusqu'à reconnaître la *Musique sur l'eau* de Haendel. Il monta le son. Puis, tandis que les cordes l'apaisaient, le réparaient, il saisit son carnet dans la boîte à gants et commença à dresser méthodiquement une liste des choses qui lui restaient à faire, de l'étanchéité de la tuyauterie à la dernière fenêtre à installer. Il se rappelait chaque clou qu'il avait planté, chaque morceau de plâtre qu'il avait travaillé. Il connaissait ces murs mieux que personne. Il continua de griffonner, sans prêter attention aux pages noircies qui tombaient à ses pieds, tandis que le soleil déclinait derrière la maison espagnole.

Pendant trois jours et deux nuits, Isabel ne dormit pas. Elle resta éveillée, le cerveau encombré d'un million de confrontations silencieuses avec son mari. Elle pesta contre lui à cause de son infidélité, se réprimanda pour ses absences répétées qui l'avaient conduit à aller voir ailleurs. Elle rejoua dans sa tête les événements familiaux, les vacances, ses tournées à l'étranger, incluant cette femme dans ce qu'elle avait considéré comme leurs souvenirs. Les dépenses excessives, les multiples voyages qu'il avait effectués l'année précédente : tout cela faisait sens à présent, un abominable puzzle prenait forme. Rien n'était plus à elle seule, rien n'était plus à eux seuls. La liaison de Laurent avait tout corrompu. Et elle détestait l'égocentrisme qui l'avait empêchée de voir ce qui se passait, la complaisance qui lui avait fait négliger les comptes bancaires, les relevés de carte bleue. Elle avait jeté son alliance dans le lac à minuit, sans savoir si elle devait rire ou pleurer de ne pas entendre de « plouf ». Mais, surtout, elle pleura pour la souffrance qu'il avait infligée indirectement à leur fils. Ce matin-là, au petit déjeuner, Laurent avait embrassé la tête de Thierry en s'émerveillant qu'il ait tellement grandi. Était-ce un message codé ? Une façon de l'encourager à garder le silence ? La volonté de cacher son infidélité avait-elle été plus importante pour lui que la tranquillité d'esprit de son enfant ? Cette remarque était-elle au contraire parfaitement innocente ? Savoir qu'il l'avait trompée entachait tout. La tête lui tournait. Matt était venu le matin suivant, juste après sa découverte, et lorsqu'elle avait entendu son véhicule et le coup frappé à la porte – elle ne laissait plus les clés sous le paillasson –, elle lui avait ouvert et dit que le moment était mal choisi.

— Vous avez besoin de cette salle de bains. Vous en parlez depuis des semaines. J'ai tout le matériel dans le van.

Il avait une mine épouvantable. Une barbe de plusieurs jours, un tee-shirt crasseux. Pas de la poussière de chantier, mais un aspect gris et chiffonné, comme s'il avait dormi tout habillé.

— Non, avait-elle insisté. Ce n'est pas le moment.

— Mais vous vouliez…

— On utilise une bassine en fer-blanc depuis des mois. Quelle différence ça peut faire ?

Elle avait alors fermé la porte, sans se soucier d'avoir été grossière, ni de devoir affronter les plaintes de Kitty, qui n'en pouvait plus de ces conditions préhistoriques. Elle détestait Matt parce que c'était un homme. Parce qu'il avait couché avec elle alors que lui-même était marié, et parce qu'il n'avait pas eu la décence d'exprimer le moindre regret. Sa propre hypocrisie la fit grimacer. N'avait-elle pas fait à Laura ce qui l'avait elle-même dévastée ? Personne d'autre ne vint ce jour-là. Elle ne répondit pas au téléphone. En apparence, elle fut irréprochable. Elle cuisina, admira les nouvelles poules, écouta attentivement le récit que lui fit Kitty en rentrant avec Anthony de l'hôpital où Asad se remettait de sa crise d'asthme. Elle écouta, avec satisfaction, la voix de son fils. Il se montra d'abord timide et gêné, mais demanda son petit déjeuner au lieu de se servir sans un bruit un bol de céréales. Il appela ensuite son chiot, et, dans l'après-midi, elle l'entendit rire quand l'animal se mit à pourchasser un lapin près du lac. Elle était contente que les enfants ne veuillent plus rentrer à Londres : la maison de Maida Vale s'était en une nuit métamorphosée, passant de paradis perdu, de foyer chaleureux, à lieu de tromperie et de secrets. Quand les enfants dormaient, incapable de jouer du violon, elle déambulait dans sa maison inachevée, accompagnée par les moustiques traversant les fenêtres béantes et par le grattement des créatures nocturnes qui habitaient le plancher ou la toiture. Elle ne voyait plus le plâtre nu. Que la maison soit encore par endroits à l'état de carcasse n'en faisait pas moins un foyer que leur prétendu havre de paix londonien. Cela n'avait rien à voir avec le décor ou les jolis meubles, ni avec le nombre de lames de parquet manquantes. Cela n'avait rien à voir avec la richesse et la sécurité. De quoi un foyer était-il constitué ? De deux enfants endormis à l'étage, pour commencer.

Ail des ours. Cardamine hirsute. Thym sauvage et chanterelles. Byron marchait à la lisière des bois, où les vieilles souches formaient une ligne courant vers les pâturages, travail des fermiers successifs au fil des ans. Malgré la pénombre, il cueillit de quoi se préparer à dîner, connaissant ces terres depuis l'enfance. Il avait perdu du poids, mais davantage par manque d'appétit qu'à cause de ce moyen de subsistance. Depuis quelque temps, il se terrait la journée, dormait aux heures les plus chaudes et errait la nuit dans les bois, essayant de réfléchir à ce qu'il allait faire. Elle se méfiait de lui à présent. C'était évident. Il l'avait compris en la voyant sursauter quand il était apparu au milieu des arbres, l'avait deviné au sourire forcé, excessivement radieux, qu'elle lui avait adressé. Il l'avait entendu dans son salut déterminé, comme si elle ne voulait pas montrer la peur qu'il lui inspirait désormais. Il connaissait cette réaction : c'était celle des villageois qui le connaissaient de réputation et le rencontraient pour la première fois. Lorsque Byron pensait à la peur d'Isabel, à sa famille s'imaginant qu'il pourrait leur faire du mal, un voile épais tombait sur lui. Cela ne rimait à rien de rester dans les Barton. Son passé, même déformé, flotterait autour de lui comme une odeur pestilentielle tant que des gens comme Matt seraient dans les parages. De plus, il y avait de moins en moins de terres disponibles, les promoteurs immobiliers, les usines et l'agriculture les grignotaient, alors ses chances de trouver du travail étaient d'autant plus minces. Pour les gens comme lui, les options étaient limitées : manutentionnaire, vigile, chauffeur de taxi. Il perdait espoir en lisant les annonces, s'imaginant dans un parking en béton, sous les ordres d'un supérieur lui accordant chaque jour une pause de quinze minutes à heure fixe, payé de mauvaise grâce au salaire minimum.

Je n'aurais pas dû provoquer Matt, se répéta-t-il pour la centième fois. *J'aurais dû la boucler.*

Mais il ne le pensait pas vraiment.

—Allô ?

Elle avait indiqué son adresse en haut de la lettre : 32 Beaufort House, Witchtree Gardens.

Bizarre, de la part d'une maîtresse.

Pourquoi être si précise ? Comme s'il avait pu la confondre avec quelqu'un d'autre. Quarante-huit heures après avoir découvert les lettres, Isabel avait appelé les renseignements et appris qu'il n'y avait qu'une seule Karen vivant à cette adresse. Karen Traynor, saboteuse de mariages et de souvenirs. Qui aurait cru que deux mots pouvaient avoir un tel impact sur les vies de tant de gens ? Isabel l'imaginait grande, blonde, athlétique, entre vingt-cinq et trente ans. Impeccablement maquillée, comme ces femmes sans enfants l'étaient : elles avaient le temps d'être narcissiques. Était-elle musicienne ? Ou bien Laurent aimait-il l'idée de posséder une personne dont l'esprit n'était pas sans cesse à la dérive ? Isabel ignorait ce qu'elle lui dirait, bien qu'elle eût répété une centaine d'arguments, une centaine de piques lapidaires. Peut-être allait-elle lui hurler dessus. Lui demander où était passé tout leur argent. Où Laurent l'avait emmenée. Combien d'hôtels, d'escapades à Paris, de plaisirs hors de prix il y avait eus pendant qu'Isabel le croyait en voyage d'affaires. Elle montrerait à cette femme ce qu'elle lui avait fait, lui expliquerait que, en dépit de ce que Laurent lui avait dit (mais que lui avait-il dit ?), elle s'était immiscée dans un mariage encore plein de passion, vibrant, palpitant. Elle la mettrait devant la réalité, cette fille irresponsable et égoïste. Elle lui ouvrirait les yeux.

Soudain, la sonnerie cessa, et une voix féminine – articulée, élégante, sans doute guère différente de la sienne – retentit : « Allô ? » Puis de nouveau : « Allô ? » Alors Isabel, une femme qui considérait que sa tête était vide si elle n'était pas emplie d'une musique sublime, se trouva confrontée au silence.

Le troisième soir, la vague de chaleur se brisa. Le ciel s'assombrit brusquement, avec un grondement de tonnerre, comme des timbales s'échauffant avant un grand final, puis de gros nuages gris avancèrent, et une pluie torrentielle s'abattit. Les créatures sauvages détalèrent pour se mettre à l'abri, des ruisseaux se mirent à gargouiller dans les rigoles. Byron resta assis sous la maison et écouta, d'abord les exclamations d'Isabel et de Kitty, qui couraient vers l'étendoir, criant et pataugeant pour rassembler le linge ; il esquissa ensuite un sourire usé quand il entendit Thierry, qui fredonnait tout seul en passant devant la chaufferie.

— Tombe, tombe, tombe la pluie, tout le monde est à l'abri…

Joyeux et insouciant. Les chiens étaient sur le qui-vive, ils regardaient la porte puis Byron, attendant un signal, n'importe lequel, pour aller, eux aussi, jouer dehors, mais il leva une main et, avec un grognement, les bêtes se calmèrent.

— Y a que mon p'tit frère qu'est sous la gouttière, pêchant du poisson pour toute la maison…

Lorsque les pas cessèrent à l'intérieur, Byron se leva lentement. Il avait rassemblé ses affaires dans deux sacs. Quand la pluie se calmerait, il traverserait les bois, récupérerait sa voiture et partirait. Une porte claqua. Au-dessus de lui, soudain, la musique emplit l'espace. Tout un orchestre – quelque chose de dramatique qu'il avait déjà entendu. Il perçut la voix suppliante de Kitty : « Oh non, pas ça. » Puis le son fut étouffé quand quelqu'un ferma une fenêtre. Il pouvait encore distinguer les violons virevoltants, les voix qui se déchaînaient. Byron sortit un stylo et écrivit une courte note, qu'il plia soigneusement et plaça sur la chaudière. Ensuite, il s'assit, dans l'obscurité totale, et attendit.

— Nicholas ?

— Tu les as reçues ?

Il ne demanda pas qui c'était.

— Elles sont magnifiques, dit-elle doucement. Absolument magnifiques. Elles sont arrivées juste avant l'heure du thé.

— J'étais inquiet. J'ai eu peur qu'il ne veuille savoir d'où elles venaient. Mais tu as dit…

— Il n'est pas là. Je ne sais pas où il va, mais il est rarement là maintenant.

Elle ne lui avoua pas qu'elle avait vu la voiture de son mari garée dans les bois quand elle promenait le chien. Pourquoi ne pas se garer devant la maison de la veuve ? s'était-elle demandé.

Au moins, ce serait honnête.

— Je voulais t'envoyer des roses, mais le message aurait été trop clair.

— La plupart des roses n'ont pas de parfum de nos jours, de toute façon.

— Et la vendeuse a suggéré les lys. Mais ils sont trop envahissants, tu ne trouves pas ? Et funèbres.

Il tenait à lui montrer le mal qu'il s'était donné. Elle en fut touchée.

— Les pivoines sont mes préférées. Tu as bien choisi.

— Je m'en doutais. Je voulais que tu saches… que je pense à toi tout le temps. Je ne veux pas te mettre la pression, mais…

— Je vais prendre ma décision, Nicholas.

— Je sais…

— C'est juste que les choses sont allées si vite. Je te promets que ce ne sera pas long.

Elle s'assit au bord du lit et regarda, à sa main gauche, la bague pavée de diamants que sa mère avait trouvée vulgaire. Une bague vulgaire était-elle préférable à une fille adultère ?

— C'est compliqué. Avec mon fils et tout le reste.

— Prends le temps qu'il faudra.

Elle aurait voulu qu'il soit là. Elle n'avait plus aucun doute lorsqu'il était avec elle, lorsqu'elle sentait ses mains sur les siennes et lisait la sincérité sur son visage. Seule chez elle, elle était au plus mal ; l'absence de Matt jetait un voile sombre sur son foyer, tandis que la maison espagnole faisait naître en elle toutes sortes d'idées folles. Y était-il à cet instant ? En train de se moquer d'elle ? De faire l'amour à cette femme ? Elle pouvait à peine se montrer au village. La boutique des cousins n'avait pas rouvert. Depuis l'accrochage de Matt avec Asad, les gens ne la regardaient plus dans les yeux, comme si elle était coupable par alliance. Elle ne pouvait pas non plus voir ses amies, n'étant pas prête à leur confier ce qui arrivait à son mariage. Ce qui *était* arrivé à son mariage. Elle vivait là depuis suffisamment longtemps pour savoir que sa vie ferait jaser. Une larme coula sur son visage, inattendue, laissant une trace sombre sur son pantalon, avant de s'étaler.

— Je peux toujours te voir mardi ?

— Oh, Nicholas, dit-elle en s'essuyant la joue. Es-tu vraiment obligé de poser la question ?

C'était la première pluie de l'été et elle ne s'était pas infiltrée. Isabel, qui ne prenait plus rien pour acquis, considéra cela comme un petit miracle. Peut-être que Matt savait y faire, tout compte fait. L'orage avait révélé quelque chose, apporté une perspective différente, de sorte que, brièvement, elle oublia les factures, la trahison, Laurent, pour savourer les cris de joie des enfants sous la pluie, et l'eau ruisselant sur son visage après des jours de chaleur moite. Elle avait écouté leurs bavardages ce soir-là, ne s'était pas plainte quand ils s'étaient jeté des chaussettes mouillées à la figure, sous les aboiements du chien. Elle avait dormi durant l'après-midi sur son lit défait, s'était réveillée calme et fraîche, comme au sortir d'une fièvre. L'orage les avait tous rendus plus légers. Elle entra dans la chambre de Thierry. Il était au lit, le chien sur la couette. Elle ne le gronderait pas : si cela le rendait heureux, quelques traces de pas boueuses était un maigre prix à payer. Isabel tira les rideaux, entendit un coup de tonnerre au loin, vit l'étrange lumière bleutée quand l'orage glissa vers l'est. Puis, lorsqu'elle se baissa pour l'embrasser et lui souhaiter bonne nuit, il passa les bras autour de son cou.

— Je t'aime, maman.

Et les mots chantèrent dans sa tête.

— Je t'aime aussi, Thierry.

— Et j'aime Pepper.

— Oh, moi aussi, dit-elle d'une voix ferme.

— Je ne veux pas que Byron parte.

— Où va-t-il ?

Elle le bordait à présent, un œil sur la carte de constellations qui cachait un trou dans le plâtre. Un autre travail inachevé.

— Il n'a pas de maison. Il doit partir pour trouver un nouveau travail.

Elle se souvint, avec honte, de la façon dont elle s'était emportée contre Byron. Elle se souvint des lettres dans sa main, du parfum de terre chaude s'élevant d'un tronc pourri. De la poussée d'adrénaline malsaine que cette découverte indésirable avait provoquée en elle. Elle ne savait même plus ce qu'elle lui avait dit sous l'effet de la colère.

— Tu ne peux pas lui donner un travail ? Il pourrait s'occuper de notre jardin.

Elle l'embrassa de nouveau.

— Oh, mon chéri, si on avait de l'argent, je…

Elle irait s'excuser. Elle ne voulait pas que Byron parte dans ces conditions. Après tout ce qu'il avait fait pour elle, pour Thierry. « Nous n'avons pas besoin de votre protection », lui avait-elle craché.

— J'irai lui parler. Où habite-t-il ?

Certains silences étaient plus lourds que d'autres. Thierry la regarda, semblant évaluer un risque, et elle se rendit compte avec un certain effroi que son fils avait gardé plus d'un secret. Elle s'efforça de ne pas lui montrer son anxiété.

— Tout, Thierry. Tu te souviens ? Tu peux *tout* me dire. Il n'y a aucun problème.

Elle tendit une main pour prendre la sienne. Il hésita une fraction de seconde, puis l'accepta d'une légère pression.

— Il habite sous la maison, avoua-t-il.

Isabel descendit les marches en silence, pataugeant pieds nus sur la pierre. Stupéfaite par les révélations de Thierry, elle avait oublié qu'elle ne portait pas de chaussures jusqu'à ce que le gravier mouillé le lui rappelle. À ce stade, cela n'avait plus d'importance. La lumière déclinait, et une pluie fine continuait de tomber, même si l'orage avait cessé depuis longtemps. Elle contourna la maison, se baissa pour éviter l'échafaudage, esquiva les bris de verre cachés au milieu des pierres. Finalement, elle arriva à l'escalier menant à la chaufferie. Elle n'avait jamais eu l'idée de s'y aventurer. Elle vit une faible lueur, hésita un instant. Puis elle entendit un chien grogner. La porte grinça quand elle l'ouvrit et, au début, elle ne distingua rien, mais ses oreilles, extrêmement sensibles aux fluctuations sonores, détectèrent du mouvement. Son cœur battait la chamade. Et puis le nuage qui occultait la lune s'éclipsa, et la silhouette au fond de la pièce fut partiellement éclairée. Elle laissa ses yeux s'accoutumer à l'obscurité, vaguement consciente de la présence des chiens aux pieds de l'homme.

— Depuis combien de temps vivez-vous ici ? demanda-t-elle.

— Quelques mois. Je suis désolé. Je serai parti à l'aube. J'ai quelques opportunités à...

Tandis qu'elle digérait cette révélation, il parlait de plus en plus bas, comme s'il croyait à peine à ce qu'il disait. On entendait la pluie, un faible sifflement dans les arbres, un ruissellement lointain. Elle pouvait sentir la terre mouillée, la chaleur charriant ses parfums humides dans l'air immobile.

Tout ce temps, il était ici, au-dessous de nous.

— Je sais que ça doit paraître... J'avais besoin d'un toit.

— Pourquoi ne pas m'avoir demandé ? Pourquoi ne pas m'avoir dit que vous n'aviez nulle part où aller ?

— Ce que Matt a dit... Je ne veux pas que vous pensiez que j'étais là-dessous et que... Bon sang, Isabel. Je... Je suis désolé.

Elle était entrée dans cette pièce sous sa maison, non pas consciente d'un danger mais étrangement rassurée de savoir que, durant ces jours de désolation, elle n'avait pas été seule.

— Non, fit-elle en secouant la tête. Je n'aurais pas dû écouter Matt. Quoi qu'il ait dit, ça n'a pas d'importance.

— À propos de Matt, il faut que je vous dise...

— Non, le coupa-t-elle. Je ne veux pas parler de lui.

— Alors je veux que vous sachiez... Je ne suis pas un homme violent. Ce gars... Le gars dont Matt a parlé, il battait ma sœur. Elle ne m'a rien dit, mais Lily, ma nièce, l'a fait. Et quand il a découvert qu'elle avait parlé, il s'en est pris à elle. Elle avait quatre ans, ajouta-t-il d'une voix dure.

Elle grimaça.

— Byron, arrêtez. Vous n'êtes pas obligé…

— Mais c'était un accident, je vous assure.

Elle sentit la souffrance dans sa voix.

— J'ai tout perdu. Ma maison, mon avenir, ma réputation.

Elle se souvint d'une chose qu'il lui avait dite un jour.

— Vous ne pouvez plus enseigner.

— Je n'avais jamais frappé personne avant. De toute ma vie.

Il se mit alors à murmurer.

— Plus rien n'est pareil après ça, Isabel. Plus rien. Ce n'est pas seulement la culpabilité. C'est l'image que vous renvoyez. L'image que vous avez de vous-même. (Il marqua un arrêt.) Vous commencez à vous voir comme les autres vous voient.

Elle ne le lâchait pas du regard.

— Je ne vous vois pas comme les autres.

Ils restèrent dans l'obscurité, incapables de se distinguer l'un l'autre. Deux silhouettes. Deux ombres. Pendant des mois, elle avait vu Laurent partout, en chaque homme. Elle avait vu la forme de ses épaules dans celles des inconnus, entendu son rire dans les rues bondées. Elle lui avait adressé des murmures dans ses rêves, avait pleuré de ne pouvoir le ramener à la réalité. Dans un accès de folie, elle l'avait imaginé en Matt. À présent, enfin, elle savait qu'il était parti. Il restait un sentiment d'absence, mais plus de manque. Laurent avait cessé d'exister. Mais qui était cet homme ?

— Byron ? chuchota-t-elle.

Elle leva une main, sans être sûre de son intention. Ces doigts-là, que savaient-ils ? La musique qu'ils avaient produite était un mensonge, une diversion. Elle avait cru en quelque chose qui lui apparaissait désormais comme une illusion.

— Byron ?

Elle tendit la main jusqu'à trouver la sienne, et leurs doigts s'entrelacèrent. Sa peau était dure, tiède dans l'air nocturne. Le monde se mit à tournoyer. Son esprit absorba la fraîcheur humide, le parfum des primevères, l'odeur sulfureuse de la chaudière. Un chien gémit, et Isabel scruta la pénombre jusqu'à être sûre que les yeux de Byron s'étaient posés sur les siens.

— Vous n'avez pas à rester ici, murmura-t-elle. Montez avec moi. Venez chez nous.

Il leva une main à son tour et, lentement, essuya du pouce l'eau de pluie sur le visage d'Isabel. Elle inclina la tête et appuya sa propre main contre celle du jeune homme. Puis, tandis qu'elle faisait un pas en avant, il chuchota.

— Isabel… Je ne peux pas…

Submergée par la honte au souvenir des mains de Matt sur elle, de sa propre complicité, elle fit un bond en arrière.

— Non, bien sûr. Je suis désolée.

Elle tourna les talons, remonta les marches en vitesse, sans se laisser le temps d'écouter les excuses hésitantes de Byron faire écho aux siennes.

Chapitre 21

ONZE ŒUFS, DONT UN ENCORE CHAUD. KITTY L'APPUYA contre sa joue, encerclant de sa main la fragile coquille. Il y en aurait assez pour le petit déjeuner, et une demi-douzaine à apporter aux cousins. Asad retournait travailler ce matin, et elle lui avait préparé quatre boîtes.

— Vous allez être en rupture de stock, lui avait-elle dit l'avant-veille, assise à côté de son lit devant le rideau à fleurs de sa chambre d'hôpital.

— Dans ce cas, nous ouvrirons uniquement pour la conversation, pas pour la nourriture, lui avait répondu Asad.

Il avait encore l'air fatigué. Son attaque avait laissé des cernes noirs sous ses yeux, et rendu presque cadavérique son visage déjà anguleux. Ça ne faisait que deux ou trois jours qu'il se nourrissait correctement, avait marmonné Henry. Kitty avait craint qu'aucun des deux hommes ne veuille lui parler, étant donné sa part de responsabilité dans ce terrible événement, mais lorsqu'elle lui avait présenté ses excuses, avec Anthony derrière elle, gêné, Asad avait pris sa main entre ses longues paumes tannées.

—Non, c'est moi qui te demande pardon, Kitty. J'aurais dû te faire part de mes soupçons longtemps avant. Ça m'a servi de leçon. C'est plutôt rassurant de se dire qu'on n'est pas trop vieux pour apprendre.

—Moi, j'ai appris qu'il fallait se promener avec un grand bâton. Et un inhalateur de rechange, ironisa Henry tout en s'affairant avec les oreillers de son compagnon. Asad ne pourra plus rien soulever, tu sais. Cet homme…

—Il travaille toujours chez vous ?

—Je ne l'ai pas vu.

—Je ne sais pas où il est, dit Anthony. Maman l'a vu l'autre jour, mais elle a dit qu'il n'avait pas ouvert la bouche. Je ne vois pas comment il pourrait se montrer maintenant.

Henry donna un dernier coup vigoureux sur l'oreiller.

—Il se tient probablement à l'écart. Avec un peu de chance, ta maman n'aura plus à payer quoi que ce soit.

Asad avait jeté un regard à Anthony.

—Je suis navré que tu aies à nous entendre parler de ton père de cette façon.

—Rien que je n'aie déjà entendu, dit l'adolescent en haussant les épaules d'un air indifférent.

Mais Kitty savait qu'il en souffrait. Plus tard, tandis qu'ils étaient assis côte à côte sur les chaises en plastique destinées aux visiteurs, elle lui avait pris la main et dit qu'elle comprenait.

Thierry entra par la porte de derrière et regarda par-dessus l'épaule de sa sœur pendant qu'elle disposait les œufs dans la boîte.

— Combien ?

— Onze. Douze au début, mais j'en ai fait tomber un.

— Je sais. Sur les marches. Pepper l'a mangé. Devine qui est dans la chambre ?

Elle referma le couvercle soigneusement.

— Laquelle ?

— La grande chambre. Celle que Matt a terminée.

Il sourit.

— Byron, révéla-t-il.

— Pour travailler ?

Thierry secoua la tête.

— Pour dormir.

— Qu'est-ce qu'il fait chez nous ?

— C'est provisoire. En attendant qu'il règle ses problèmes.

L'esprit de Kitty s'éclaira soudain. Un loyer ! Peut-être qu'ils auraient une nouvelle rentrée d'argent. Elle pensa à son déjeuner d'anniversaire prévu quelques jours plus tard. Elle avait invité Asad, Henry et presque la moitié du village, mais n'avait pas encore informé sa mère du nombre de convives. Ce serait pratique d'avoir Byron sur place, il pourrait aider à porter les choses lourdes, déplacer les meubles à l'extérieur. Comme la salle à manger avait encore des trous partout, et puisque le temps était clément, sa mère et elle avaient pensé organiser le repas dans le jardin. Kitty imaginait le décor, une nappe blanche flottant sous la brise, recouverte des mets qu'ils auraient préparés, tous ses amis admirant la vue sur le lac. Ils pourraient se baigner. Elle leur dirait d'apporter leurs maillots. Kitty se réjouissait d'avance, soudain heureuse de vivre dans cette étrange maison. D'une certaine façon, dans la chaleur de l'été, le chaos de la rénovation semblait ne plus avoir d'importance, l'échafaudage et la poussière passaient au second plan. Sans leur problème de salle de bains, elle aurait sans doute pu vivre comme ça toute sa vie. Son téléphone portable sonna.

— Kitty ?

— Oui ?

— C'est Henry. Désolé d'appeler aussi tôt, ma petite. Tu ne saurais pas par hasard où je pourrais trouver Byron ? Nous avons quelques petits travaux à faire, et nous n'allons pas appeler tu sais qui.

Kitty entendit des pas nouveaux au-dessus de sa tête.

— Bizarrement, oui, je le sais.

Allongé sur le lit double, Byron contemplait le plafond immaculé. Pendant deux mois, il avait vécu sur un sol sale, avec en fond sonore les bruits sourds ou sifflants de la chaudière. Ce matin-là, il se réveilla dans le calme. Une lumière éclatante inondait la pièce aux fenêtres réparées, les oiseaux chantaient, et une bonne odeur de café montait de la cuisine. Il trottina pieds nus sur le sol en bois poncé et s'étira devant la vitre, admirant la vue spectaculaire sur le lac. Ses chiennes étaient étendues sur le tapis, peu désireuses de se lever. Quand il se pencha pour lui caresser la tête, Meg donna quelques coups de pattes paresseux. Isabel lui avait proposé cette chambre la veille, encore gênée par le souvenir de leur rapprochement dans le noir.

— Elle est terminée. Je vais vous faire le lit.

— Je peux m'en charger.

Il avait pris la pile de linge frais, tressailli quand leurs mains s'étaient touchées.

— Faites… comme chez vous, avait-elle dit. Servez-vous de tout ce que vous voulez. Vous savez où sont les choses.

— Je vous paierai. Une fois que j'aurai trouvé du boulot.

— Mais non. Remettez-vous sur pied avant de parler d'argent.

Elle avait tendance à cligner des yeux quand elle était gênée.

— Aidez-nous pour les repas. Occupez-vous de Thierry quand je sors donner mes cours. Ce sera suffisant.

Elle lui avait adressé un sourire désabusé, en osant enfin croiser son regard.

— Il y a suffisamment de travail ici, après tout.

Elle semblait lui faire totalement confiance. Byron s'assit sur le lit, s'émerveillant de la chance qu'il avait. Isabel aurait eu toutes les raisons de l'accuser d'intrusion, voire pire. N'importe qui d'autre l'aurait fait. Au lieu de quoi elle lui avait ouvert sa porte, l'avait invité à sa table, lui avait confié la garde de ses enfants. Il se frotta les cheveux et s'étira de nouveau. Puis, regardant l'œuvre de Matt autour de lui, il se demanda brièvement ce qui s'était passé entre eux, avant de repousser cette idée. Isabel l'avait libéré du poids de son passé ; le moins qu'elle pouvait attendre de lui était qu'il fasse de même pour elle. De plus, les imaginer ensemble lui serrait douloureusement le ventre. Penser à Matt en train de l'exploiter, comme il le faisait avec tout le monde, réveillait en lui des émotions qu'il tâchait d'étouffer depuis des années. Combien de dégâts un homme pouvait-il commettre impunément ? En contemplant le plafond, il fut soudain frappé, non par sa beauté, mais par le vaste gouffre qui existait entre cette maison – sa propriétaire – et sa vie. Elle l'avait invité chez elle, oui, mais c'était provisoire. Loger là, dans cette chambre, ne signifiait en rien qu'il y avait sa place. Ses sombres pensées furent interrompues par un coup frappé à la porte. Le visage souriant de Thierry apparut dans l'embrasure. Il semblait, constata Byron avec un plaisir rare, fou de joie de le trouver là.

— Maman dit que le petit déjeuner est servi. (Il s'essuya le nez avec sa manche.) Et Kitty te dit d'appeler les cousins. Ils ont du travail pour toi.

Il n'avait rien remarqué. Laura se déplaça avec grâce dans sa chambre, triant ses vêtements – ceux qu'elle emporterait, ceux qu'elle laisserait derrière elle –, et s'étonna de la capacité de son mari à rentrer à la maison après trois jours d'absence et à tout simplement s'endormir. Il avait ouvert la porte peu avant l'aube, et, attentive aux moindres bruits dans la maison à présent qu'elle vivait seule, elle s'était réveillée en sursaut. Peut-être était-il venu parce qu'il avait deviné. Elle s'était préparée à la confrontation. Mais il était monté, passé devant la porte de sa chambre, et elle l'avait entendu à travers la cloison s'écrouler lourdement sur le lit. Au bout de quelques minutes, il ronflait. Il ne s'était pas réveillé depuis. Il était presque midi. Laura prit une tenue qu'elle avait portée à un mariage l'année précédente, un tailleur de créateur dans des tons pastel, coupé dans le biais. Élégant, pas trop suggestif, comme Matt les aimait. Elle avait toujours cherché à lui faire plaisir, songea-t-elle, tout en épiant le moindre bruit dans la pièce à côté. La nourriture, les vêtements, l'éducation d'Anthony, la décoration de la maison. Et pour quoi ? Pour se retrouver avec un homme capable de disparaître pendant trois jours, puis de rentrer dormir comme si de rien n'était. Un homme qui pouvait s'envoyer la voisine sous son nez et trouver ça parfaitement normal. Elle faisait ce qu'il fallait. Elle se l'était tellement répété, et, dans les moments où elle doutait de sa décision, Nicholas le formulait pour elle. Nicholas, qui répondait toujours à ses appels. Qui avait toujours l'air ravi d'entendre le son de sa voix. Qui la prenait dans ses bras et prononçait son nom comme s'il s'agissait d'un mirage dans le désert. Nicholas ne la tromperait jamais. Ce n'était pas ce genre d'homme. Il portait son bonheur retrouvé comme un titre honorifique, durement gagné, et le savourait pleinement.

Et pour toi, ce n'était pas une chance de m'avoir ? demanda-t-elle à Matt en silence, à travers la cloison. *Je ne te suffisais pas ?*

Elle repensa aux centaines de fois où le comportement de Matt l'avait poussée à se retrancher dans la chambre d'amis, à ses protestations muettes face à ses absences, son inconséquence et sa cruauté, ses infidélités. Il la regagnait toujours, bien évidemment. Il la suivait, grimpait dans le lit à côté d'elle et lui faisait l'amour pour la reconquérir. Comme si cela permettait d'oublier tout le reste. Comme si tous les lits se valaient. Elle regarda la maison espagnole par la fenêtre, la méprisant soudain pour ce qu'elle lui avait fait. Si la veuve n'avait pas emménagé... Si Matt n'avait pas jeté son dévolu sur cet endroit... Si Samuel Pottisworth n'avait pas abusé de sa gentillesse durant toutes ces années... Si elle n'avait jamais cru que vivre dans cette maison serait la réponse à tous leurs problèmes... Laura remit le tailleur dans le placard.

Mais c'est grâce à la maison espagnole que j'ai rencontré Nicholas, se rappela-t-elle. *Et puis, une maison ne peut pas être la cause de tout. Les gens sont responsables de leur destin.*

Elle se demanda quand Anthony allait rentrer. C'était lui qui lui avait suggéré de quitter Matt. Elle ne faisait que mettre son idée à exécution.

* * *

Dans la cuisine, assise en bout de table, Isabel regardait Byron et Thierry préparer une tourte au lapin. Byron émincait des oignons et écossait des fèves, Thierry éviscérait la carcasse avec des gestes experts. Dehors, le soleil recouvrait le jardin d'un voile doré et, sur le buffet, la radio les accompagnait de son murmure. De temps à autre, une légère brise soulevait les voilages blancs, amenant avec elle une mouche ou une abeille qui, au bout de quelques instants, retrouvait la sortie. Les chiens de Byron étaient allongés près de la cuisinière, appréciant la chaleur qui s'en dégageait. L'atmosphère était chaleureuse, paisible. Même Kitty n'était plus gênée par la préparation de la viande ; elle utilisait le plan de travail pour réaliser des biscuits en vue de sa fête d'anniversaire. Byron était revenu une demi-heure plus tôt de la boutique des cousins, où il leur avait installé de nouvelles serrures. Il était entré dans la cuisine chargé de deux sacs de nourriture.

— Je ne voulais rien leur facturer, mais ils ont dit que tous ces produits seraient bientôt périmés et qu'on ferait mieux de les prendre.

Il avait posé ses provisions sur le buffet avec la satisfaction silencieuse d'un chasseur-cueilleur.

— Des biscuits au chocolat ! s'était exclamé Thierry en jetant un œil dans les sacs.

— Je les prends pour la fête, et aussi les pailles au fromage. De l'huile d'olive ! Du riz pour risotto ! Des chips ! s'était enthousiasmée Kitty à son tour.

Lorsque Isabel avait vérifié les dates sur les boîtes de soupe et les paquets de biscuits haut de gamme, elle avait vu que les produits ne se périmaient pas avant plusieurs semaines. Mais elle reconnut que les cousins et Byron avaient tout autant profité de cet échange et, se réjouissant de la perspective d'un garde-manger plein, elle choisit de ne pas en parler.

— Oh… Vous croyez que ça va suffire ? J'aimerais qu'on ait plus d'argent. On aurait pu acheter du saumon ou un rôti de porc.

Soudain, Kitty avait rougi. Elle s'était empressée d'ajouter :

— En fait, c'est énorme. Il y en a même trop, à mon avis.

Elle avait souri à sa mère qui, touchée par sa sensibilité, lui avait rendu son sourire, regrettant de ne pouvoir lui offrir pour ses seize ans une fête qui ne soit pas entachée par le manque d'argent. À présent, elle regardait l'adolescente étaler de la pâte, les cheveux derrière les oreilles, les joues rosies par la vie en plein air. Elle n'avait rien dit à Kitty de sa découverte. Thierry n'en parlerait pas. Elle protégerait les souvenirs que sa fille avait de son père. En guise de cadeau d'anniversaire. À l'autre extrémité de la table en pin, la tête brune de Byron était baissée tandis qu'il écoutait Thierry lui raconter les derniers exploits de Pepper. Le chiot semblait avoir acquis des super-pouvoirs canins au cours de leurs escapades dans les bois – il pouvait grimper aux arbres, courir plus vite que les lièvres et détecter les chevreuils à des kilomètres à la ronde. Byron répondait à ses récits invraisemblables par un murmure encourageant. Pendant un instant, le cœur d'Isabel se serra : elle regardait son fils avec cet homme alors que son père aurait dû être à ses côtés. Mais Thierry s'était ouvert de nouveau. Il n'était plus le petit garçon renfermé qu'il était devenu après l'accident. C'est à Byron qu'elle devait cette transformation. Aux rares occasions où elle se surprit à le regarder, elle se força à détourner la tête pour se concentrer sur les chiffres de son livre de comptes. Il avait repoussé en douceur ses avances spontanées. De toute façon, il les quitterait quelques semaines plus tard. C'était un ami. Elle se reprocha sa propre détresse. Il était plus simple pour tout le monde, en particulier les enfants, qu'elle ne le considère pas autrement.

Le coup de fil tomba après le déjeuner. Ils avaient filé dehors, s'étaient affalés sur de vieilles chaises longues dénichées dans une des remises et posées sur la pelouse à quelques mètres de l'échafaudage. Un parapluie de golf fatigué, incliné contre un escabeau, leur offrait un peu d'ombre. Étendu sur l'herbe, Thierry lisait à voix haute un livre de blagues pour enfants, et émettait d'occasionnels grognements de consternation pendant qu'ils sirotaient du sirop de fleur de sureau. Byron entendit le téléphone par la fenêtre ouverte et disparut à l'intérieur.

— Isabel ?

Il se tenait devant elle. Il affichait une satisfaction discrète.

— On m'a proposé un job près de Brancaster. C'est pour élaguer un bois. Un homme pour qui j'ai travaillé il y a quelques années vient de l'acheter et voudrait l'arranger. Ça paie bien, ajouta-t-il.

— Oh, dit Isabel, étrangement déconcertée. Est-ce que Brancaster est loin d'ici ?

Elle protégea ses yeux d'une main, essayant de voir son visage plus clairement.

— C'est à une ou deux heures de route. Mais il veut que je reste là-bas. Il pense que ça prendra bien deux jours, voire trois. C'est beaucoup de travail.

Isabel se força à sourire.

— Quand partez-vous ?

— Tout de suite. Il veut que je commence au plus vite.

Elle voyait que son esprit était déjà tourné vers ce travail. Pourquoi diable devrait-elle s'inquiéter ?

— Je peux venir ?

Thierry s'était levé, le livre étalé à ses pieds.

— Pas cette fois, Thierry.

— Vous deviez nous aider pour la fête, dit Isabel. Vous serez rentré à temps, Byron ? Pour le déjeuner de Kitty ?

Elle tenta de donner un ton désinvolte à sa question.

— J'essaierai, mais ça dépendra du boulot. Kitty, je vais te faire une liste de choses que tu peux préparer pour la fête. Par exemple, j'avais pensé à du sorbet du sureau. Avec le congélateur, c'est très facile.

Il se mit à griffonner des instructions, et Isabel ne put s'empêcher d'être contente pour lui. Il ne devait pas aimer dépendre des autres. La perspective d'un emploi, l'idée d'être utile, avait changé son comportement.

— Vous vous débrouillerez ? Tout seuls ?

Il tendit à Kitty le bout de papier et regarda Isabel.

— Oh, je crois que ça ira.

— Je voulais vous dire… Vous devriez appeler la mairie. Faire venir le service d'urbanisme. Pour qu'ils jettent un œil aux travaux qui ont été faits. Comme ça, vous saurez ce que vaut le boulot de Matt.

Elle fit une grimace.

— Je dois vraiment penser à la maison aujourd'hui ?

Tout la ramenait toujours à la maison.

— C'est tellement joli dehors…

— Ça pourrait vous donner de l'influence quand vous parlerez argent avec Matt. Vous savez quoi, je les appellerai moi-même sur le chemin.

— Alors je vais vous préparer un casse-croûte, dit-elle en se levant et en époussetant son short. Et aussi quelque chose pour ce soir.

— C'est inutile, fit-il avec un mouvement de la main. Je mangerai quelque chose là-bas. Profitez de votre après-midi.

— Je ne comprends pas ce qui te choque autant.

Le sourire de Laura vacillait. Elle avait choisi son moment si soigneusement, avait attendu que Matt ait quitté la maison et qu'Anthony ait fini son déjeuner. Elle lui avait préparé du poulet frit et une salade de pommes de terre, son plat préféré, mais elle-même avait peu d'appétit. Elle le lui avait annoncé avec délicatesse, lui avait présenté la situation non comme un fait accompli mais comme une opportunité. Un heureux hasard. Quelque chose qui leur rendrait la vie plus douce à tous les deux. Elle avait pris soin de ne pas trop afficher son bonheur, s'était tripoté les cheveux pour cacher ses joues rouges quand elle avait prononcé le nom de Nicholas. Mais Anthony était clairement horrifié. Quand le silence devint insoutenable, elle reprit la parole, en arrangeant le sel et le poivre sur la table.

— C'est toi, Anthony, qui m'as dit de le quitter. Tu m'as poussée à le faire, tu t'en souviens ?

— Je ne voulais pas dire le quitter pour un autre.

Elle tendit une main vers lui. Il recula.

— Je n'arrive pas à le croire. Je voulais juste… Tu n'as pas arrêté de dire du mal de papa, et pendant tout ce temps tu te tapais quelqu'un d'autre.

— Ne me parle pas comme ça, Anthony. C'est… vulgaire.

— Et ce que tu fais est classe, peut-être ?

— C'est toi qui l'as dit, Anthony, c'est toi qui as dit que je devais le quitter.

— Mais je ne voulais pas dire pour un autre.

— Alors que voulais-tu dire ? Que je devais rester seule pour le restant de mes jours ?

Il haussa les épaules.

— Alors lui peut faire ce qu'il veut, mais quand j'ai enfin l'occasion de connaître le véritable bonheur, une relation épanouie, je deviens la méchante ?

Il refusait de la regarder.

— Tu sais depuis combien de temps je suis seule, Anthony ? Même si ton père vivait sous ce toit ? Tu sais combien de fois il m'a trompée ? Combien de fois j'ai dû ronger mon frein au village, parler avec des femmes qui avaient probablement couché avec lui ?

Son sentiment d'injustice lui faisait dire des choses qu'elle regretterait. Mais pourquoi passerait-elle pour la coupable ?

Anthony replia ses grandes jambes contre son torse.

— Je ne sais pas, dit-il. C'est juste que… j'ai du mal à m'y faire.

L'horloge de l'entrée sonna. Ils restèrent assis l'un en face de l'autre quelques minutes, chacun la tête baissée vers la table. Elle était rayée, remarqua Laura en passant un doigt sur la surface. Elle ne l'avait jamais remarqué. Finalement, Laura tendit de nouveau la main vers lui. Cette fois, il l'accepta. Il affichait une moue crispée.

— Fais sa connaissance, Anthony, le supplia-t-elle d'une voix douce. C'est un homme bien, gentil. Donne-nous une chance. Donne-moi une chance. S'il te plaît.

— Alors tu veux que je fasse sa connaissance, puis que je vienne vivre avec vous dans votre nouvelle maison ?

— Eh bien… Tu peux le dire comme ça…

Il leva les yeux vers elle et, dans son expression, dans la soudaine froideur de son regard, elle vit, pour la première fois depuis des années, son père.

— Bon sang, dit-il. Tu es aussi pourrie que lui.

Elle s'essayait à Bruckner depuis presque quarante-cinq minutes quand, finalement, elle laissa sa main retomber le long de son corps. Ni le cœur ni l'esprit n'y était. Kitty était partie au village retrouver Anthony, qui l'avait appelée en urgence, et Thierry jouait dans les bois, d'où elle l'entendait de temps à autre appeler son chiot. Byron avait quitté la maison depuis plus d'une heure. Il n'avait passé qu'une seule nuit chez eux, mais son absence l'avait désemparée, sans qu'elle sache exactement pourquoi. Elle replaça le violon sous son menton et repositionna le Dampit, l'humidificateur censé empêcher l'instrument de se craqueler. *La Romantique*, ainsi s'appelait cette quatrième symphonie. Le deuxième mouvement avait été décrit par le compositeur comme une « scène d'amour rustique ». Elle faillit rire de l'ironie.

— Concentre-toi.

Mais ça n'allait pas. Le romantisme lui échappait. C'était la faute du nouveau violon, qu'elle n'arrivait pas encore à apprivoiser. Peut-être était-ce aussi un manque de pratique. Isabel s'assit à la table de la cuisine et regarda la pelouse au-dehors. Elle ignorait combien de temps s'était écoulé quand elle entendit le heurtoir. Elle se leva d'un bond pour aller ouvrir.

Il a dû changer d'avis.

Mais ce fut Matt qu'elle trouva sur le seuil, sa caisse à outils en main.

— Oh.

Elle fut incapable de cacher sa déception. Ses cheveux étaient aplatis d'un côté, comme s'il venait de se réveiller, mais il semblait calme, moins exténué qu'à sa dernière visite. Il ressemblait davantage à l'ancien Matt.

— Je ne vous attendais pas aujourd'hui, dit-elle, gênée par la transparence de sa réaction.

— Je peux reprendre, alors ? Le plâtrage, les plinthes de la salle à manger et la salle de bains, si je me souviens bien.

Il consulta un bout de papier froissé. Isabel ne le voulait pas dans la maison. Elle ne voulait plus entendre l'écho de leur nuit ensemble. Elle mettrait les choses au clair, s'il le fallait. Ç'en était trop. Il sembla sentir son hésitation.

— Vous voulez toujours que je raccorde la tuyauterie de la salle de bains, non ? Pour Kitty ?

Kitty, pensa-t-elle, verrait cela comme le plus beau des cadeaux d'anniversaire. Un bon bain dans une vraie baignoire. Elle pourrait lui acheter des bulles moussantes, une bonne huile pour le bain.

— Vous allez vraiment faire la salle de bains ? Aujourd'hui ?

— J'aurai quasiment fini cet après-midi. Ça ferait plaisir à Kitty, non ?

— Ces trois choses, céda-t-elle à contrecœur. Et ensuite, on arrête. L'argent est prêt pour vous.

— Oh, on parlera de ça plus tard, dit-il avant de se diriger vers la salle à manger en sifflant. Deux sucres dans le mien. Vous vous souvenez ?

Il pouvait se détendre à présent. Ces quelques jours passés loin de la maison avaient été pénibles, ce lieu lui avait manqué. À présent de retour, avec Isabel qui lui préparait son thé, il était calme. Le brouillard qui avait habité son esprit s'était dissipé. Il avait dormi, mangé, et il se trouvait là où il devait être. Il s'attaqua aux plinthes de la salle à manger, fixant chaque élément, puis comblant l'espace au-dessus. Elles rendraient bien en gris pâle. Avec peut-être un bleu crayeux sur les murs. La pièce était orientée au sud et supporterait bien cette teinte froide. En bas, Isabel jouait du violon, et il s'interrompit pour l'écouter. Il se rappela cette nuit, elle sur le palier, l'instrument appuyé contre son épaule, perdue dans sa musique. Il avait marché vers elle, et elle l'avait regardé, et c'était comme si elle avait su qu'il allait venir. Ils n'avaient pas eu besoin de parler. C'était une communion d'esprits. Puis de corps. Sa chevelure folle lui avait chatouillé le visage. Ses longs doigts gracieux s'étaient agrippés à lui. La bouilloire siffla et la musique s'arrêta. Il termina les plinthes et recula pour admirer son œuvre. Une pièce n'avait jamais l'air achevée sans de belles plinthes. Dans la grande chambre, il avait utilisé les plus hautes, les plus chères qu'on puisse trouver, pour s'adapter à la hauteur sous plafond et aux dimensions particulières de la pièce. Elle n'avait pas remarqué, mais ce n'était pas sa faute. Elle n'y connaissait rien en construction, en architecture, de la même façon qu'il n'y connaissait rien en musique. Mais on savait d'instinct quand quelque chose était bien. Il entendit un léger bruit, alla à la porte et constata, déçu, qu'elle avait laissé son thé dans le couloir. Il avait nourri l'espoir qu'elle entre et le complimente sur sa réalisation, qu'elle lui en parle. Il aurait aimé lui expliquer à quel point il était important que les éléments clés d'une pièce se répondent. Les gens n'imaginaient pas qu'un constructeur puisse s'attacher à de tels détails. Mais elle avait du travail, se rappela-t-il. Elle devait s'occuper de sa musique. C'était probablement mieux ainsi. Il prit une gorgée de thé fumant. De plus, elle le distrayait trop. Sa seule présence dans la maison lui rendait la tâche difficile.

Depuis la cuisine, elle entendait les coups de marteau de Matt. Pour une fois, il s'attelait à ce qu'il lui avait promis. Il semblait calme. Quand Kitty découvrirait la baignoire en état de marche, sa joie ferait plaisir à voir. Alors pourquoi Isabel avait-elle l'estomac aussi noué ?

Parce que tu n'as pas joué correctement depuis des semaines, se dit-elle.

Ces périodes d'arrêt avaient toujours provoqué en elle un certain malaise. De plus, on se laissait facilement aller à la rêverie dans une maison aussi isolée, loin du bruit permanent de la circulation, sans portes qui claquaient ni passants pour vous ramener sur terre. Elle se concentrerait sur le scherzo et, le temps qu'elle parvienne à quelque chose, Matt aurait terminé et pourrait sortir de leurs vies pour de bon. Il deviendrait un simple voisin qu'elle saluerait de la tête quand ils se croiseraient sur le chemin, qu'elle appellerait peut-être à l'occasion pour de menus travaux. Une présence distante.

Matt avait brièvement abandonné la salle de bains pour vérifier le plâtrage dans la chambre de Thierry. Il passa délicatement les doigts sur la surface rose pour s'assurer qu'il n'y avait pas d'aspérités. Le plâtre était frais comme l'albâtre. Les vêtements et jouets du garçon jonchaient le sol, comme si une tornade était passée par là. Il vit des pièces de Lego coincées dans les jambes d'un pyjama, des pantalons, des chaussettes, des livres jetés dans les coins. Ça lui rappela Anthony petit. Matt lui avait construit un garage en bois, un objet magnifique avec un monte-charge et de petites bornes pour marquer les places de parking. Mais Anthony avait refusé de jouer avec, préférant façonner des objets et des figurines avec de l'argile et de la pâte à modeler, ce que Laura trouvait éducatif, puis piétiner les minuscules morceaux sur le tapis beige. Matt prit l'affiche qu'il avait ôtée pour réparer le mur et l'étala sur le lit. Ensuite, il ramassa la vieille housse de protection qu'il avait posée au sol et sortit sur le palier pour la secouer avant de la replier. Pendant qu'il maniait le tissu raide, il eut un aperçu de la grande chambre par la porte entrouverte. Le lit était fait. Matt observa les draps blancs. Elle avait fini par s'installer dans la pièce qu'il avait créée pour elle – pour eux deux. Pourquoi ne lui en avait-elle rien dit ? C'était un événement capital. Elle habitait son œuvre. En bas, la mélodie se précisait, il y avait moins d'arrêts brusques, plus de fluidité. Un long passage onirique s'envola dans l'escalier, peut-être lui envoyait-elle un message. La musique était son moyen d'expression, après tout. Matt lâcha la housse et entra dans la grande chambre d'un pas lent, comme s'il obéissait au tempo de la musique. Il admira la luminosité, la brillance du plancher au vernis impeccable, le bleu opalescent du ciel à travers les baies vitrées. C'était aussi beau qu'il l'avait rêvé. Et puis ses yeux se posèrent sur les bottes de travail, au pied du lit. Deux grosses chaussures sales, maculées de terre sèche, dont les semelles portaient l'empreinte d'une sortie récente. Des bottes d'homme. Celles de Byron. Matt les regarda fixement, puis leva la tête et aperçut les sacs dans le coin. La serviette de toilette pendue au radiateur qu'il avait lui-même fixé. La brosse à dents posée soigneusement sur le rebord de la fenêtre. Quelque chose en lui s'éteignit, se désagrégea, ne laissant qu'un béant trou noir, un abîme à la place du sentiment. Byron et Isabel dans la grande chambre. Sa chambre à lui. Son lit à lui. Matt secoua la tête, deux fois, comme s'il tentait de la vider. Il était parfaitement immobile. Le bruit assourdissant et rapide qu'il entendait était sa propre respiration. Il sortit sur le palier, puis descendit lentement l'escalier, d'un pas décidé. En direction de la musique.

Jouer avec l'orchestre lui avait procuré tant de bonheur, pensa Isabel au moment d'entamer les dernières mesures du final. Pour certains musiciens de son entourage, c'était comme pointer à l'usine, la section cordes n'était rien d'autre qu'une machinerie bien huilée : on jouait sur commande, on obéissait aux instructions. Elle, en revanche, adorait la camaraderie, la joie de construire à plusieurs un mur de son, l'idée que le seul fait de s'accorder devant un public de qualité soit une bouffée d'air frais. Et puis il y avait les rares moments où un chef d'orchestre charismatique vous insufflait son génie. Si elle pouvait s'échapper, ne serait-ce que deux ou trois jours par mois, pour revivre ce plaisir, elle pourrait se reconstruire. Retrouver celle qu'elle avait été avant cette maison. Tandis qu'elle enduisait son archet de colophane, elle entendit quelque chose dans l'escalier.

— Matt ? appela-t-elle.

Aucune réponse. Isabel repositionna l'instrument sous son menton et vérifia les cordes, faisant de minuscules ajustements. Ce violon ne sonnerait jamais comme le Guarneri. Quelqu'un d'autre en jouait probablement à cet instant précis, en savourait la profondeur du *si*, le chatoiement du *do*.

Qu'est-ce que j'ai à la place ? pensa-t-elle, riant presque. *Douze mètres carrés de tuiles en argile et une nouvelle fosse septique.*

Elle s'apprêtait à reprendre quand elle perçut un bruit sourd, régulier et répété. Elle cessa de bouger, se remémora ce qu'elle avait demandé à Matt de faire. Il avait terminé les plinthes. Le plâtrage n'était pas bruyant. La salle de bains, à sa connaissance, avait seulement besoin d'être raccordée. Pourtant, cela continua : boum, boum, boum. Ensuite, il y eut un fracas et de la poussière tomba du plafond. Elle se dirigea vers la porte.

— Matt ?

Rien. Puis de nouveau : boum, boum, boum. Un son inquiétant.

— Matt ?

Elle posa son violon sur la table et grimpa les marches vers le couloir. Il était au premier. Elle monta. Le son était facile à distinguer à présent : quelque chose de lourd heurtant quelque chose de solide. Elle avança lentement vers la grande chambre, où elle le trouva, suant légèrement sous l'effort, un énorme marteau dans les mains, frappant le mur à intervalles réguliers. Un trou d'environ un mètre vingt sur un mètre cinquante traversait le mur séparant la pièce de la salle de bains inachevée. Isabel regarda son visage concentré, ses muscles tendus pendant qu'il levait le marteau en arrière puis au-dessus de sa tête, le grand trou dans son mur.

— Que faites-vous ?

Il ne semblait pas l'entendre. Il frappa de nouveau, faisant tomber plusieurs briques. Des morceaux de plâtre chutèrent sur les draps blancs.

— Matt ! cria-t-elle. Que faites-vous ?

Il s'arrêta. Son expression était indéchiffrable. Ses yeux bleu acier la transpercèrent.

— Ça ne va pas, dit-il d'une voix affreusement calme. Cette pièce. Ça ne va pas.

— Mais… elle est magnifique. Je ne comprends pas.

— Non. Vous avez tout gâché. Je dois tout défaire maintenant.

Il pinçait les lèvres.

— Matt, vous avez passé…

— Je n'ai pas le choix.

À ce moment-là, Isabel comprit qu'il serait vain d'essayer de le raisonner ; il avait complètement perdu la tête. Elle était chez elle, seule avec un homme armé d'un marteau. Elle réfléchit à toute vitesse, chercha un moyen de le convaincre d'arrêter, craignant qu'il ne s'attaque ensuite aux autres pièces. Elle évalua le niveau de menace.

Sois ferme. Ne lui montre pas que tu as peur.

Elle jeta un coup d'œil par la fenêtre et vit Thierry qui traversait la pelouse en direction de la maison. Son cœur se mit à tambouriner dans sa poitrine.

— Matt ! cria-t-elle en agitant les mains en l'air. Matt ! Écoutez, vous avez raison. Vous avez tout à fait raison.

Il la dévisagea, visiblement surpris par cette réaction.

— Je dois tout repenser. Ça ne va pas, dit-il.

— Oui. Oui, c'est vrai.

— J'ai fait des erreurs. Beaucoup d'erreurs. Je voulais juste que ce soit beau.

Il regarda le plafond, et elle lut sur son visage quelque chose qui lui donna de l'espoir. Elle laissa ses yeux glisser vers la fenêtre. Thierry avait disparu. Il avait dû se diriger vers la porte de derrière.

— Il faut qu'on parle, tenta-t-elle.

— C'est tout ce que je demande. Parler.

— Je sais. Mais pas maintenant. Réfléchissons tranquillement à tout ça, et parlons-en demain.

— Juste tous les deux ?

Il se dressait devant l'ouverture béante.

— Juste tous les deux, approuva-t-elle.

Elle posa une main sur son bras, pour le rassurer, mais aussi le tenir à distance.

— Mais pas maintenant, d'accord ?

Il la sondait du regard pour savoir si elle disait la vérité. Elle ne flancha pas, respirant à peine.

— Je dois y aller, Matt. Je dois m'exercer. Vous savez…

C'était comme si elle l'avait tiré d'un sommeil profond. Il détourna le regard, se frotta la nuque, hocha la tête.

— D'accord.

Il ne semblait pas remarquer le chaos qu'il avait provoqué autour de lui.

— Vous allez jouer et on parle plus tard. Vous n'oublierez pas, hein ?

Elle secoua la tête, sans un mot. Puis, enfin, il se dirigea vers la porte, le marteau pendant mollement dans sa main.

* * *

Elle composa quatorze fois le numéro de Byron, sans jamais l'appeler. Comment aurait-elle pu ? Elle ne l'avait jamais vu aussi heureux : la perspective d'un emploi rémunéré, d'un dîner avec un vieil ami, dans une maison où il avait gagné son pain. Que lui dirait-elle ? « J'ai peur » ? « Je me sens menacée » ? Pour justifier cela, elle devrait lui raconter ce qui s'était passé entre elle et Matt. Et elle ne voulait pas que Byron soit au courant. Elle se rappela la façon dont sa main s'était refermée sur la sienne la veille, repensa à son délicat refus. Il lui avait fait comprendre qu'il ne voulait pas davantage d'intimité avec elle. Elle n'avait pas le droit de lui demander quoi que ce soit. À plusieurs reprises, elle avait envisagé d'appeler Laura, mais s'était ravisée car les mots lui auraient manqué. Comment aurait-elle pu avouer à cette femme qu'elle se sentait terrorisée par l'homme avec lequel elle avait couché, et qu'en plus d'être infidèle, son mari semblait au bord de la dépression nerveuse ? Elle ne pouvait s'attendre à une réponse compatissante. De plus, il était possible que Laura soit déjà au courant. Peut-être l'avait-elle mis à la porte, ce qui l'avait poussé à bout. Peut-être Matt lui avait-il avoué leur aventure. Ce qui se passait au-delà de ces murs restait un mystère. Elle imagina Byron encore sous la maison.

Reviens, lui dit-elle mentalement. Et puis, sans réfléchir : *Rentre à la maison*.

Ce soir-là, Isabel s'arrangea pour que les enfants ne traînent pas dehors. Elle persuada Kitty de confectionner davantage de biscuits pour la fête, et Thierry de poursuivre ses lectures à voix haute. Elle se montra enjouée, attentive. Elle justifia ses regards compulsifs vers la fenêtre et la porte par le fait que Matt avait laissé des équipements coûteux à l'étage et lui avait demandé d'y faire très attention. Finalement, une fois les enfants couchés malgré eux, Isabel attendit une heure, puis alla dans sa chambre. De sa boîte à bijoux presque vide, elle sortit une petite clé en cuivre, qu'elle fourra dans sa poche. Il avait rangé l'objet dans le grenier, hors de portée des enfants. Elle y grimpa, puis, essoufflée car l'étui était en bois massif, le descendit par l'échelle bancale et l'emporta dans sa chambre. Elle évita de regarder le trou dans le mur : la menace qu'il représentait semblait bien plus envahissante la nuit. Elle ouvrit l'étui, sortit l'arme et la chargea. Le fusil de chasse de Pottisworth, que Byron avait trouvé au-dessus du placard de la cuisine. Elle s'assura que le cran de sûreté était enclenché. Ensuite, elle fit le tour de la maison, vérifia deux fois toutes les serrures, puis fit sortit Pepper de la cuisine où il avait l'habitude de dormir afin qu'il patrouille également. Elle consulta son téléphone pour voir si Byron l'avait appelée. Ensuite, tandis que la lumière déclinait, que les oiseaux se taisaient enfin, elle s'assit au sommet des marches, d'où elle pouvait voir la porte d'entrée, le fusil posé sur les genoux. Les sens en éveil, Isabel attendit.

Chapitre 22

Un sifflement la réveilla. Elle ouvrit les yeux, ne bougea pas, et se rendit compte qu'il était 7 h 15 et que Matt était dans la salle de bains. Elle entendait l'eau couler, le bruit du rasoir sur sa peau rugueuse. Laura se rappela qu'elle ne lui avait pas acheté de lames neuves. Matt détestait utiliser des lames émoussées. Elle se redressa, se demanda s'il avait passé la nuit dans la maison. S'il avait remarqué les deux valises. Il n'aurait pas sifflé si ça avait été le cas. Laura se glissa hors du lit, sortit à petits pas de la chambre et s'arrêta devant la porte de la salle de bains, où elle fut confrontée à l'image désormais rare de son mari torse nu.

— Salut, dit-il en la voyant dans le miroir.

C'était un salut étrangement banal, de ceux qu'on adressait à un voisin. Elle enfila un peignoir et s'adossa à la porte. Elle ne s'était pas trouvée aussi près de Matt depuis des semaines. Son corps à demi nu lui semblait aussi familier que le sien, et en même temps étranger, comme quelque chose qu'elle n'était plus censée observer. Elle repoussa une mèche de cheveux de son front. Elle avait répété cette conversation des dizaines de fois.

— Matt, il faut qu'on parle.

Il ne regardait toujours que son reflet.

— Pas le temps. J'ai un rendez-vous important.

Il leva le menton, examina la barbe en dessous. Elle garda une voix calme.

— J'ai bien peur que ce ne soit important aussi. J'ai quelque chose à te dire.

— Impossible. Je dois être parti dans… vingt minutes, dit-il après avoir consulté sa montre. Max.

— Matt, nous…

Il se retourna en secouant la tête.

— Tu n'écoutes jamais, hein, Laura ? Tu n'écoutes jamais vraiment ce que je te dis. Je ne peux pas parler maintenant. J'ai des choses à faire.

Il y avait quelque chose d'étrange dans le ton de sa voix – une trop grande détermination. Mais il était impossible de savoir ce qui se passait dans sa tête. Résignée, elle lâcha un long soupir chevrotant.

— D'accord. Quand rentres-tu ?

Il haussa les épaules, continuant de faire glisser la lame le long de son menton.

C'est donc ainsi que ça se termine ? Sans véritable discussion ? Sans se battre ? Sans feu d'artifice ? Je te demande de m'accorder un moment pour mettre les choses à plat, et pendant ce temps tu te rases pour une autre ? Me voilà comme d'habitude en train de gérer les choses avec mon tact ridicule, d'essayer poliment de te faire admettre que c'est la fin de notre mariage.

Elle eut du mal à parler, comme si les mots étaient coincés dans sa gorge.

— Il faut qu'on règle ça, Matt. Ce qui nous arrive.

Il ne dit rien.

— Peux-tu me dire où tu vas ? À la maison espagnole ?

Elle fut incapable d'étouffer la note d'angoisse dans sa voix. Il passa devant elle et disparut dans le couloir, comme si elle n'était plus qu'une figurante dans sa vie. Laura l'écouta siffler et ferma les yeux. Lorsqu'elle les rouvrit, elle vit que la serviette blanche et douce qu'il avait remise à sa place était tachée de sang.

— Des serviettes de table. Il te faut des serviettes de table. À moins que tu n'en aies de jolies en damas.

— C'est vraiment nécessaire, si on mange dehors ?

Henry mit le clignotant à gauche et gara la voiture dans une ruelle. Assise à l'arrière, Kitty griffonna autre chose sur sa liste, qui ne cessait de s'allonger. Elle n'avait jamais organisé de fête auparavant, et découvrait que cela demandait une quantité de préparatifs.

— On en avait des belles, dit-elle, mais elles se sont perdues dans le déménagement.

— Mes patins à roulettes aussi, ajouta Thierry à côté d'elle. On ne les a pas retrouvés.

— Vous retrouverez les nappes dans deux ans, quand vous en aurez acheté de nouvelles. Elles doivent être encore dans un carton, fit Henry.

— Je ne veux pas attendre deux ans pour retrouver mes patins, protesta Thierry en appuyant un pied sur le dossier d'Henry. Ils seront devenus trop petits. Il y aura un petit déjeuner, là-bas ?

Kitty n'avait pas eu l'intention d'emmener son petit frère, mais lorsqu'elle était descendue au salon, elle avait trouvé sa mère allongée sur le canapé dans ses vêtements de la veille. Elle avait dû rester debout toute la nuit pour jouer. Ça lui était déjà arrivé. Si elle avait laissé Thierry et Pepper, Isabel aurait été réveillée au bout de cinq minutes, et elle avait semblé avoir besoin de repos.

— Du cola. Tous les jeunes gens boivent du cola. Il y a des promotions au libre-service, réfléchit Henry. Et du jus de fruit. Tu pourrais le mélanger avec de l'eau pétillante.

— Je ne pense pas que ça suffira. Je vais faire plus de sirop de fleur de sureau.

Asad fredonnait avec la radio, battant le rythme d'une main sur le tableau de bord.

— Des glaçons, dit-il. Un gros sac de glaçons. Comme tu n'as toujours pas de frigo, tu peux utiliser notre glacière.

— Et qui va les porter ? demanda Henry. Ça pèse une tonne.

— Nous, dit Thierry. J'ai grandi de trois centimètres en six semaines. Maman l'a marqué sur la porte.

— Il faut te fixer un budget, conseilla Henry. Tu verras que l'argent file vite, et tu as beaucoup de bouches à nourrir. Combien as-tu sur toi ?

— Quatre-vingts livres.

Elle n'en avait que soixante-deux au départ mais venait de recevoir un chèque de sa grand-mère française pour son anniversaire.

— Un barbecue, suggéra Henry. Qu'en penses-tu, Asad ?

— Trop cher. Juste des hot-dogs. Et du bon riz et de la salade de pâtes pour les végétariens. Je peux les préparer. Ta mère a toujours l'intention de faire du pudding aux fruits rouges ?

Ce serait la plus belle fête de tous les temps, pensa Kitty. Presque toute sa classe venait. Quand elle leur avait parlé du lac, ils avaient sauté de joie. Un des amis d'Anthony devait apporter un canot pneumatique, et Anthony avait un matelas gonflable.

— Nous avons de vieilles banderoles dans la remise, dit Henry. On pourrait en draper l'échafaudage pour le camoufler.

— Ça fait si longtemps qu'on n'a pas vidé la remise qu'il doit être écrit « Jubilé d'argent » dessus, dit Asad.

— Et des bougies chauffe-plat, ajouta Henry, pour éclairer le chemin vers le lac une fois la nuit tombée. On pourrait les mettre dans de vieux pots de confiture. On peut en avoir une centaine pour une ou deux livres.

Cela lui avait pris du temps, mais Kitty, assise dans la voiture avec les deux hommes, bavardant avec eux, décida qu'elle n'avait plus le mal du pays. Six mois plus tôt, si quelqu'un lui avait dit qu'ils seraient encore là, qu'elle s'amuserait à faire les courses avec un couple gay du troisième âge, elle aurait pleuré pendant une semaine. À présent, elle n'avait plus envie de retourner à Londres. Son père lui manquait toujours – elle aurait pour l'éternité cette boule dans la gorge chaque fois qu'elle penserait à lui, elle le savait –, mais sa mère avait peut-être eu raison. Peut-être était-ce préférable de prendre un nouveau départ, loin de tout ce qui leur rappelait son père.

— Mais qu'a-t-il dit exactement ? (Il cala son téléphone entre l'oreille et l'épaule.) Attends, je vais me garer sur la bande d'arrêt d'urgence.

Il s'excusa d'un geste auprès du conducteur auquel il avait involontairement coupé la route, sans se soucier du coup de klaxon agacé.

— Qu'est-ce que c'était, ce bruit ? Où es-tu ?

Laura lui avait dit qu'elle était au fond du jardin. Il pouvait l'imaginer, les cheveux soulevés par la brise, une main plaquée contre son autre oreille.

— Je suis sur l'autoroute, sortie 12.

— Mais Matt est ici, murmura-t-elle.

— Je ne pourrai pas passer te voir, dit-il en jetant un regard dans le rétroviseur. (Bon sang, il y avait du monde sur la route, ce matin.) Même si j'adorerais.

— Tu comptes parler à la femme aujourd'hui ?

Nicholas freina pour permettre à un automobiliste de changer de file, puis s'arrêta sur la bande d'arrêt d'urgence en laissant le moteur tourner.

— Je ne peux plus attendre, Laura. L'argent est prêt… Laura ?

— Oui ?

Son silence le rendait nerveux.

— Tu vas bien ?

— Je crois, oui. C'est juste que… ça fait bizarre. De savoir que ça va enfin arriver.

Sa voiture trembla quand un camion passa en trombe.

— Écoute, le changement, c'est toujours…

— Je sais.

— Je comprends, Laura. Vraiment. J'ai traversé ça moi-même.

Elle hésita un peu trop longuement.

— Tu veux toujours cette maison ? C'est ça ?

— Ce n'est pas…

— Au diable mon projet de développement.

— Quoi ?

Les mots étaient sortis de sa bouche avant qu'il n'ait eu le temps d'y réfléchir.

— Je laisse tout tomber. Si tu tiens vraiment à cette maison.

— Mais c'est ton grand projet. Tu comptais dessus pour remonter la pente. Tu avais dit…

— Je vais me débrouiller.

— Mais tous ces plans. Les investisseurs…

— Laura ! Écoute-moi !

Il criait dans le téléphone à présent, essayant de se faire entendre malgré le bruit de l'autoroute.

— Si tu tiens vraiment à cette maison, je ferai en sorte que tu l'aies. On peut encore en faire la maison de tes rêves.

Cette fois, le silence de Laura fut d'une autre teneur.

— Tu ferais ça pour moi ?

— À ton avis ?

— Oh, Nicholas…

Il y avait de la gratitude dans sa voix, sans qu'il sache de quoi elle le remerciait. Ils restèrent sans rien dire un moment.

— Il y sera peut-être, tu sais. Tu ne diras rien, d'accord ?

— Sur nous ?

— Je crois que ça devrait venir de moi.

— Je n'ai donc pas le droit d'annoncer : « Monsieur McCarthy, je couche avec votre femme. Et, au fait, ses fesses ressemblent à de jolies pêches toutes roses. »

Elle ne put s'empêcher de rire.

— S'il te plaît. Laisse-moi lui révéler ça plus tard. Ton mari est un idiot, et je serais ravi de le lui expliquer. Mais quand tu auras décidé que le moment est venu. Écoute, je dois raccrocher. Je t'appelle après ma visite chez Delancey.

Nicholas raccrocha et s'attarda un moment tandis que les voitures continuaient de passer à côté de lui à toute allure. Pourvu que Laura n'attende pas réellement de lui qu'il fasse ce choix.

Matt sortit la petite boîte en cuir de sa poche intérieure, l'ouvrit, laissa miroiter sous le soleil la bague en rubis ornée de perles. Il n'avait eu aucun mal à deviner ce qui lui avait appartenu.

— Jolie bague, avait dit le bijoutier. Victorienne. Une pièce rare.

Elle brillait dans la petite boutique, se détachait des autres bijoux. Comme elle. Matt soupçonna le vendeur de la lui avoir facturée le double de ce qu'Isabel en avait obtenu, mais cela lui était égal. Il était impatient de voir son visage au moment où elle ouvrirait l'écrin. De savourer son élan de reconnaissance quand elle verrait ce qu'il avait fait pour elle. L'argent n'avait plus d'importance. Laura et lui avaient une fortune qui dormait en banque depuis des années, et à quoi cela leur avait-il servi ? Il n'avait pas encore été capable d'avouer ses sentiments à Isabel. La bague lui prouverait qu'il comprenait ce qu'elle désirait et ce qu'elle avait perdu. Il aimait le fait d'être le seul au courant pour cette bague. Un rubis : la couleur de la passion, du désir, du sexe. En la tenant, il avait l'impression de tenir une partie d'elle. Il était sur le point de sortir son van du bois pour s'engager dans l'allée quand il vit une autre voiture se garer. Un homme en costume en sortit. Matt le regarda jeter un œil à la maison. Un vieil ami, peut-être. Ou un employé de la mairie. Son impatience joyeuse se dissipa. Il avait choisi son moment avec soin, s'était assuré que les enfants ne seraient pas là. Cela ne pouvait marcher que s'ils étaient en tête à tête. Il rangea la bague dans sa poche. C'était un homme patient. Il avait tout le temps.

— Oui ?

Il fut pris de court. Il avait frappé à la porte pendant dix minutes, puis, concluant que personne n'était là, avait reculé pour admirer la maison qui occupait ses pensées depuis des semaines. Une grande fissure oblique courait d'une fenêtre du premier étage jusqu'au bas du mur – un affaissement ou un soulèvement, ce qui n'était pas si surprenant pour une maison située au bord d'un lac et près d'un bois. Une fenêtre neuve, mal installée, laissait passer le jour entre le bois et la brique, et personne n'avait pris la peine de combler cet espace. Une bâche de plastique bleu pâle claquait mollement au-dessus de l'herbe. Le toit était inachevé, les gouttières n'étaient pas réparées. Les murs étaient partiellement recouverts d'un échafaudage dont il ne voyait pas l'utilité. Il recula encore d'un pas. Des meubles de jardin dépareillés et vétustes jonchaient la pelouse, sans que cela nuise à la beauté du décor. Le lac rattrapait tout. De cet endroit sublime, paisible, se dégageait une atmosphère rare, évoquant l'Écosse ou quelque coin de nature bien plus reculé. Cette partie du Norfolk était facile d'accès, Mike Todd le lui avait dit. « Travailler à Londres et habiter au cœur de la campagne. » Il voyait déjà la brochure en papier glacé. Peut-être que Laura et lui vivraient dans une des nouvelles maisons – l'environnement était si séduisant. Et puis il la vit : une femme échevelée en chemise de lin froissée, qui le regardait en plissant les yeux.

— Oui ?

L'espace d'un instant, il oublia ce qu'il était venu dire. Il avait longuement préparé son approche, et voilà que son apparence inattendue l'avait déstabilisé. C'était donc elle, la femme qui avait causé à Laura tant de malheur.

— Je suis vraiment désolé de vous déranger, dit-il en avançant vers elle, une main tendue.

Elle accepta sa poignée de main.

— J'aurais dû appeler avant. Je viens pour la maison.

— Oh, mon Dieu. Vous avez fait vite, dit-elle. Quelle heure est-il ?

Il remonta sa manche.

— Il est 10 h 15.

Cela sembla la surprendre. Elle se mit à parler pour elle-même.

— Je ne me rappelle même pas m'être endormie… Écoutez, j'ai besoin d'un café. Vous en voulez ?

Il la suivit à l'intérieur. Elle entra dans la cuisine. Il laissa de côté son *a priori* négatif. Il ne savait pas exactement à quoi il s'était attendu, peut-être à une personne d'allure moins chaotique, un peu plus sûre d'elle.

— Par ici, marmonna-t-elle. Asseyez-vous. Ça peut sembler bizarre comme question, mais vous avez vu des enfants dans les parages ?

La cuisine avait cruellement besoin de modernisation. On n'y avait pas touché depuis des décennies. Nicholas examina le linoléum craquelé, la peinture défraîchie qu'on avait décorée d'étranges photographies, de fleurs séchées et d'un morceau d'argile peint – comme une tentative pour apporter de la vie à un environnement qu'il trouvait franchement inhabitable. À l'extérieur de la maison, visibles à travers les fenêtres, des fruits et des légumes pendaient dans des filets à l'ombre des feuilles, comme des gouttes de pluie multicolores. Elle fit couler de l'eau dans la bouilloire et la plaça sur le feu, puis ouvrit le placard, dont elle sortit une brique de lait qu'elle renifla. Encore bon.

— Nous n'avons pas de frigo.

— Je prendrai le mien noir, merci, dit sèchement Nicholas.

— C'est plus raisonnable, admit-elle en remettant le lait à sa place.

Elle lui tendit la tasse de café, puis remarqua sa surprise devant l'état des lieux.

— C'est la seule pièce qui n'a pas été rénovée. Elle doit être telle que mon grand-oncle l'a connue. Voulez-vous faire le tour de la maison ?

— Ça ne vous dérange pas ?

— Je suppose que vous devez tout voir.

Qui avait pu la prévenir de sa visite ? Il avait craint de trouver une femme sur la défensive, voire hostile, mais elle semblait prête à tout entendre. Elle prit un bout de papier sur la table et étudia ce qui était gribouillé dessus pendant une minute. Puis elle jeta un coup d'œil au lac par la fenêtre.

— Allez-y, dit-elle en prenant une gorgée de café. Je vous rejoins dans une minute. J'ai besoin de reprendre mes esprits.

Elle lui adressa un sourire contrit et lui désigna l'escalier d'un geste.

— Ça ira. Il n'y a personne dans la maison.

Il ne fallut pas le lui dire deux fois. Nicholas prit sa tasse et partit réexaminer la demeure qui serait son avenir. Elle reparut vingt minutes plus tard. Elle s'était changée et portait désormais un tee-shirt propre et une jupe ample, les cheveux noués en queue-de-cheval. Il leva les yeux de ses notes. Du palier, il contemplait par la porte ouverte ce qui devait être la chambre principale.

— Vous abattez des cloisons ? demanda-t-il.

Des gravats et de la poussière de plâtre jonchaient le linge de lit.

— Oh, dit-elle prudemment, c'est une longue histoire. Mais non. Nous n'abattons rien.

— Il faut boucher ce trou rapidement ou faire poser une poutre métallique. C'est un mur porteur.

Il étudia une fissure dans le coin, et, lorsqu'il se tourna de nouveau vers elle, elle regardait par la fenêtre.

— Madame Delancey ?

— Oui ? Je suis vraiment désolée. Je… Je n'ai pas beaucoup dormi. Peut-être pourrions-nous discuter de tout ça plus tard ?

— Ça ne vous dérange pas qu'on aille dehors ? J'ai vu tout ce qu'il y avait à voir à l'intérieur.

Il en avait assez vu pour se faire une idée claire. Le mari de Laura était un voyou. La maison était le résultat d'un étrange mélange de grand savoir-faire et de travail de démolition, comme si deux ouvriers avaient pris en charge le chantier, chacun faisant le contraire de l'autre. Il était évident, cependant, que la rénovation représenterait un défi que Laura elle-même n'avait pas mesuré. La dernière fois qu'il était venu, le lieu avait l'air simplement usé, quelques petits travaux lui avaient semblé nécessaires. En revanche, ce qu'il venait de découvrir le confortait dans l'idée qu'il était préférable de démolir la bâtisse et de tout reprendre à zéro. Mais comment l'expliquer à Laura ? Il suivit la propriétaire dans l'escalier et ils sortirent ensemble au soleil. Il faisait si chaud qu'il regretta d'avoir mis une veste. Il la suivit jusqu'à l'échafaudage, chassant vainement les mouches d'une main.

— Cette cheminée va être coiffée, dit-elle en la montrant du doigt. Du moins, je crois que c'est celle-ci…

Elle lui dressa la liste des travaux restants, dont la plupart étaient impossibles à quantifier. Il ressentit une soudaine pitié pour elle. Sa maison était mise en pièces sous ses yeux, et elle se tenait au milieu des ruines, visiblement inconsciente de ce qui se passait.

— Alors, qu'en dites-vous ? dit-elle, remarquant peut-être son air sérieux.

— Madame Delancey, commença-t-il. Je…

Il était à court de mots. Autour d'eux, des briques fissurées, des tas de gravats, des sacs de ciment. Elle le dévisagea.

— Vous trouvez ça épouvantable, n'est-ce pas ? (Elle n'attendit pas qu'il réponde.) Oh, mon Dieu, je sais que c'est un désastre. Je suppose… Je suppose qu'à force de vivre dedans, on ne le voit plus.

Elle paraissait effondrée, et Nicholas lutta contre l'envie de la réconforter. Il comprenait ce qui avait fasciné le mari de Laura. C'était une femme-enfant, vulnérable, qu'on avait envie de protéger. N'importe quel homme se serait senti héroïque à ses côtés.

— Alors, que dois-je faire ?

Elle affichait un sourire courageux.

— Je peux vous dresser une liste de ce qui ne va pas selon moi. Si vous êtes d'accord. Ça vous aiderait.

— Oui. Il faut que je sache.

— Bon. Commençons par le toit…

À travers son pare-brise, Matt observait la scène. L'homme montra ses notes à Isabel, puis traça du doigt une ligne allant de l'échafaudage à l'endroit où les tuiles faîtières touchaient la souche de cheminée. Au début, il avait pensé à un musicien, puis à un professeur – les hommes en costume étaient rares dans le coin –, avant de comprendre que le visiteur était là pour parler de *sa* maison, de *son* travail. À la façon dont il secouait la tête et à l'expression nerveuse d'Isabel, Matt devina qu'il n'était pas admiratif de son œuvre. Il sortit du van et ferma la portière sans bruit. Puis il s'approcha, en prenant soin de rester partiellement caché par les arbres. Ce n'était pas un employé de la mairie. Il connaissait presque tout le monde au service d'urbanisme. Cet homme s'exprimait bien, c'était un intello, avec des airs de professeur.

— Structurellement, quelque chose a été affaibli ici, expliquait-il en montrant le mur. Nous n'avons pas eu un été particulièrement sec, ni un hiver humide, et les fissures ont l'air assez récentes ; j'en déduis que cela a été causé par les travaux.

— Par les travaux ?

Isabel tombait des nues.

— J'en ai bien peur. Y a-t-il eu beaucoup de travaux de démolition ? La maison semble s'être pris une raclée.

Elle eut un léger rire, un rire sans joie.

— Eh bien, vous avez tout vu. Il y a eu du remue-ménage à l'intérieur en effet, et je n'ai pas toujours suivi.

Le cœur de Matt cognait douloureusement dans sa poitrine. Qu'est-ce que ce type essayait de faire ?

— Je ne peux pas dire grand-chose sur la tuyauterie et le système d'évacuation, mais de toute évidence la salle de bains est inachevée. La cuisine est totalement vétuste. Mais ce sont des détails. La chambre principale est la seule pièce qui semble avoir été rénovée correctement, mais il y a le problème du trou dans le mur… Il y a de l'humidité, et peut-être de la pourriture dans l'aile est. J'ai pris la liberté de décoller un bout de plinthe et j'ai bien peur qu'il ne faille pousser les recherches un peu plus loin. Je soupçonne la présence de cafards sous l'escalier. Et le système d'eau chaude ne fonctionne qu'à moitié ; la tuyauterie a été agencée en dépit du bon sens.

— Vous voulez dire que c'est la faute du constructeur ?

L'homme en costume sembla réfléchir avant de répondre. Il glissa son carnet sous son bras.

— Non. Je crois que la maison était déjà dans un piteux état. Mais c'est toujours le cas, et il est possible que votre constructeur ait aggravé les choses, délibérément ou pas.

Isabel écarquilla les yeux.

— Délibérément ? répéta-t-elle.

C'en était trop pour Matt. Il émergea des bois et fonça sur l'homme.

— Je peux savoir ce que vous lui racontez ?

Il sentit la main d'Isabel sur son bras.

— Matt, s'il vous plaît…

Elle fit une grimace à son visiteur, qui ne la remarqua pas. L'homme regardait Matt comme s'il le jaugeait. Comme s'il lui était supérieur.

— Vous êtes Matt McCarthy ?

— Et vous, vous êtes qui ?

L'autre ne répondit pas. Il se contenta de le dévisager, ce qui fit enrager Matt davantage.

— Vous vous prenez pour qui, à venir ici et à raconter des conneries à Isabel ? Hein ? Je vous ai entendu ! J'ai entendu chaque putain de bobard ! Vous ne savez rien de cette maison ni de ce que j'ai fait ici ! Rien !

L'homme ne semblait pas effrayé. Il le toisait avec un mépris évident.

— Je disais à Mme Delancey la vérité sur ce qui a été fait dans cette maison. Et je peux vous dire, monsieur McCarthy, que j'ai entendu parler de vos pratiques bien avant de les constater par moi-même.

— Ses pratiques ? répéta Isabel. De quoi parlez-vous ?

Un brouillard descendit et Matt hurlait à présent. Il s'agitait en tous sens, prêt à assener une raclée au pompeux intrus en costume.

— Vous croyez tout savoir, hein ? Vous croyez connaître cette maison ?

Isabel le suppliait de se calmer, et il sentit son parfum aérien lorsqu'elle essaya de le faire reculer – mais cela ne suffit pas à l'arrêter.

Laura était dans le jardin, en train de couper les roses fanées, lorsqu'elle entendit les hurlements enragés de Matt – un son horrible, violent. Puis la voix d'un autre homme, plus calme. Et le cri apeuré d'une femme. Son estomac se noua. Nicholas lui avait tout dit.

— Maman ?

Le visage d'Anthony, encore embrumé par le sommeil, apparut à la fenêtre.

— Qu'est-ce qui se passe ?

Laura le regarda avec hébétude. Puis elle lâcha son sécateur et, suivie par le chien, partit vers la maison espagnole, d'abord d'un pas mesuré, puis en courant. La veuve Delancey se tenait entre les deux hommes, comme dans l'attente d'un nouveau coup. Nicholas appuyait son mouchoir contre son nez. Du sang coulait sur son visage et éclaboussait sa chemise bleu ciel. Matt lui hurlait dessus, l'écume aux lèvres, et débitait un discours incompréhensible. Autour d'eux, le paysage bucolique faisait ressortir la laideur de leurs actes, de leurs voix ; le contraste était saisissant.

Oh, mon Dieu, pensa Laura. *Qu'ai-je donc fait ?*

— Vous n'êtes pas le bienvenu ici ! gronda Matt. Maintenant, dégagez avant que je vous fasse vraiment mal !

— Matt ?

Il fit un pas en arrière quand Laura approcha, puis se tourna vers elle.

— Oh, mon Dieu, je suis tellement désolée. Je ne voulais pas que tu l'apprennes de cette façon.

Son mari était méconnaissable ; ce n'était plus le personnage froid et distant qu'elle avait affronté au réveil : il affichait un regard fou, semblait totalement hors de lui.

— De quoi tu parles ? dit-il.

— Laura, ne..., commença Nicholas.

Mais Isabel Delancey les interrompit.

— Est-ce que c'est vrai ? Ce qu'il a dit ? demanda-t-elle à Matt. Que tout ce temps vous vouliez la maison pour vous et que vous avez fait exprès de la détériorer davantage ?

C'était la première fois que Laura voyait son mari véritablement ébranlé.

— Non, protesta-t-il. Non, ce n'est pas ça. Je voulais en faire quelque chose de magnifique.

— Pff ! Vous l'avez mise en pièces, lâcha Nicholas, indigné. C'est du grand n'importe quoi, votre travail !

— Je la rénovais !

— Il n'y a rien de rénové ! Je ne sais même pas comment ce taudis tient encore debout !

— Tout ce temps ?

Isabel était scandalisée.

— Vos plaisanteries, vos conseils, votre aide pour porter les sacs, vos croissants... Et tout ce temps vous vouliez juste vous débarrasser de nous ?

Matt avait blêmi.

— Non, Isabel.

Laura tressaillit en voyant son mari faire un pas vers la femme.

— Non… Ce n'était pas ça. Pas à la fin.

Il regardait autour de lui, comme s'il cherchait une preuve de ce qu'il avançait.

— La grande chambre était une œuvre d'amour. Il y a de la sincérité, de la beauté dans cette pièce. Tu as vu les efforts que j'y ai mis.

— Comment osez-vous dire ça ? Vous avez fait un énorme trou dans le mur ! On aurait dit un enragé !

Elle le mima pour les autres.

— Vous étiez incontrôlable.

— Mais c'est à cause de Byron ! hurla-t-il. Il n'aurait pas dû être dans cette pièce !

Laura n'y comprenait rien. Cette conversation n'avait aucun sens.

— D'accord, coupa Nicholas. Passons.

Il avait recouvré son calme. Il s'essuya la lèvre avec le mouchoir ensanglanté.

— C'est de toute évidence une situation inhabituelle. Je vous suggère, madame Delancey, de réfléchir à ce que vous allez faire en priorité dans cette maison.

— Mais nous n'avons plus rien. Il a pris tout notre argent.

— Ce n'était pas que moi, plaida Matt. Je n'ai pas été correct avec toi au début, mais j'ai fait de mon mieux pour réparer mes erreurs.

— Madame Delancey, je suggère…

— Ne l'écoute pas, Isabel. J'arrangerai tout. Est-ce que je n'ai pas toujours veillé sur toi ?

Il y eut un long silence. Laura dévisageait Isabel, qui semblait désespérée.

— Vous nous avez ruinés, dit-elle doucement. Je vous ai fait confiance et vous avez massacré cette maison.

Laura s'avança sans réfléchir.

— J'arrangerai tout.

Sa voix fendit l'air.

— Je paierai pour les dégâts que Matt a causés. Je couvrirai personnellement les frais de réparation.

Elle n'irait pas jusqu'à s'excuser auprès de cette femme, mais il était hors de question qu'elle lui soit redevable.

— Il y a une autre solution, intervint Nicholas. Vous pourriez envisager de me la vendre. L'état de la maison n'est pas un problème pour moi.

— La vendre ?

Isabel Delancey fronça les sourcils.

— Oui. Je serais ravi d'en discuter avec vous.

— Mais pourquoi la mairie voudrait-elle acheter ma maison ? demanda-t-elle, déboussolée.

— La mairie ?

Il y eut un silence général.

— Vous voulez dire que ce n'est pas Byron qui vous a appelé ?

— Qui est Byron ? demanda Nicholas sans comprendre. Mon nom est Nicholas Trent. Je suis promoteur immobilier.

Isabel le dévisagea.

— Un promoteur immobilier ? Alors vous êtes venu aujourd'hui parce que vous vouliez cette maison ? (Elle comprit soudain.) Mais, bon sang, vous voulez tous cette maison !

Elle s'écarta du groupe, les deux mains sur la bouche.

— Tout ce temps..., dit-elle, riant presque à présent. Y a-t-il quelqu'un d'autre ? Au village peut-être ? Les cousins ? Le laitier ? Tout ce temps, vous convoitiez la maison !

— En fait, non, dit Laura en regardant Matt. Je ne la veux plus.

Son mari se tourna vers elle. Elle le vit assimiler ce qu'elle venait de dire, lut l'incompréhension sur son visage tandis que Nicholas lui souriait. Un sourire lourd de sens. Elle vit Matt repenser aux excuses qu'elle venait de lui faire, au fait que Nicholas l'avait appelée par son prénom. Il planta ses yeux dans les siens et elle se détourna, incapable de soutenir l'intensité de son regard. Anthony, derrière elle, dévisageait Nicholas, sans rien laisser paraître.

Voilà, pensa Laura. *Cette fois, plus possible de faire machine arrière.*

— Voici ma carte, ajouta poliment Nicholas.

Il la sortit de sa poche intérieure et la tendit à Isabel en se rapprochant de Laura.

— C'était une bien étrange matinée. Mais réfléchissez à ma proposition, madame Delancey. Je suis sûr que nous pourrions arriver à un arrangement qui nous soit profitable à tous les deux.

Chapitre 23

Les fines baguettes de coudrier n'avaient pas plus de sept ans – on pouvait les utiliser comme claies ou pour confectionner un toit de chaume ; il garderait les autres, plus âgées et plus robustes, pour faire des cannes ou des pieux de haie. Il avait rassemblé du bois de châtaignier pour des clôtures et des piquets, mais les résultats sur le taillis étaient plus satisfaisants avec le coudrier, et Byron était censé restaurer cette ancienne zone boisée presque entièrement avec du coudrier. Il fit quelques pas prudents pour examiner les jeunes pousses, cherchant des signes de vermine. Les gens pensaient qu'il se contentait de couper, de détruire, mais les arbres feuillus et les arbustes qu'il taillait ainsi donnaient des pousses pouvant grandir de trente centimètres en une semaine. Un arbre qui avait subi ce traitement vivait beaucoup plus longtemps. Byron était persuadé qu'il y avait une leçon de vie à en tirer, mais quant à savoir laquelle… Il se déplaça habilement au milieu des arbres avec une autre brassée, vers l'endroit du bois qui ouvrait sur la route. Les gens revenaient sans cesse aux vieilles techniques, et le taillis en faisait partie. Le mobilier de jardin était un bon filon, avait dit Frank en observant Byron au travail. Et aussi la construction de clôtures rustiques. Les jardineries en étaient pleines. Et les chutes pouvaient servir de charbon de bois. On offrait des subventions pour la restauration par le taillis des zones boisées. Toutes les fondations pour la préservation de la faune et de la flore encourageaient les propriétaires terriens à le faire. De temps à autre, il pensait à Matt, et une tension s'emparait alors de sa nuque et de ses épaules, sa mâchoire se serrait, et il devait inspirer profondément. Matt McCarthy l'avait presque chassé de chez lui, avait presque chassé Isabel de chez elle. Byron avait hésité à lui dire la vérité à propos du rat, du caractère sans pitié de Matt quand il s'agissait de parvenir à ses fins. Mais elle était tellement heureuse la veille, elle osait enfin croire que les choses allaient s'améliorer. Il n'avait pas voulu tout gâcher. Son téléphone sonna.

— C'est Isabel.

— Salut, dit-il avec une joie évidente.

Puis, plus sobrement :

— Salut.

— Je me demandais comment les choses se passaient. Pour votre travail, je veux dire. (Elle marqua un temps d'arrêt.) Thierry m'a demandé d'appeler.

— Tout se passe bien.

Il regarda le tas de ronces qu'il avait déblayé.

— C'est beaucoup de boulot… mais c'est bien.

Ses mains étaient couvertes d'égratignures.

— Tant mieux.

— C'est un joli coin ici. Près de la mer. J'ai l'impression d'être en vacances.

— Je n'en doute pas.

— Et Frank, le propriétaire, a été super. Il m'a proposé du travail en plus.

— Oh… formidable.

— Ouais. J'étais content. Et vous, ça va ?

Ce fut à ce moment-là qu'il sentit son anxiété. Il vit trois voitures passer avant de réentendre sa voix.

— Je ne savais pas si je devais vous en parler – nous avons traversé une sorte de psychodrame. Un homme est venu, un genre de promoteur immobilier, il voudrait acheter la maison. Matt est arrivé à l'improviste et s'est accroché avec lui.

— Vous allez bien ?

— Oui, tout le monde va bien. Le promoteur a reçu un coup de poing, mais ensuite Laura est arrivée et a calmé les choses. Byron, ajouta-t-elle à voix basse, je crois que Matt fait une dépression nerveuse.

— Matt McCarthy ?

— Il… Il n'est plus lui-même.

Byron ne dit rien.

— En fait, il a même presque l'air… dérangé.

Tu m'étonnes, pensa le jeune homme avec amertume. *Rien que l'idée qu'on lui prenne la maison…*

— Ne vous en faites pas pour lui, dit-il, plus durement qu'il ne l'avait voulu. Il s'en sortira très bien tout seul.

Elle soupira.

— C'est à peu près ce qu'il a dit.

Byron se mit à marcher lentement le long de la lisière du bois, ne faisant plus attention à son environnement désormais.

— Qu'est-ce que vous avez dit au promoteur ?

— J'étais perdue. Je ne savais plus quoi penser. Il m'a dit… que Matt avait endommagé la maison pour m'en chasser.

Byron ferma les yeux.

— Après votre départ, il a fait un gros trou dans le mur de la chambre. Celle où vous avez dormi.

La poitrine de Byron se serra. Il n'aurait pas dû les laisser. Il aurait dû la prévenir, lui faire entendre la vérité. Il aurait dû empêcher Matt de continuer. La culpabilité, le poids des non-dits l'écrasèrent soudain.

— Byron, je ne sais pas quoi faire.

— Vous n'êtes pas obligée de faire quoi que ce soit. Rien ne vous empêche de prendre une décision plus tard.

— Je ne peux plus vivre comme ça.

C'était dans sa voix. Elle avait fait son choix.

— Vous allez vendre la maison, dit-il.

— Que dois-je faire à votre avis ?

Il ne savait pas comment réagir. Il était resté passif pendant que Matt la plongeait dans ce désastre. Il lui serait toujours redevable, même si elle refusait de l'admettre. Et que pouvait-il proposer ? De revenir et de couper des bûches ? D'écorcher des lapins ? De vivre sous son toit ? S'il le faisait, il ne serait jamais sur un pied d'égalité avec elle, ne pourrait jamais lui offrir autre chose que de la gratitude. Il déglutit.

— Eh bien, je suppose qu'il est raisonnable de partir avant l'hiver.

Il y eut un long silence.

— Oh. Si vous pensez que c'est la bonne chose à faire. Vous avez probablement raison.

Elle toussa.

— Vous serez absent jusqu'à quand ?

— Je ne sais pas. Écoutez, je voulais vous en parler à mon retour, mais Frank pense avoir un travail pour moi.

— Là-bas ? Un travail à temps plein ?

Ça payait bien, avait dit Frank. Et il aurait d'autres tâches à lui confier en dehors de la zone boisée. Byron lui avait alors rappelé son casier judiciaire. « Ça ne t'empêche pas de manier une scie, que je sache ? », avait dit sèchement l'employeur.

— Il y a un mobile home assez confortable que je pourrais habiter. Il parle de six mois au moins. C'est une offre intéressante.

— Sans doute. Vous savez… vous pouvez aussi loger chez nous. Aussi longtemps que vous le voudrez. Rien ne presse.

— Je dois subvenir à mes besoins, Isabel. Les jobs comme celui-là ne tombent pas du ciel. (Il donna un coup de pied dans un caillou.) Et puis, si vous comptez déménager…

Il y eut un autre silence.

— Donc vous êtes sûr d'accepter le job ?

— Oui. Je passerai quand même vous voir de temps en temps. Je pourrais sortir avec Thierry le week-end. Si vous êtes d'accord.

Il tenta d'interpréter son silence.

— Oui, je suis sûre qu'il sera très heureux de vous voir.

Byron s'assit sur une souche près du mur de silex qui courait le long de la route côtière. L'air était salé ; ses yeux se mirent soudain à le piquer.

— Vous serez rentré pour la fête de Kitty ?

— J'ai encore beaucoup de boulot, mais je vais faire de mon mieux.

La communication fut coupée. Byron prit sa hache et, avec un grognement de colère, la lança au milieu du champ.

Isabel reposa le combiné. En bas, les enfants étaient rentrés de leurs courses pour s'occuper des décorations. À présent, sous la lumière dorée du soleil couchant, ils couraient sur la pelouse, tiraient des kilomètres de banderoles, riaient de Pepper qui s'y prenait les pattes. Le bonheur était donc encore possible, ils semblaient même plus insouciants qu'à Londres. Pour eux, une décision inconsidérée s'était révélée profitable. Mais Isabel ne pouvait rester si près de Matt et de Laura en sachant qu'ils avaient toujours convoité la maison, que la présence de sa famille dans ce lieu serait toujours entachée par la frustration des McCarthy. De plus, la main de Matt était partout. Les rares éléments de la maison que les Delancey s'étaient appropriés ne semblaient plus leur appartenir désormais. Ce ne serait pas forcément triste, se dit-elle. Ils pourraient rester dans la région pour que Kitty et Thierry n'aient pas à changer d'école. Elle pourrait trouver une habitation plus petite dans l'un des villages voisins. Ce serait bien de vivre sans dettes, sans être obligés de fourrager dans la terre pour se nourrir. Parfois, elle avait envie de rire lorsqu'elle donnait son adresse à des gens et qu'elle les voyait alors réviser leur jugement, la considérer avec un soudain respect. Ils avaient gagné en prestige en vivant dans la grande maison.

Seriez-vous aussi gentils avec moi si vous me voyiez trier des graines pour le thé des enfants ? se demandait-elle. *Si vous voyiez ma fille vendre des œufs pour qu'on puisse payer la facture d'électricité ?*

Dans une maison neuve, plus petite, faire pousser des légumes pourrait être une agréable diversion plutôt qu'une nécessité. Elle n'aurait plus jamais à regarder un morceau de plâtre. Isabel vit Thierry escalader un arbre pour attacher une banderole à une branche. Quitter cet endroit serait difficile pour lui ; il s'était accommodé du manque de salle de bains, mais perdre la liberté que lui offraient les bois, perdre l'amitié de Byron, voilà qui serait un crève-cœur pour lui. Elle n'était pas certaine que le jeune homme continuerait de leur rendre visite. Il avait paru différent au téléphone, n'ayant plus besoin d'eux désormais, plus confiant, distant, comme déjà ailleurs.

S'il vous plaît, ne faites pas souffrir mon fils, implora-t-elle en silence, sans admettre qu'elle s'adressait aussi à elle-même. Elle se retourna, regarda le trou dans le mur de la grande chambre. Une affreuse cavité. Ce gros morceau de vide l'avait effrayée plus que toutes les autres mésaventures que cette maison leur avait fait connaître. Son symbolisme était écrasant, elle y lisait la perspective d'un avenir fait de néant, le gouffre dans lequel sa famille et sa sécurité avaient sombré.

— Oh, pour l'amour du ciel, ce n'est qu'une *maison*, rien de plus – une *fichue maison* ! s'exclama Isabel, et sa voix résonna dans la pièce vide, rebondit sur le plancher vernis.

Il était temps qu'elle se reprenne. Ce n'était pas leur maison. Autant l'admettre, ils n'avaient même jamais été chez eux dans la grande demeure. Elle tira un grand morceau de plâtre devant le trou séparant la chambre de la salle de bains jusqu'à le couvrir complètement. Elle descendit chercher une perceuse, puis le fixa solidement. Ensuite, elle trouva une vieille gravure sous cadre, un dessin au trait de José Carreras déniché lors d'un festival de musique espagnole, et le posa contre le mur, masquant l'espace endommagé. Du côté de la salle de bains, elle punaisa un vieux drap blanc, en le drapant joliment pour suggérer la présence de quelque chose de beau en dessous. Elle appellerait le promoteur et lui demanderait son meilleur prix, puis passerait un coup de fil aux agents immobiliers du coin pour un deuxième et troisième avis. Ils vivraient dans un endroit ordinaire, et la maison espagnole ne représenterait plus qu'une parenthèse étrange dans leur vie. Et elle ferait en sorte que leurs dernières semaines soient parfaites. Le seizième anniversaire de Kitty serait magique.

C'était une bonne décision. Une décision sensée. Isabel examina son œuvre avec satisfaction. Ensuite, elle descendit à la cuisine d'un pas léger pour consulter des manuels de bricolage qu'elle avait empruntés à la bibliothèque peu fournie de Long Barton plusieurs semaines auparavant. Elle avait une baignoire à installer.

Non loin de là, dans son garage, Laura avait elle aussi des décisions à prendre concernant son avenir. Venue chercher sa grosse valise, elle s'était laissé distraire par le fouillis inattendu qui régnait dans les outils de Matt et s'était mise à faire du rangement. Par habitude, sans doute. Elle avait du mal à quitter une maison désordonnée. Elle poussa la laveuse à pression dans un coin et fit rouler les deux bouteilles de gaz qui bloquaient le bureau que M. Pottisworth leur avait promis. Elle rassembla les ordures et les mit dans une brouette, prêtes à être brûlées. Laura savait que le moyen le plus efficace d'apaiser le chaos de l'esprit était l'activité domestique. Il lui fallut presque deux heures pour y voir plus clair. Ensuite, elle s'interrompit pour admirer les étagères bien rangées, les pots de peinture sur les étiquettes desquelles étaient indiquées les pièces qu'ils avaient décorées, en cas de retouches nécessaires. Matt, bien sûr, n'était pas dans les parages. Il était parti, ignorant ses appels, et même Anthony, furieux contre elle, l'avait suivi.

— Laisse-lui du temps avant de lui parler, avait conseillé Nicholas, dont le mouchoir était trempé de sang, même si son nez était à peine blessé. Ça fait beaucoup à encaisser pour lui.

Elle n'avait pas essayé de contacter son mari. Matt ne répondait plus à ses appels depuis des semaines. Nicholas était parti une heure plus tôt. Ils étaient restés assis dans la voiture, et il lui avait dit combien il était fier d'elle. Il lui avait parlé de la vie qu'ils auraient, du bonheur qui les attendait. La maison serait leur chance.

— Nicholas ?

Elle s'était concentrée sur ses mains, sagement croisées sur ses genoux.

— Tu ne t'es pas servi de moi pour obtenir des informations, si ?

La question l'avait horrifié. Ils s'étaient regardés, et alors elle avait lu le soupçon, la trahison et la défiance qui les avait conduits là. Elle avait vu une maison de souffrance.

— Être avec toi est la seule chose honnête que j'ai faite de toute ma vie, avait-il dit.

Laura ôta ses gants en caoutchouc, s'essuya les mains sur une serviette en papier et sortit du garage. Elle n'était pas prête à entrer dans la maison. Elle serait confrontée à tout ce qu'elle était sur le point de quitter, à la famille qu'elle allait briser de façon irréversible, aux promesses qu'elle ne tiendrait pas. Des détails futiles la préoccupaient : qu'allait-elle faire de ses tableaux de famille ? De l'argenterie qui avait appartenu à sa tante ? Prendrait-elle les objets les plus onéreux avec elle, pour éviter que Matt ne les détruise dans un accès de rage ? Que penserait Nicholas si elle arrivait avec plusieurs cartons chargés de son héritage familial ? Les emporter serait-il un acte incendiaire ? Matt n'était plus lui-même. Il s'était montré si froid, si distant, quand c'était lui qui la quittait. À présent qu'il savait qu'elle avait quelqu'un d'autre, elle ne pouvait anticiper sa réaction. Et que penserait sa famille ? Elle aurait voulu demander à Nicholas où ils vivraient en attendant que leur nouvelle maison soit prête, mais elle ne voulait pas l'assaillir de questions et lui laisser croire qu'elle était difficile, qu'il ne lui suffisait pas. Elle ne connaissait même pas son appartement de Londres. Et si elle le détestait ? Et si elle découvrait qu'elle était incapable de vivre dans une grande ville ? Et que ferait-elle de Bernie ? Il était trop vieux pour s'adapter à la vie citadine, et Matt ne s'occuperait certainement pas de lui. Il n'était presque jamais à la maison. Devrait-elle faire euthanasier son chien pour satisfaire les exigences de sa vie amoureuse ? Quel genre de personne cela ferait-il d'elle ? La proposition de Nicholas avait tout du grand geste romantique. C'était ainsi qu'elle avait vu les choses. Mais pour une mère de presque quarante ans avec un foyer, un chien, des trajets scolaires à assurer et un poste au comité des fêtes, s'extraire de sa vie ne se réduisait pas à passer la porte une valise à la main. Et, tandis qu'elle ruminait ses craintes, l'amertume s'empara d'elle.

C'est pour ça que Matt ne me trouve plus attirante. Parce que je n'ai jamais pu m'abandonner complètement à la passion. Je serai toujours celle qui se préoccupe des contingences matérielles, qui s'inquiète de savoir si le chien a été nourri.

Laura retourna au garage. Elle tria les boîtes de recyclage. Elle balaya le sol, puis ses yeux se posèrent sur le bureau de Pottisworth. C'était un vieux meuble en noyer, au vernis écaillé, aux poignées plus que banales. Elle le traiterait contre les vers, le polirait puis le mettrait à l'intérieur. Ainsi, elle se sentirait moins coupable d'emporter son écritoire – celui que ses parents lui avaient offert pour son dix-huitième anniversaire. Matt ne s'intéressait pas à la beauté des meubles de toute façon, seulement à la qualité du bois. Elle enfila ses gants de caoutchouc et examina les étagères. Puis, durant une bonne heure, avec la minutie que ses amis et voisins lui connaissaient, Laura démonta le bureau victorien, retira délicatement les tiroirs un par un, le nettoya d'un coup d'éponge, puis l'enduisit lentement et généreusement d'un traitement contre les vers à bois, jusque dans les moindres recoins. Ce fut en tirant le dernier tiroir, en le retournant et en le posant sur le dessus du bureau qu'elle découvrit ce qu'il cachait. Deux bouts de papier pliés plusieurs fois et grossièrement scotchés ensemble. Laura retira ses gants et referma la bouteille de produit pour le bois, en prenant soin de ne pas s'en renverser sur les doigts. Elle décolla lentement l'adhésif et déplia les documents, plissant les yeux pour en déchiffrer le contenu dans la pénombre du garage. Laura lut la première note, puis la relut, vérifiant le sceau officiel, l'adresse bien connue du notaire. Ensuite elle examina le double. Elle jeta un coup d'œil au feu dehors. Enfin, elle lut l'ajout, gribouillé à une date ultérieure au stylo-bille bleu. L'écriture de Pottisworth – aussi pleine d'aspérités et indéchiffrable que lui.

Voyons si vous êtes vraiment la grande dame que vous prétendez être, madame M.

Noblesse oblige, hein ?

Chapitre 24

Une perceuse, un établi, un sac en toile rempli d'outils métalliques et presque impossible à porter pour un seul homme – une scie sauteuse, une scie électrique, deux niveaux à bulle et un mètre-ruban. Un calepin aux pages remplies de chiffres griffonnés, un transistor sans piles, et enfin un sweat-shirt, dont l'odeur ravivait chez Isabel un pénible souvenir. Elle déplaça le dernier objet dans le couloir et essuya ses mains poussiéreuses sur son short. Elle ne voulait plus la moindre trace de lui dans cette maison. Quand la fête serait finie, elle emporterait tout cela dans une des dépendances et laisserait un message à sa femme pour qu'il vienne les récupérer là-bas.

Un gros jambon sur une planche en bois, huit baguettes de pain, un plateau de fromages, deux plats en aluminium remplis de fruits divers. Une boîte en carton contenant les ingrédients de plusieurs salades, deux boîtes hermétiques remplies de viande et de poisson marinés, deux grands bols de riz et de pâtes. Un cageot de jus de fruits de toutes sortes, deux bouteilles de champagne.

— C'est pas vrai, murmura Kitty pendant que les cousins déchargeaient leur voiture. C'est pour nous, tout ça ?

— Garde ton plus beau compliment pour la fin, ma chère. Tu n'as pas encore vu la pièce de résistance, dit Henry.

Il tendit le bras vers la plage arrière et en sortit un plateau métallique surmonté d'un énorme gâteau. Au centre se dressait un personnage en pâte d'amandes avec une coupe au carré, qui distribuait des bonbons argentés à de petites poules.

— Joyeux anniversaire, ma puce.

Il rayonnait.

— Ça, fit Kitty, c'est trop de la balle !

— Serait-ce une expression qu'utilisent les jeunes gens ?

— Je crois que ça lui plaît, interpréta Asad.

— Vous avez vraiment fait tout ça pour moi !?

— Eh bien, dit Henry en traversant lentement la pelouse en direction de la table à tréteaux, seize ans, ça se fête dignement. Après, ce n'est plus qu'un lent déclin, tu sais.

Deux tailleurs élégants, deux jeans, une robe de cocktail et plusieurs ensembles de lingerie La Perla flambant neufs, plusieurs paires de baskets pour tous les jours. Des bottes, des escarpins, des chaussures de sport, une chemise de nuit en soie et un nouveau pyjama. Une trousse de toilette, un sèche-cheveux avec un embout de rechange, un album photo et quatre cadres argentés contenant des photos de famille aux couleurs sépia. Une boîte à bijoux. Une théière en argent. Une timbale de baptême et un pot en porcelaine renfermant la première dent d'Anthony. Une chemise en carton contenant des documents financiers, des relevés bancaires, des certificats d'actions, son passeport et son permis de conduire. Les actes de propriété de la maison, au cas où. Et puis il n'y eut plus de place. Voilà : toute sa vie dans une valise Samsonite d'un mètre vingt sur un mètre. Laura s'assit dessus dans le couloir, tripotant le bracelet de sa montre tandis qu'elle consultait le cadran pour la centième fois, sa veste sur les genoux. Tranquillement allongé à ses pieds, au bout de sa laisse, son chien ronflait, sans se douter du cataclysme imminent. Elle se pencha et caressa sa tête duveteuse, clignant des yeux pour chasser ses larmes avant qu'elles ne tombent sur le pelage de l'animal. Anthony ne viendrait pas. Il resterait chez sa grand-mère, lui avait-il annoncé le matin même.

— Mais je pensais que tu viendrais avec moi.

— Non, c'est ce que tu as cru. Pas ce que je voulais.

— Mais tu vas adorer Londres. Ce sera super. Tu auras ta propre chambre et…

— Et je quitterai mon chez-moi ? Tous mes copains ? Non, maman. C'est de *ta* vie que tu parles. Je suis assez grand pour prendre mes propres décisions. Et j'ai décidé de ne pas bouger.

— Tu ne pourras pas loger chez grand-mère éternellement. Ça va te rendre fou.

—Alors j'irai chez les Delancey. La mère de Kitty a dit que j'étais le bienvenu dans la chambre d'amis, si le désordre ne me dérange pas.

La maison d'Isabel Delancey ?

—Mais pourquoi veux-tu habiter là-bas ?

L'idée même l'avait presque assommée.

—Parce qu'elle ne passe pas son temps à emmerder le monde, avait répliqué son fils.

Il portait son bonnet de laine, alors qu'il faisait vingt-six degrés dehors.

—Elle vit sa vie et puis c'est tout. Elle fiche la paix à sa fille.

S'il avait cherché à lui faire mal, il avait réussi son coup. Laura savait à présent à quel point elle détestait cette femme. Elle lui avait sans effort volé son mari, mais aussi son fils.

—Tu sais qu'elle couchait avec ton père ? avait-elle bredouillé, ne supportant plus cette injustice.

Son sarcasme avait été dévastateur.

—Oh, ne sois pas idiote. Tu étais là. Tu as entendu ce qu'il a fait à sa maison. Elle déteste papa.

Il eut un rire sans joie.

—Tu peux dire qu'il la baisait, à la rigueur.

—Anthony !

—Tu sais, je n'aimais pas quand papa te traitait de parano, mais finalement il avait peut-être raison.

Il avait levé une main pour faire taire ses protestations, puis était sorti.

— Passe-moi un coup de fil si tu es de passage dans le coin. Je ne suis pas près de mettre les pieds à Londres.

Elle avait entendu ses pas dans l'allée de gravier et tenté d'étouffer le sanglot qui montait en elle.

Il changera d'avis, se persuada-t-elle en arrangeant les photos qu'elle avait laissées sur la console de l'entrée.

Après quelques semaines entre sa grand-mère et son grand-père, il verrait sûrement les choses autrement. Elle refusa de l'imaginer vivant dans la maison espagnole. Si elle l'avait fait, elle aurait jeté sa valise dans les bois et couru après lui en hurlant. Le chien leva la tête quand la sonnette retentit. Laura ouvrit la porte, essayant de cacher ses yeux rougis à Nicholas.

— Tu es prête ? dit-il en l'embrassant avant de baisser les yeux sur la valise. C'est tout ?

— Pour le moment. Et aussi… le chien. Si ça ne te dérange pas. Je sais qu'on n'en a pas discuté.

— Amène les chevaux si tu veux, dit-il d'une voix guillerette. Je crois qu'on peut en caser deux sur la terrasse en serrant bien.

Elle essaya de rire, mais un sanglot lui échappa. Elle enfouit son visage dans ses mains.

— Eh… Eh… Je suis désolé. Tout va bien.

— Non, dit-elle en se blottissant contre lui. Rien ne va. Mon fils me déteste. Il veut vivre avec cette femme. Je n'arrive pas à croire qu'il ait envie de vivre avec elle.

Nicholas la prit dans ses bras.

— Eh bien, ce ne sera pas pour longtemps, dit-il finalement.

— Que veux-tu dire ?

— Si tout va bien, dans très peu de temps, la maison sera à nous. Alors, en théorie, il vivra toujours sous ton toit. Notre toit.

Il sortit un mouchoir. Elle le prit et s'essuya les yeux.

— C'est le même que… ?

— Mon mouchoir porte-bonheur.

Elle le replia soigneusement, essaya de se calmer.

— Elle a dit oui, alors ?

— Pas exactement… Mais je lui ai parlé ce matin, et quand je lui ai dit que j'étais de passage dans le coin, elle m'a demandé de venir la voir.

— Et tu crois qu'elle veut vendre ?

— Je ne vois pas de quoi d'autre elle voudrait me parler.

— Elle a sûrement l'intention de te séduire, toi aussi.

Elle renifla. Nicholas lui caressa les cheveux en arrière pour dégager son visage.

— Oh, je crois que je suis insensible à son charme. Tu peux venir avec moi, si tu veux. Pour t'assurer que je me comporte bien.

Il souleva la valise et la mit dans le coffre de sa voiture. Laura ferma la porte derrière elle, en s'efforçant d'ignorer la symbolique de ce geste. Elle fit monter Bernie à l'arrière, puis s'assit sur le siège passager. C'était une nouvelle voiture, différente du véhicule cabossé qu'il conduisait le jour de leur rencontre, plus chic. Les portières se refermèrent dans un claquement mat.

— En fait, non, dit-elle.

— Comment ça ?

— Je ne sortirai pas de la voiture. Je ne veux pas la voir. Je ne veux pas les voir. Je ne veux même pas voir cette maudite maison.

Elle avait les yeux rivés sur le tableau de bord, et la tristesse se lisait sur son visage.

— Tu vas lui parler. Moi, j'attends dans la voiture.

Nicholas lui prit la main. Rien ne semblait pouvoir le décontenancer.

— Ça va aller, tu sais, dit-il en lui embrassant les doigts. Le pire est passé. Anthony va changer d'avis.

Laura avait gardé son autre main dans sa poche ; elle serrait le bout de papier qui avait bouleversé sa perception du bien et du mal, et d'elle-même. Elle se mordit la lèvre tandis que la voiture remontait l'allée avant de prendre la route en direction de la maison espagnole. Nicholas avait confiance en l'avenir et elle lui en était reconnaissante. Mais cela ne signifiait pas qu'il avait raison.

Qui aurait pu penser que le seul fait de se préparer du café dans sa propre cuisine était si jouissif ? Byron prit une tasse dans le placard, puis promena un regard satisfait sur l'intérieur de son mobile home ; ce n'était pas Byzance, mais, au moins, l'endroit n'était pas exigu. Il était lumineux, propre, et surtout à lui. Ses vêtements étaient rangés dans les tiroirs, ses affaires de toilette dans la salle de bains. On lui livrerait tous les jours son journal. C'était son foyer, bien que temporaire. Ses chiennes, exténuées, étaient allongées sur le flanc. Il se frotta les yeux, essaya de chasser la fatigue. Il aurait pu faire une courte sieste, mais savait d'expérience que le réveil serait si difficile qu'il valait mieux se passer de sommeil. Une double dose de café ferait l'affaire. Le plus de caféine possible. Il ajouta une bonne quantité de sucre pour compenser. Ils'apprêtait à s'asseoir lorsqu'on frappa furieusement à la porte. Il alla ouvrir d'un pas lent. Frank agitait un bout de papier, son visage rougeaud avait viré au violet.

— C'est quoi, ça, je peux savoir ?

— Je ne voulais pas te déranger. Tu étais occupé avec tes comptes.

— T'es resté que cinq minutes. Tu crois que tu peux te casser comme ça ?

— Frank…

— Y a pas de Frank qui tienne. Je te donne une chance, un toit, je t'invite à ma table et t'en profites déjà. Je suis pas né d'hier, Byron Firth.

— Écoute…

— Non, c'est toi qui vas m'écouter. Je t'ai engagé pour tailler toute la zone le plus vite possible. Si tu crois que tu peux te foutre de ma gueule, aller te promener, courir les filles ou j'sais pas quoi, t'oublies !

Il se tourna et remit son chapeau sur sa tête.

— J'aurai dû écouter ce qu'on disait sur toi.

« Oh non, avait dit Muriel. Laisse une chance au garçon. Il a toujours été si correct… »

— Ouais, la perle rare », avait-il ironisé avant de s'éloigner d'un pas furibond.

— Mais je l'ai fait, dit Byron.

— Quoi ?

— Le boulot.

Frank s'arrêta.

— Les sept hectares ?

— Oui. Le bois de noisetier est en tas derrière la grange. Comme on avait dit.

Frank portait tout le temps le même pardessus élimé, par moins dix comme par trente degrés. Il haussa les épaules avec incrédulité.

— Mais…

— J'ai travaillé toute la nuit.

Il désigna le papier que son employeur avait brandi.

— Tu n'as pas lu jusqu'au bout. J'ai promis à quelqu'un d'être là pour son anniversaire, et le seul moyen d'y arriver, c'était de terminer avant. Je suis ressorti hier soir, après le dîner.

— Tu as tout fait dans la nuit ? Quoi, dans le noir ?

Byron se contenta de le regarder, radieux. Frank relut le mot, et un sourire se dessina lentement sur son visage.

— Eh ben, mon cochon. T'as toujours été un beau salaud, Byron Firth. Et t'as pas changé. Bon sang. Travailler toute la nuit ! Ah !

— Alors ça ne te dérange pas ? Je serai de retour lundi matin, si tu es d'accord. Pour travailler sur le terrain de douze hectares.

Byron prit une gorgée de café.

— C'est toi qui vois, mon p'tit. Tant que tu m'demandes pas des piles pour ta lampe. Ah ! Toute la nuit, hein ? Quand je vais raconter ça à Muriel. Elle a dû mettre quelque chose de spécial dans sa tarte.

Ils arrivèrent tôt, comme Kitty l'avait prévu. Ses nouveaux amis. Certains furent déposés par grappes en voiture, tandis que d'autres traversèrent le bois à pied avant d'émerger au bout du chemin en riant. Elle leur fit un signe de la main, ravie d'avoir enfin sa place. Elle n'était plus gênée par l'état de la maison, sachant qu'ils avaient hâte, avant tout, de plonger dans le lac. La veille, sa mère lui avait dit qu'ils allaient sans doute devoir déménager de nouveau. Lorsqu'elle avait expliqué qu'ils resteraient au village, que Kitty n'aurait pas à changer d'école, celle-ci avait éprouvé un immense soulagement. Sa vie était là à présent. C'était chez elle.

Anthony, tête baissée, poussait mollement un canot en caoutchouc.

— Ça va aller ? lui demanda-t-elle en passant un bras autour de ses épaules. Je suis sûre qu'elle va revenir. Elle ne pourra pas te laisser.

— Je l'ai vue, dit-il. Sa valise était prête dans l'entrée.

Kitty savait ce que l'on ressentait en perdant un parent. Mais pas lorsque ce parent vous quittait volontairement, et Anthony était si malheureux qu'elle avait peur de dire une bêtise. Ils restèrent assis quelques minutes, les pieds dans l'eau. Autour d'eux, des papillons blancs flottaient dans une brise invisible, et une libellule iridescente planait à quelques centimètres de leurs pieds, absorbant chaque détail de leur personne de ses yeux globuleux. Tandis que l'insecte s'éloignait comme une flèche, Kitty se tourna vers le garçon au bonnet de laine.

— Ça va s'arranger, lui dit-elle. Parfois, la vie est vraiment pourrie, et au moment où tu crois que c'est fichu pour toujours, ça s'améliore.

— Tu as appris ça où ? demanda-t-il. Dans *La Petite Maison dans la prairie* ?

— L'année dernière à la même période. Je croyais que maman, Thierry et moi, on ne serait plus jamais heureux.

Il suivit le regard de son amie : sa mère discutait avec l'homme en costume, un collier de pâquerettes bientôt fanées autour du cou ; son frère lançait des bouts de bois dans le lac pour que le chiot aille les chercher. Kitty prit Anthony par la taille, sentit la tristesse du garçon se dissiper à son contact. Elle sourit, et il finit par l'imiter, comme sous la contrainte. Elle se mit à rire. Elle était capable de le faire sourire. Elle avait seize ans. Elle pouvait tout faire.

— Viens, dit-elle en lui ôtant son bonnet avant de s'écarter. Allons nager.

Assise sagement là à écouter un homme lui expliquer une situation sans attendre d'elle qu'elle la comprenne, Isabel avait l'impression de revivre son entretien avec M. Cartwright.

— Le nouveau projet respectera l'environnement. Dans l'idéal, j'aimerais conserver le jardin avec sa clôture, et que les maisons soient face au lac. Ce serait plus avantageux.

— Mais vous souhaitez acquérir la maison et le terrain en même temps. Il nous faudrait partir complètement.

— Pas nécessairement. Si vous êtes intéressée par une des maisons du projet, on peut l'inclure dans le contrat, à un taux préférentiel.

Le calepin plein de chiffres était posé devant elle, sur la vieille table à laquelle ils s'étaient assis. M. Trent, dans son costume de lin clair, détonnait au milieu des chaises longues décrépites et de l'échafaudage rouillé. Il plongea une main dans sa poche.

— J'ignorais si vous connaissiez le marché immobilier dans la région, alors j'ai enquêté sur les projets passés pour vous donner une idée de la fourchette de prix.

Il lui tendit un autre bout de papier.

— C'est le prix auquel a été évaluée chaque propriété ? demanda-t-elle.

— Exactement, oui. C'est ce qui a été payé pour la maison et le terrain, et, dans la plupart des cas, les bâtisses ont été démolies.

— Mais si cet endroit est si unique, comme vous le dites, on ne peut pas se baser sur ces exemples.

— C'est difficile de fournir des comparaisons très parlantes.

— Et vous pensez qu'il y aura de la demande dans un endroit comme ça ? Aussi isolé ?

— Les Barton et les environs ont le vent en poupe chez les travailleurs des villes qui désirent habiter à la campagne. Grâce au lac, on peut aussi intéresser les familles en quête de résidences secondaires. C'est un risque calculé.

Isabel regarda la maison, attendant docilement derrière son échafaudage, ses briques rouges brillant sous le soleil matinal. Non loin, une grive faisait paresseusement ses gammes tandis que des canards fourrageaient derrière les roseaux. Sur la pelouse, des adolescents enfilaient leur maillot de bain ou poussaient des exclamations en découvrant les cadeaux qu'avaient reçus Kitty. Peut-être avait-il lu sur son visage une hésitation, ou un regret, car M. Trent posa une main sur son coude et adopta un ton pressant.

— Madame Delancey, je vais être honnête avec vous, même si cela risque de ne pas jouer en ma faveur. Cet endroit, ce cadre, me tient particulièrement à cœur.

Il semblait gêné à présent, comme si la franchise était une chose nouvelle pour lui.

— Je ne pense plus qu'à ça depuis que je l'ai découvert. Mais vu l'état actuel de la maison, il me semble absurde de continuer à dépenser de l'argent pour sa rénovation.

— Et pourquoi devrais-je vous croire, monsieur Trent, puisque de toute évidence j'ai eu tort d'accorder ma confiance à qui que ce soit jusqu'à présent ?

Il hésita.

— Parce que l'argent parle. Et si vous me vendez cette maison, je peux vous assurer que vos problèmes financiers seront derrière vous, et que vous pourrez même, si vous le souhaitez, continuer à vivre dans cet environnement.

— Monsieur Trent, vous comprendrez qu'en tant que… parent isolé je dois faire tout mon possible pour subvenir aux besoins de mes enfants.

— Bien entendu.

Il sourit.

— Alors j'avais pensé à un chiffre dans ces eaux-là.

Isabel griffonna quelque chose sur son calepin, puis recula sur sa chaise, pendant que M. Trent lisait.

— C'est… une belle somme.

— C'est mon prix de vente. Comme vous l'avez dit, monsieur Trent, c'est un cadre unique.

Elle l'avait pris de court, mais s'en moquait bien. Thierry apparut derrière son épaule.

— Maman ?

— Une minute, Thierry.

— Je peux me faire une tanière dans la maison ?

Elle l'attira contre elle. En quelques jours, il était devenu exactement comme Byron. Il taillait des arbres, mettait des brindilles en tas, cueillait de quoi manger et ramassait du bois, et à présent, bien sûr, la tanière. Elle comprenait. Elle aussi souffrait de l'absence de Byron.

— Tu n'as pas envie de te baigner avec les autres ?

— J'irai plus tard.

— Alors c'est d'accord. Mais si tu comptes la faire dans la chaufferie, n'oublie pas ma belle vaisselle là-bas, d'accord ?

Son fils s'éloigna en courant, et Isabel se tourna de nouveau vers Trent.

— Voilà, monsieur Trent. C'est ce dont j'ai besoin pour partir. C'est le prix d'un nouveau déracinement pour mes enfants.

Il commençait à fulminer.

— Madame Delancey, vous vous rendez compte que cette maison vous coûtera une fortune à rénover ?

— Nous vivons dans le chaos depuis plusieurs mois. Cela ne nous dérange plus.

Elle pensa à la baignoire, qu'elle avait achevé d'installer dans la matinée. Elle avait serré le dernier écrou, ouvert le robinet, puis regardé l'eau autrefois saumâtre devenir claire et s'écouler en gargouillant dans la bonde. Cet exploit lui avait valu autant de satisfaction que l'exécution d'une symphonie complexe. Le promoteur continuait de regarder le papier.

— C'est bien au-dessus du prix du marché.

— Si mes renseignements sont bons, le prix du marché est simplement ce que les gens sont prêts à payer.

Elle voyait bien qu'il était décontenancé. Mais il voulait la maison. Et elle avait fait ses calculs. Elle avait estimé quel serait le minimum requis pour acheter une maison convenable et pour assurer à sa famille une sécurité financière. Et ensuite elle avait ajouté une certaine somme.

— C'est mon prix. Maintenant, si vous voulez bien m'excuser, je dois aller m'occuper de la fête.

Elle se serait vraiment crue en face de M. Cartwright, songea-t-elle, sauf que cette fois elle comprenait de quoi il retournait. Mieux que quiconque aurait pu l'imaginer.

— Je vais faire un dernier tour, si vous le permettez, dit Nicholas Trent en retenant un soupir et en ramassant ses documents. Ensuite, je reviendrai vous faire part de ma réponse.

Kitty n'en revint pas quand sa mère lui dévoila sa surprise.

— Tu as fait ça toute seule ? Et ça marche vraiment ?

— Des doigts de plombier, dit Isabel en levant les deux mains.

Ensuite, elle serra sa fille dans ses bras. Celle-ci était enveloppée dans une vieille serviette éponge, et des algues lui collaient à la peau. Isabel ne lui parla pas des heures passées à jurer devant des schémas incompréhensibles, à défaire des écrous trop serrés, à subir les éclaboussures répétées.

— Bon anniversaire, ma chérie. Je t'ai acheté un bon bain moussant aussi.

— Trop cool ! Un vrai bain. Je peux en prendre un maintenant ? On a de l'eau chaude et tout ?

— Maintenant ? Mais la fête bat son plein.

Frissonnante, Kitty tendit le cou vers ses amis, qui s'amusaient à se faire tomber des canots.

— Ça ne leur fera rien si je m'absente une demi-heure. Et comme ça, je pourrai me débarrasser de ces sales trucs verts. Ça va être si bon, un bain ! Un vrai bain !

Elle sautilla d'excitation – une adolescente incapable de contenir sa joie.

—Alors vas-y, dit Isabel. Je vais installer le déjeuner pour toi.

Kitty courut dans la maison, monta les marches quatre à quatre. Elle prendrait un rapide bain moussant, se laverait les cheveux, puis rejoindrait les autres, toute fraîche et parfumée, au moment où ceux-ci sortiraient de l'eau. Elle ouvrit la porte de la salle de bains et sourit en découvrant l'œuvre de sa mère. Des flacons de shampoing et d'après-shampoing neufs étaient posés au bord de la baignoire. Pas les produits de supermarché qu'ils utilisaient depuis des mois, mais ceux de la marque onéreuse qu'elle adorait. Sur le sol, entouré d'un ruban rouge, il y avait du bain moussant hydratant, et à côté une serviette blanche d'une grande douceur. Un tapis de bain était soigneusement étalé sur le sol. Kitty prit le flacon, dévissa le bouchon et huma avec délectation son parfum luxueux avant de poser la bonde en cuivre et de tourner les robinets. L'eau sortit dans un flot tonitruant, produisant un nuage de vapeur immédiat sur le miroir de l'armoire à pharmacie. Kitty verrouilla la porte de la salle de bains, puis ôta son maillot et se drapa dans la vieille serviette qu'elle avait apportée avec elle du jardin. Elle ne voulait pas que sa nouvelle sortie de bain se couvre d'algues visqueuses. En attendant que la baignoire se remplisse, elle jeta un regard par la fenêtre. Dehors, sa mère posait des assiettes sur la table à tréteaux tout en bavardant avec Asad, qui préparait une salade. Henry buvait un verre de vin et criait quelque chose à un groupe de filles dans l'eau qui les fit toutes éclater de rire. Il murmura ensuite une plaisanterie à sa mère, qui se mit à rire à son tour. Un vrai rire, avec tête basculée en arrière, comme ça lui arrivait du temps où son père était en vie. Kitty sentit venir le picotement familier des larmes et s'essuya les yeux. Ça irait. Pour la première fois depuis la mort de son père, elle avait le sentiment que la situation s'améliorait. Sa mère avait pris les choses en main ces derniers jours, alors Kitty avait le droit d'être une fille de seize ans. Juste une fille de seize ans. Elle vit Thierry chiper une assiette de nourriture puis se diriger vers la chaufferie, alors elle frappa au carreau de la fenêtre pour attirer son attention. Elle lui fit une grimace pour lui faire savoir qu'elle comprenait son manège. Il lui tira la langue et elle rit, un rire étouffé par l'eau du bain qui s'écoulait bruyamment. Soudain, un fracas la fit bondir en arrière. Kitty se retourna à temps pour voir le drap blanc s'agiter. Elle cria quand Matt McCarthy apparut derrière.

—Mais… qu'est-ce que vous faites? hurla-t-elle en serrant la serviette autour d'elle.

Il se baissa pour passer par le trou du mur et, une fois dans la salle de bains, se gratta la tête d'une main sale.

—Je vais réparer ce trou, annonça-t-il calmement.

Il n'était pas rasé, sa ceinture à outils pendait à sa taille. Kitty fit un pas en arrière.

—Matt, vous ne pouvez pas rester ici. J'allais prendre un bain.

— Je dois arranger ça. Cette pièce était magnifique. Elle ne peut pas rester comme ça.

Le cœur de l'adolescente battait si fort qu'elle n'entendait même plus l'eau du robinet. Elle vit son maillot de bain sur le sol et regretta de ne rien porter sous sa serviette.

— S'il vous plaît, allez-vous-en, Matt.

— Je ne serai pas long.

Il s'accroupit, passa les doigts sur les contours du plâtre.

— Je dois juste boucher ce trou. Quel genre de chef de chantier je serais si je laissais un gros trou comme ça, hein ?

Kitty se dirigea vers la porte. Il se leva brusquement.

— Ne t'inquiète pas, Kitty. Je ne te gênerai pas.

Il sourit. La lèvre inférieure de Kitty tremblait. Elle pria pour que sa mère, Anthony, n'importe qui, monte. Quelqu'un avait dû le voir arriver. Les murs de la pièce semblaient se refermer autour d'elle, tandis que les voix au-dehors se faisaient de plus en plus lointaines.

— Matt, dit-elle doucement en essayant de retrouver son calme. J'aimerais vraiment que vous partiez maintenant.

Il semblait ne pas l'entendre.

— Matt, répéta-t-elle, s'il vous plaît, partez.

— Tu sais, dit-il, tu ressembles beaucoup à ta mère.

Au moment où il tendait la main pour lui toucher le visage, elle se précipita vers la porte. Elle batailla avec la serrure, et ensuite, avec un petit cri étouffé, dévala l'escalier en direction du vestibule, sans savoir s'il était derrière elle. Elle ouvrit maladroitement le loquet de la porte d'entrée et se retrouva dehors, courant sur la pelouse, un sanglot encore coincé dans la gorge.

— Ne me demandez pas ce que j'aime en musique, disait Henry. J'ai des goûts de béotien en la matière. S'il n'y a pas un final bien larmoyant, ça ne m'emporte pas.

— Le sang de Judy Garland coule dans ses veines, plaisanta Asad en ôtant le film d'un autre saladier.

Certains des amis de Kitty étaient sortis de l'eau, ils se séchaient ou rôdaient joyeusement près du buffet.

— Je ne crois pas connaître de chansons de Judy Garland, dit Isabel. Il y a d'autres serviettes par là, pour ceux qui en ont besoin.

— Vous ne jouez que du classique ?

Asad déposa les cuillères de service au centre de la table, puis se fourra une olive dans la bouche.

— Oui, mais ce n'est pas forcément sinistre.

— Je ne crois pas que la musique classique puisse avoir autant de puissance dramatique qu'un air de comédie musicale, cependant, dit Henry. Je veux dire, je doute que cela me fasse verser des larmes.

— De la puissance dramatique ? Monsieur Ross, vous êtes mal informé.

— Comment ça ? Vous pensez pouvoir me faire pleurer ? Avec votre violon ?

Isabel se mit à rire.

— J'en ai vu de plus durs que vous fendre l'armure.

—Alors allez-y, dit Henry en saisissant une serviette en papier. Je vous mets au défi. Bouleversez-moi, madame Delaney.

—Oh, je manque d'entraînement. Je n'ai pas joué correctement depuis des mois.

—Peu importe.

—Mais mon violon est dans la cuisine.

Henry se pencha sous la table et sortit l'étui.

—Plus maintenant.

—J'ai l'impression d'avoir été piégée.

Les deux hommes eurent un petit rire.

—Nous devions nous assurer d'avoir notre petit concert privé, déclara Henry. Ce n'est pas comme si l'on avait vendu des billets. Allez-y. Un court extrait. Il serait grossier de refuser. C'est tout de même l'anniversaire de votre fille.

Isabel plaça le violon sous son menton. Ensuite, elle fit glisser l'archet sur les cordes et laissa les premières mesures du *Concerto pour violon en si mineur* d'Elgar s'élever sous le soleil de midi. Elle jeta un coup d'œil aux expressions captivées d'Asad et d'Henry, puis ferma les yeux pour mieux se concentrer, pour se rappeler les notes. Elle joua, et soudain l'instrument ne lui parut pas si inférieur au précédent. Il chantait sa tristesse de quitter la maison, la perte de son mari, de l'homme qu'elle avait cru connaître. Il chantait l'absence douloureuse d'une autre personne, un manque qui l'avait prise par surprise. Elle rouvrit les yeux et vit que les invités de Kitty avaient commencé à sortir de l'eau et s'étaient assis sur l'herbe. Ils écoutaient en silence, comme fascinés. Elle changea de position, et lorsqu'elle acheva le premier mouvement, elle le vit au milieu des arbres et se demanda si elle rêvait. Il leva une main, et elle lui adressa un sourire radieux, sans retenue. Henry et Asad se retournèrent pour savoir à qui elle souriait, et se donnèrent un coup de coude discret. Byron lui rendit son sourire. Ce n'était pas son mari, mais ce n'était pas grave.

— Vous êtes venu, dit-elle en abaissant son violon.

Il avait l'air fatigué, mais en paix. Son travail avait réparé quelque chose en lui.

— J'ai un cadeau pour Kitty, dit-il. C'est ma sœur qui l'a choisi. Je ne sais pas trop ce qu'aiment les adolescentes.

— Elle va adorer, dit Isabel sans pouvoir détacher ses yeux de lui. Je suis tellement contente que vous soyez là. Vraiment.

Toute la gêne d'avant avait disparu.

— Moi aussi, dit-il.

Sorti de l'ombre de Matt, il avait gagné en prestance. Ils se tenaient là, l'un en face de l'autre, indifférents aux regards curieux.

— Bon, bon, s'impatienta Henry en agitant une main devant Isabel. Asseyez-vous, Byron. Il ne fallait pas l'interrompre. Je me sentais délicieusement mélancolique.

Byron eut un grand sourire.

— Désolé. Où est Thierry ?

Ses yeux n'avaient pas quitté Isabel, et elle se rendit compte qu'elle avait rougi. Elle cala son violon sur son épaule.

— Dans la cuisine ou la chaufferie. Il s'est fait… une tanière.

Il haussa un sourcil. C'était une plaisanterie qu'eux seuls pouvaient comprendre. Non pas une source de tension. Il s'assit sur l'herbe, étendit ses longues jambes devant lui, puis elle se remit à jouer en regardant les cousins. Elle essaya de se concentrer sur la musique, de ne pas penser à la signification de son retour.

Je me fiche de ce qu'il est, de ce qu'il a fait quand il était un autre. Je suis juste contente qu'il soit là.

Elle ferma alors les yeux pour se plonger dans la mélodie, se cacher derrière les notes, ne pas trop dévoiler ses sentiments au public. Elle adorait le deuxième mouvement, ses fluctuations somptueuses, sa portée méditative, mais alors qu'elle entamait les notes déchirantes de la descente, elle comprit pourquoi elle avait spontanément choisi ce morceau. Cette phrase, les notes douces-amères et passionnées précédant la fin du mouvement suggéraient une prise de conscience : une page se tournait définitivement. Elgar lui-même l'avait jugée « trop émotionnelle », même s'il l'adorait. Elle rouvrit les yeux. Asad, la tête inclinée en arrière, était en phase contemplative, tandis qu'Henry, à côté de lui, essuyait discrètement ses larmes. Elle laissa s'attarder les dernières notes, désireuse d'étirer ce moment.

— Voilà, dit-elle en abaissant l'instrument. Je vous l'avais dit, je…

L'arrivée brutale de sa fille lui coupa le souffle. Elle la tirait d'une main, tenait sa serviette de l'autre. Elle pleurait si fort qu'elle parvenait à peine à parler.

— Kitty ! (Isabel recula légèrement et sonda son visage.) Que se passe-t-il ?

— C'est lui.

Kitty luttait pour faire sortir les mots.

— C'est Matt McCarthy. Il est dans la maison.

— Quoi ?

Byron s'était levé d'un bond. Isabel regarda la bâtisse. Puis, soudain consciente que sa fille était nue sous sa serviette, elle prit peur.

— Est-ce qu'il t'a touchée ?

— Non..., dit Kitty. Il a juste... Il était dans la chambre... Il est entré par le trou du mur... J'ai eu tellement peur.

Isabel se mit à bouillonner. Ses yeux croisèrent ceux de Byron.

— Il se comportait vraiment bizarrement. Il refusait de sortir...

Kitty s'agrippait toujours à sa mère.

— Que doit-on faire ? interrogea Asad qui s'était avancé.

— Je ne sais pas, dit Isabel.

— Mais à quoi joue-t-il ?

Le visage de Byron s'était durci, son corps s'était tendu. Soudain, Isabel fut terrorisée, non pas par le passé de cet homme, mais par ce qu'il était capable de faire pour la protéger.

— Il a dit qu'il voulait réparer les dégâts, dit Kitty. Reboucher le trou. Mais il n'était pas normal, maman. On aurait dit...

— Thierry, s'exclama soudain Byron, qui se mit à courir vers la maison.

En haut, dans la salle de bains, Matt essuyait la vitre avec un doigt et contemplait le rassemblement en bas. Il vit Isabel lever les yeux et, l'espace d'un instant, aurait pu jurer qu'elle avait croisé son regard. Maintenant, elle viendrait. Ils pourraient enfin parler. Il ne remarqua pas le niveau d'eau dans la baignoire en fonte qui avait continué de monter après le départ de Kitty. Il n'entendit pas le grincement des solives du plancher, sujettes à une pression imprévue sous le poids de l'eau. Matt McCarthy repassa de l'autre côté du trou, marcha tranquillement vers la grande chambre, s'assit au bord du lit.

Byron monta lentement les marches, jeta un coup d'œil dans toutes les pièces au cas où l'enfant s'y serait trouvé. À force de pister les animaux, il avait appris à se déplacer en silence, et les marches ne grinçaient presque plus depuis que les planches avaient été remplacées. Il atteignit le palier et entendit l'eau qui coulait. La porte de la salle de bains était entrouverte, la pièce apparemment vide. Il poussa la porte de la chambre principale et vit Matt, assis sur le lit, les yeux rivés sur le mur défoncé. Celui-ci leva alors la tête et cligna des yeux. Byron comprit qu'il attendait quelqu'un d'autre. Il resta sur le seuil. Il n'avait plus peur de ce que Matt McCarthy pouvait faire.

— Où est Isabel ? demanda Matt.

Son teint hâlé avait viré au gris, seules deux taches rouges coloraient ses joues.

— Il faut partir, dit Byron d'une voix calme, alors que son sang tambourinait dans ses tempes.

— Où est Isabel ? répéta Matt. Elle devait monter pour discuter avec moi.

— Vous avez fait très peur à Kitty. Allez-vous-en maintenant.

— Que je m'en aille ? T'es qui pour m'ordonner de partir ?

— Vous brutalisez tout le monde, hein ?

Byron sentait une vieille colère se réveiller en lui, un sentiment qu'il contenait depuis des années.

— Vous seriez prêt à brutaliser une jeune fille pour avoir la maison. Eh bien, écoutez-moi, Matt, c'est fini maintenant.

Pendant que Byron parlait, Matt s'était replongé dans la contemplation du trou et, au travers, de l'eau qui débordait de la baignoire. Il semblait ne pas l'avoir entendu.

— Dégagez, insista Byron, épaules contractées, prêt à éjecter Matt hors de la pièce. Vous avez intérêt…

Matt le regarda.

— Sinon quoi ? Tu vas me forcer ? Un mot, Byron, fit Matt avec un rire machiavélique. CON-DI-TION-NELLE…

Le battement dans ses oreilles était à présent assourdissant. Il vit le sourire sarcastique de Matt, son regard éteint, et se rendit compte qu'il se moquait des conséquences désormais. Une seule chose comptait : empêcher cet homme de continuer, lui montrer qu'il ne pourrait plus effrayer et duper les gens, exploiter Isabel. Il leva le poing, le ramena vers lui… puis retint son souffle quand, dans un épouvantable craquement, le sol de la salle de bains commença à céder.

Byron, pensa Isabel.

Elle reprit son violon et chercha quel air joyeux et divertissant elle pourrait jouer. Tout irait bien puisqu'il était là. Il empêcherait la catastrophe. Quand un fracas déchirant retentit, elle lâcha l'instrument et se retourna d'un coup. Le bruit fendit l'air immobile comme un coup de feu, un craquement abominable, terrifiant ; il aspira l'atmosphère pour ne laisser qu'un grand vide. Suivit un bruit d'éboulement, un grondement sourd, puis un vacarme assourdissant de bois et de tuiles, entrecoupé des timbales terrifiantes du verre qui se brisait. La maison espagnole s'effondrait par son milieu, comme si une énorme faille s'était ouverte dans la terre entre les deux ailes. La terre trembla, les canards s'envolèrent des roseaux en cancanant, et les deux côtés s'effondrèrent. Tandis qu'Isabel, Kitty et les convives assistaient au spectacle, des cris d'horreur coincés au fond de la gorge, toute la bâtisse disparut, se replia sur elle-même, puis une longue colonne de poussière s'éleva dans l'espace vacant. Quand le nuage se dissipa, on vit se dessiner dans le ciel les deux extrémités tronquées d'une maison, dont les poutrelles éclatées saillaient comme des os brisés et les sols, les murs n'étaient plus qu'un gigantesque tas de gravats, tandis qu'un mince filet d'eau coulait d'un tuyau cassé, telle une fontaine de joie, au centre du désastre. Plus personne ne parlait. Les notions de son et de temps n'existaient plus. Isabel lâcha un cri étouffé, les mains sur la bouche, et au bout d'un bref instant Kitty se mit à pleurer, et ce fut un son strident, surnaturel. Son corps se secouait violemment et son regard était rivé sur la montagne de décombres qu'était devenue sa maison. Puis les mots sortirent enfin de sa bouche.

— Où est Thierry ?

Laura regarda à travers le pare-brise ; elle n'en croyait pas ses yeux. L'ampleur de l'événement, son improbabilité l'avaient clouée sur son siège. Il n'y avait plus de maison là où, quelques instants plus tôt, un bâtiment s'était trouvé. Ne restait plus qu'un squelette, les flancs saillants, les entrailles exposées – du papier peint, un tableau de travers, la moitié d'une chambre, les affiches encore au mur. Derrière elle, sur le siège arrière, son vieux chien gémit. Avec des doigts tremblants, elle parvint à ouvrir la portière et à sortir. Dans l'allée, elle vit un groupe d'adolescents sous le choc, encore agrippés à leurs serviettes. Isabel regardait fixement la maison, les mains sur la bouche. Les cousins étaient derrière elle. Son téléphone portable collé à l'oreille, Henry criait des instructions.

Pottisworth, pensa Laura.

Elle sentit sa présence malveillante, entendit son rire sifflant dans le fracas du bois, le craquement des planches. Nicholas marchait vers elle, le visage blême, son dossier encore en main.

— Bon sang, qu'est-ce que… J'étais dans le garage. Qu'est-ce qui s'est passé ?

Elle ne put que secouer la tête. Ils se dirigèrent alors vers le jardin.

— Thierry !

Au tournant, le cœur de Laura se serra.

— Thierry ! criait Isabel sur l'herbe, à quelques mètres de là.

Ses cheveux étaient en bataille et quand elle essaya d'avancer, ses jambes se dérobèrent sous elle et elle s'écroula.

— Oh… Oh non, murmura Laura. Pas le petit…

Nicholas chercha sa main, mais, tétanisée par la peur, elle ne réagit pas.

— C'est le travail de Matt, dit-il. Il a dû saboter la charpente. J'aurais juré qu'elle était solide la première fois que je suis venu.

Laura ne pouvait détourner les yeux d'Isabel, le teint livide et le regard hébété. Derrière elle, sa fille sanglotait.

— Maman ? dit une voix. Maman ?

Isabel se retourna, et Laura sut qu'elle n'oublierait jamais cette expression. Le garçon émergeait des arbres, suivi de son chiot.

— Maman ?

Elle s'était relevée et courait pieds nus aussi vite qu'elle le pouvait, dépassant tout le monde, et ensuite, elle l'avait dans ses bras, et elle sanglotait si fort que Laura se mit à pleurer elle aussi. Elle l'observa, l'écouta. Elle vit le chagrin et la douleur, dont son désir était en partie responsable.

Ne supportant plus son propre voyeurisme, elle se tourna vers la maison, ce grand vide éclaté au milieu des bois. La façade n'était plus qu'un masque de briques rouges, avec deux fenêtres vides à la place des yeux, et une porte d'entrée qui faisait une moue désespérée. De ces ruines, elle vit son mari émerger en vacillant, la tête en sang, un bras pendant bizarrement le long de son corps. Il ne semblait pas plus perturbé que s'il venait de contrôler un chantier.

— Dieu du ciel, marmonna Nicholas.

Elle comprit alors à quel point la folie de Matt était profonde.

— Laura ? fit-il en piétinant des briques.

À une centaine de mètres de chez eux à peine, son mari semblait totalement perdu.

— Merci, disait Isabel à quelque divinité inconnue, incapable de lâcher son fils. Merci. Oh, mon Dieu, j'ai cru… Je n'aurais pas pu le supporter. Je n'aurais pas pu le supporter.

Elle respirait l'odeur de Thierry, refusait de le libérer de son étreinte, l'inondait de ses larmes.

— Nous avons compté tout le monde, annonça Henry. Tous les enfants vont bien.

— Qu'ils restent à distance, conseilla Asad avant de s'interrompre pour utiliser son inhalateur. Il faudrait les retenir près du lac.

Il y eut un autre grondement sourd.

— Qu'est-ce que c'est ? demanda Kitty.

Sous leurs regards horrifiés, le mur du fond de l'aile ouest, la moitié restante de la grande chambre, vacilla et, comme au ralenti, s'écroula dans une pluie de briques et de verre. Sur la pelouse, les jeunes poussèrent un cri, certains se mirent à courir vers le lac. Isabel serra ses deux enfants autour d'elle, en essayant de protéger leurs visages de ses mains.

— Ça va aller, murmura-t-elle. Vous êtes en sécurité.

— Mais où est Byron ? demanda Kitty.

— Byron ? répéta son frère d'une voix blanche.

— Il était parti chercher Thierry, dit Isabel dans un souffle avant de se tourner vers l'endroit où s'était trouvée la chaufferie.

— Mon Dieu, laissa échapper Henry dans un soupir.

Isabel traversa la pelouse en courant, puis, à genoux devant les décombres, se mit à dégager des morceaux de briques en les jetant derrière elle.

— Pas ça, murmurait-elle avec effroi. Faites que ça ne recommence pas. Pas toi, maintenant.

Puis, une fois tous les convives informés, ils se joignirent à elle pour soulever les morceaux de bois ; les bras minces des adolescents se retrouvèrent rouges de poussière de brique, se couvrirent d'égratignures.

— Byron ! hurlait-elle. Byron !

Les cousins étaient restés auprès de Kitty et Thierry, qu'ils avaient enveloppés dans des serviettes malgré la chaleur du soleil. Thierry frissonnait, le teint livide. Henry lui servit une boisson sucrée.

— Est-ce que c'est ma faute ? demanda l'enfant.

Entendant la question de son fils, Isabel se décomposa. Six adolescents s'étaient rassemblés autour d'un fragment du toit, qu'ils réussirent à déloger. Les amis de Kitty s'interpellaient, se criaient de faire attention aux bris de verre ou aux clous saillants. Deux filles pleuraient, et une autre se tenait à distance, téléphone à l'oreille.

— Ils seront bientôt là, dit Henry, comme pour se rassurer lui-même. Les pompiers et l'ambulance. Ils vont le retrouver.

Isabel laboura méthodiquement les décombres, avec des gestes cadencés. Elle jetait les briques derrière elle, une, deux, trois, essayait de voir s'il y avait une poche d'air en dessous, puis de nouveau, une, deux, trois, et elle appelait encore. Sa respiration était irrégulière, son cœur cognait dans sa poitrine.

— Qu'ils ne piétinent pas les débris. Ça pourrait provoquer un autre éboulis sur lui s'il est en dessous, avertit Asad.

Comme pour confirmer ses dires, deux adolescents hurlèrent quand un morceau de bois céda sous leurs pieds, et leurs amis les mirent à l'abri *in extremis*.

— Qu'ils s'éloignent ! criait Asad. Poussez-vous de là. L'autre côté pourrait s'effondrer.

C'est sans espoir, pensa Isabel.

Elle consulta sa montre et vit que leurs vaines recherches duraient déjà depuis vingt minutes. Un sentiment de chaos, d'hystérie, s'installait. Derrière elle, deux amis de Kitty se disputaient sur la meilleure façon de soulever une poutre.

Henry et Asad tentaient de convaincre les autres d'arrêter les fouilles et de s'éloigner. Au milieu de cette cacophonie, elle entendait les tentatives de sa fille pour rassurer Thierry. Mais rien n'allait. Byron était quelque part sous les ruines de la maison. Et chaque minute qui passait comptait.

Aide-moi, lui dit-elle en silence.

La sueur perlait entre ses omoplates tandis qu'elle soulevait les gravats.

Aide-moi à te trouver. Je ne pourrai pas supporter de te perdre toi aussi.

Elle s'accroupit, pressa ses poings fermés contre ses paupières. Elle resta ainsi, immobile pendant une minute. Puis elle regarda derrière elle.

— Taisez-vous ! cria-t-elle. Taisez-vous tous !

Et ce fut à ce moment-là qu'elle l'entendit : le bruit lointain d'un aboiement affolé.

— Thierry ! hurla-t-elle. Où sont les chiens de Byron ? Va les chercher !

Le visage de l'enfant s'illumina brièvement. Devant les spectateurs éberlués, Thierry fonça de l'autre côté du lac, vers la voiture de Byron, dont il fit sortir Meg et Elsie. Les chiennes se mirent à courir sur la pelouse, droit vers la maison.

— Silence ! Plus un bruit ! ordonna Isabel.

Le silence tomba, un calme encore plus prodigieux que la catastrophe qui l'avait précédé. Kitty, soutenue par Henry, étouffait ses sanglots, et Isabel se mit à suivre les chiennes en criant :

— Byron !

Sa voix était impérieuse, terrible, étrangère à elle-même.

— Byron !

Le silence sembla durer cent ans, il fut assez long pour que le cœur d'Isabel se fige dans la peur, et assez profond pour qu'elle entende le claquement de dents de sa fille. Même les oiseaux s'étaient tus, et le murmure des pins avait cessé. Dans ce minuscule coin de campagne, le temps s'était suspendu. Et puis, tandis que le bruit des sirènes s'élevait au loin, les chiennes se remirent à aboyer, d'abord faiblement, puis de plus en plus furieusement, grattant de leurs pattes les tas de bois, et tout le monde l'entendit. Son cri. Son nom. La musique la plus douce qu'Isabel ait jamais entendue. Il s'en était tiré sans gros dégâts, diraient plus tard les ambulanciers. Une fracture de la clavicule, une entaille dans la jambe et quelques contusions. Ils le garderaient à l'hôpital pour la nuit, vérifieraient qu'il n'avait pas de blessures internes.

Tandis qu'il était étendu sur le brancard, que les échanges des ambulanciers se mêlaient aux sifflements des radios de police, Laura McCarthy vit le petit Delancey marcher vers lui. Sans un mot, sans que les adultes autour de lui y prêtent attention, il posa la tête sur la main de Byron, et sa propre main sur la couverture qu'on avait étalée sur le corps du jeune homme. Celui-ci leva la tête en sentant ce poids inattendu, puis cligna des yeux et tendit une main blessée vers la joue du garçon.

— Tout va bien, Thierry, dit-il d'une voix à peine perceptible. Je suis encore là.

Alors, au moment où il fut installé dans l'ambulance, Laura fit un pas en avant. Elle plongea la main dans son sac et en sortit la lettre, qu'elle glissa entre les doigts bandés de Byron.

— Je ne sais pas ce que ça vaut maintenant, mais autant que vous l'ayez, dit-elle d'un ton brusque.

Et elle tourna les talons avant qu'il ne puisse répondre.

— Laura ? fit Matt.

Bandé de partout et flanqué de policiers, une couverture sur les épaules, il avait l'air d'un gamin sans défense, vulnérable.

Il ne reste rien de lui, pensa-t-elle. *C'est une ruine, comme la maison.*

Finalement, ce fut simple. Elle se tourna vers Nicholas, leva une main vers sa joue, sentit sa peau sous ses doigts, sa force discrète. Un homme bien. Un homme qui s'était reconstruit.

— Je suis vraiment désolée, lui dit-elle tendrement.

Alors elle prit le bras de son mari sidéré et se dirigea avec lui vers la voiture de police.

Chapitre 25

Ils avaient passé la première nuit à l'hôpital avec Byron. Thierry ne voulait pas le quitter, et ils n'avaient nulle part où aller. Les infirmières, informées de l'événement, leur avaient installé des couchages dans la chambre et, pendant que Kitty et Thierry s'endormaient, les visages assombris par ce qu'ils avaient vécu, Isabel resta assise entre eux deux en évitant de penser à ce qui aurait pu arriver. Autour d'elle résonnaient les bruits nocturnes de l'hôpital – semelles de caoutchouc grinçant sur le linoléum, conversations murmurées, bip sporadique appelant à l'aide. Quand elle put enfin sombrer, ses rêves furent ponctués du gémissement aigu de sa fille et du « maman » médusé de Thierry, avant qu'un fracas vienne la réveiller en sursaut.

Six mois plus tôt, alors qu'elle était encore à l'affût du moindre signe, elle aurait dit que Laurent les avait sauvés, que d'une certaine façon il les avait protégés. Mais à présent, en regardant l'homme étendu sur le lit d'en face, elle savait que ce n'était pas le cas. Aucune logique, aucune signification n'était cachée derrière tout ça. On avait de la chance ou pas. On mourait ou pas. L'aube pointa peu avant 5 heures, une froide lueur bleue perça les stores gris pâle, brisant peu à peu la pénombre de la pièce. Elle s'étira, sentit la tension dans son cou et ses épaules. Puis, une fois assurée que ses enfants dormaient toujours, elle se dirigea vers la chaise à côté du lit de Byron et s'y assit. Dans le sommeil, il avait perdu sa vigilance. Son expression s'était adoucie, seules ses heures de labeur marquaient sa peau. Nulle trace de doute, de colère ou de méfiance ne subsistait. Elle se rappela la façon dont il avait volé au secours de Thierry sans la moindre hésitation. Elle se rappela son sourire spontané et confiant lorsqu'il avait fait son retour la veille. Il avait posé sur elle un regard si direct, si lourd de sens. Et Isabel entrevoyait un avenir, peut-être pour la première fois depuis la mort de Laurent. Elle voyait son fils sourire, entendait sa voix résonner. Elle voyait sa fille qui n'avait plus besoin de se comporter comme une adulte miniature. Elle voyait, sinon du bonheur, du moins une nouvelle chance de l'atteindre. Il avait ressenti la même chose qu'elle, elle en était certaine.

Ce n'est pas une impulsion, se dit-elle. *C'est la chose la plus réfléchie que j'aie jamais faite.*

Lentement, elle baissa la tête et déposa un baiser sur ses lèvres – qu'elle trouva d'une douceur inattendue, avec un goût d'hôpital, de désinfectant, de savon industriel et, en dessous, de forêt. « Byron », murmura-t-elle, puis elle l'embrassa encore, laissa les mains blessées du jeune homme la trouver, la serrer tandis qu'il se réveillait et chuchotait son nom. Elle s'abandonna contre lui et les larmes vinrent, des larmes de gratitude pour sa présence, pour la possibilité qui lui était offerte d'être à nouveau étreinte, aimée, désirée. Elle était contente que le fantôme de Laurent ne se dresse plus entre eux, de ne ressentir ni remords ni culpabilité. Il ne la hantait plus, contrairement au moment où elle s'était donnée à Matt. Il n'y avait que Byron à présent. On choisissait d'être heureux ou de ne pas l'être. Et quand, plus tard, elle leva la tête pour le regarder, elle fut surprise par son expression confuse.

— Tu as mal ?

Elle fit glisser un doigt sur son front, savourant le luxe du contact. Il ne répondit pas. Le bleu à sa tempe avait pris une teinte blanchâtre.

— Je peux te donner des antidouleur.

Elle tenta de se rappeler où l'infirmière les avait mis.

— Je suis désolé, dit-il dans un souffle.

— Désolé ?

Il secoua la tête. Elle s'écarta.

— Désolé de quoi ?

— Je ne peux pas. Je suis désolé.

Il y eut un long silence pesant.

— Je ne comprends pas.

Elle se rassit sur l'autre lit. Il ne reprit la parole qu'au bout de plusieurs minutes, d'une voix faible et hésitante. De l'autre côté de la porte, un téléphone sonna, insistant, ne trouvant pas de réponse.

— Ça ne marchera pas.

Je sais ce que j'ai ressenti, voulait-elle dire. *Je sais ce que tu as ressenti*. Mais ces mots lui rappelaient trop ceux de Matt.

— C'est idiot.

Elle tenta de sourire.

— On ne pourrait pas simplement... essayer ?

— C'est ça que tu veux ? Te lancer en espérant que ça marche ?

Il semblait lui reprocher une certaine légèreté.

— Ce n'est pas ce que je voulais dire.

— Isabel, on est trop différents tous les deux, tu le sais bien.

Elle le dévisagea, étudia la ligne obstinée de sa bouche, la façon dont il évitait son regard. Puis elle baissa la voix.

— Tu es au courant, c'est ça ?

— Au courant de quoi ?

Les enfants dormaient toujours.

— De mon aventure avec Matt.

Elle ne fut pas étonnée de le voir tressaillir.

— Évidemment que tu le sais. Et tout ça n'est qu'une excuse. Eh bien, je vais te dire pour Matt. C'était la nuit de la coupure de courant et j'étais ivre et je me sentais seule, et j'étais au fond du gouffre et, pour être totalement honnête, je me suis laissée croire, stupidement, que j'en avais envie.

— Tu n'as pas à te justifier.

— Si, il le faut, dit-elle d'une voix dure. Parce que c'est arrivé et que c'était une grave erreur. Et pas un jour ne passe sans que je le regrette. Mais ce que j'ai fait cette nuit-là n'a rien à voir avec ce que j'éprouve pour toi.

— Ce n'est pas la peine de…

— Si, c'est la peine. Parce que ce n'était pas moi. Je ne prends pas les sentiments à la légère.

— Je n'ai pas…

— Tu sais quoi ? Avant ça, je n'avais jamais couché avec personne d'autre que Laurent ! À trente-six ans, je n'avais couché qu'avec un seul homme… J'avais l'habitude d'en rire. Matt…

— Ça n'a rien à voir avec Matt !

Ce fut comme une détonation dans la petite chambre. Kitty remua nerveusement, et Byron baissa la voix.

— Je sais qu'il est venu te voir cette nuit-là. J'étais là, tu oublies ? Mais je ne t'ai jamais jugée. Jamais. Matt et tout le trafic autour de la maison, ça n'a fait que dissimuler la vérité.

— La vérité ?

Il poussa un profond soupir.

— Le fait que ça ne marcherait pas.

— Comment peux-tu dire ça ? Qu'en sais-tu ?

— Isabel…

— Pourquoi ne pas essayer ?

— Je n'ai rien à t'offrir. Pas de maison. Pas de sécurité.

— Tout ça ne m'intéresse pas.

— Parce que tu l'as. C'est facile à dire quand on l'a déjà.

Il refusait d'affronter son regard. Elle attendit.

— Je ne veux pas que tu me regardes autrement dans un an et que tu… changes d'avis. À cause de ce que je n'ai pas.

Ils gardèrent le silence pendant plusieurs minutes. Isabel le brisa enfin.

— Tu sais ce qui est arrivé hier, Byron ? La chose la plus terrifiante que j'aie jamais vécue. Thierry et toi auriez pu mourir.

Elle approcha son visage du sien.

— Mais vous avez survécu. Tout le monde a survécu. Et j'ai appris une chose cette année, c'est qu'il faut saisir sa chance quand elle se présente.

Elle entendit Thierry marmonner sur le lit derrière elle, mais n'y prêta pas attention.

— Tu nous as maintenus à flot. Thierry, les enfants… Tu leur as rendu quelque chose.

Elle était au bord des larmes.

— Quelque chose qui leur manquait. Qui me manquait. Ne fais pas ça, Byron. Ne me repousse pas. Rien d'autre n'a d'importance.

Il serrait la mâchoire.

— Isabel… Je suis réaliste. Les choses sont comme elles sont et je ne peux rien y changer. C'est mieux ainsi. Crois-moi.

Elle attendit qu'il ajoute quelque chose. Mais il se tut. Elle se leva alors, en chancelant un peu, peut-être par manque de sommeil, ou étourdie par sa réaction.

— Alors c'est tout ? Après tout ça ? Après tout ce que j'ai traversé ? Tu vas me juger parce que je possède une maison ?

Il secoua la tête. Ensuite, il se tourna péniblement sur le côté et ferma les yeux.

Les cousins leur avaient proposé la chambre au-dessus du magasin et ils l'avaient acceptée. Amis et voisins s'étaient également manifestés, mais c'était le seul endroit où ils pouvaient rester tous ensemble. Isabel refusait de s'approcher de la maison espagnole et, paradoxalement, ne voulait pas trop s'en éloigner non plus. Les documents de l'assurance étaient encore à l'intérieur, comme tous les autres papiers importants. Asad lui avait tendu les clés.

— Restez tant que vous voulez, avait-il dit. C'est sommaire, mais au moins vous aurez à manger et à boire. Nous avons vidé la pièce autant que possible et emprunté des lits de camp, alors si ça ne vous dérange pas d'être un peu serrés, vous aurez un endroit où dormir et une salle de bains.

Isabel s'était laissée tomber sur le canapé-lit, Kitty et Thierry s'étaient blottis à côté d'elle, et un rire étrange et saccadé s'était échappé de ses lèvres. Une salle de bains. Ils avaient enfin une salle de bains. Thierry avait levé vers sa mère des yeux pleins d'espoir, la croyant capable de tout arranger. Elle eut d'abord le tournis, puis se reprit et sourit. C'était son job. Ils avaient quitté l'hôpital ce matin-là sans rien : ni affaires pour la nuit, ni portefeuille, seulement un violon.

— Ça n'a pas d'importance, dit-elle à Asad. Ce ne sont que des choses matérielles, après tout. Et nous sommes la famille des chasseurs-cueilleurs, n'est-ce pas ?

Elle garda une voix claire.

— Vous allez découvrir que vous n'êtes pas si démunis que ça, dit Henry.

La nouvelle s'était répandue, et les villageois avaient défilé toute la journée à la boutique, chargés de produits de première nécessité – brosses à dents, casseroles, couvertures. Il désigna les sacs et les cartons posés dans un coin.

— On a jeté un œil. Vous avez de quoi tenir jusqu'à ce que l'assurance fasse son travail.

Isabel avait cru qu'il s'agissait du stock des cousins. Il y avait des articles ménagers, propres, neufs pour certains, tous soigneusement emballés et apportés là pour eux.

— Mais ils ne nous connaissent même pas ! s'étonna Kitty en soulevant un plaid à carreaux duveteux.

— Vous savez, la vie de village a mauvaise presse, dit Henry. Il y a des gens très bien ici, même si on ne les voit pas toujours. Des gens généreux. Ils ne sont pas tous comme…

Kitty saisit un des sacs et le posa sur le canapé. Elle se mit à sortir les objets les uns après les autres. Certaines attentions étaient si touchantes qu'Isabel faillit pleurer : une petite trousse de toilette avec du maquillage et de la lotion pour les mains, un assortiment de boîtes de céréales, pour répondre à tous les goûts, des Tupperware pleins de nourriture. Un gâteau. Des piles de vêtements propres, choisis pour aller à chacun d'entre eux. Thierry sortit un tee-shirt de skateboard avec un plaisir inattendu. Il y avait des cartes avec des numéros de téléphone, proposant de l'aide, manifestant de la compassion.

— La police a trouvé votre sac à main avec votre portefeuille, dit Asad. Et vos clés… de voiture.

— Alors on est plutôt bien lotis, finalement, dit Isabel. Nous sommes tous ensemble, hein ? Tout le reste est superflu. Dérisoire.

Lorsqu'elle éclata en sanglots, Asad posa une main sur son épaule et murmura quelque chose à propos du choc à retardement. Il avait branché la bouilloire et demandé aux enfants d'aller chercher des biscuits. Elle les laissa s'affairer. Le visage dans les mains, Isabel ne pouvait lui avouer qu'elle ne pleurait pas la perte de leurs biens matériels, mais celle d'un homme dont elle venait de comprendre qu'elle l'aimait et qui ne l'aimait pas assez pour être avec elle.

La voiture était dans la clairière, garée négligemment. Trente-six heures plus tôt, un homme l'avait laissée près du lac pour courir à une fête d'anniversaire. Dans la précipitation, il n'avait pas verrouillé la portière. Il jeta son sac sur le siège passager. Un voisin avait laissé un numéro sous son essuie-glace, proposant de l'aide. Il retira le papier, déconcerté par le geste. Il venait de récupérer ses chiennes chez un fermier qui s'en était occupé pour lui, et les regardait à présent gambader autour du lac, heureuses de ce retour à leur routine quotidienne. Sur la rive opposée, un ruban de balisage entourait la maison fantôme. Il claquait dans la brise, triste écho des banderoles éparpillées sur l'herbe. Le trajet vers la fête, le moment passé assis dans l'herbe, sous le soleil, à écouter de la musique – tout cela semblait remonter à des milliers d'années. Il avait du mal à comprendre comment la maison, les vies qu'elle avait abritées, avait pu subir une telle altération en une fraction de seconde. En revanche, il savait que l'effondrement, d'une certaine façon, ne l'avait pas menacé comme tout le monde semblait le croire, mais au contraire sauvé. De lui-même. Une grande lassitude s'empara de lui lorsqu'il pensa à la longue route qui l'attendait pour rejoindre le domaine de Frank. Sa sœur, Jan, arrivée à l'hôpital à l'heure du déjeuner, avait insisté pour qu'il reste avec Jason et elle.

— Tu as une mine affreuse. Tu as besoin qu'on s'occupe de toi.

Mais Byron ne voulait pas de compagnie. Il ne voulait pas loger chez d'autres, se frotter au bonheur ordinaire d'une famille.

— Je repars à Brancaster.

— Tu es ton pire ennemi parfois.

Byron marcha lentement vers la maison en ruine, voulant y jeter un dernier coup d'œil avant de partir. Le jour où il s'était réveillé dans la grande chambre, il s'était senti plus léger que jamais. Mais il n'aurait pas pu rester. Et en refusant d'admettre cela, Isabel se mentait à elle-même. Byron s'arrêta au bout de l'aile est et ramassa un petit pichet blanc dont la poignée avait été arrachée. Tellement de choses étaient enfouies là-dessous. Les restes de la vie familiale d'Isabel, à présent répandus sous terre, peut-être destinés à la décharge. Il garda le pichet en main, revit la cuisine, et tenta de chasser de son esprit l'image de son visage. Elle avait paru dévastée quand la maison s'était écroulée. Mais il n'avait rien à lui offrir. L'avoir pour mieux la perdre, voir son affection se transformer en déception lorsqu'un autre boulot tomberait à l'eau et qu'il n'aurait pas de quoi assurer leur subsistance, voir la méfiance sur son visage chaque fois qu'elle entendrait une rumeur au village… C'était trop pour lui ; sentir la passion s'étioler serait infiniment plus douloureux que ne jamais l'avoir vécue. Il resterait seul avec ses chiens. C'était plus simple ainsi. Meg et Elsie avaient sûrement faim, et il avait laissé son salaire à Brancaster. Il fouilla dans sa poche, espérant y trouver de la monnaie, et en sortit un bout de papier plié. Le double d'une lettre. Il se demanda d'où cela venait, puis se souvint vaguement de Laura McCarthy le lui glissant dans la main au moment où les brancardiers l'installaient dans l'ambulance. Son attestation de fin de contrat, supposa-t-il. Bon sang, les McCarthy savaient choisir leur moment. Il déplia le document, regarda les mots imprimés, puis s'immobilisa. Il lut les lignes, les signatures, le mot griffonné à l'intention de Laura de la main de Pottisworth. Il relut, pour vérifier que c'était vraiment son nom qui était inscrit là. S'agissait-il d'une plaisanterie ? Il se rappela alors son expression quand elle le lui avait remis : un mélange de gravité et de soulagement. Il repensa à Pottisworth, se plaignant dans sa barbe des McCarthy, de leur convoitise, de leur arrogance.

« Ils n'attendent qu'une chose, mettre la main sur la maison, grognait-il. Les gens comme eux pensent que tout leur est dû. »

Byron lui prêtait peu d'attention. Pottisworth ne lui avait jamais témoigné la moindre affection, le moindre soupçon de favoritisme. Alors pourquoi lui ? Ce testament ne consistait pas à lui donner quelque chose, mais à léser les McCarthy. C'était un dernier défi lancé à Laura : le vieil homme lui avait donné les deux exemplaires pour qu'elle puisse, si elle le voulait, détruire les preuves. Et c'était aussi un ultime doigt d'honneur à Matt.

Tout ce temps, pensa-t-il, échauffé par la vérité, *je me suis excusé d'avoir pénétré sur une terre qui m'appartenait, je me suis tapi dans ma propre chaufferie. Tout ce temps, elle m'appartenait.*

L'absurdité de la révélation le fit rire, et les oreilles de ses chiennes remuèrent. L'idée qu'il puisse posséder un bien de cette ampleur lui donna le tournis. Lui, Byron, maître du domaine. Et puis il pensa à Isabel. Elle perdrait tout. Toutes ses économies. Tout ce qu'elle possédait était passé dans ces murs. Son gain à lui causerait sa perte. Byron s'assit sur un morceau de bois, le document dans les mains. Il regarda le lac. Il n'avait pas les mains vides, finalement.

Elle avait parcouru à pied les cent derniers mètres au milieu des arbres et se tenait à présent non loin de la clairière. Elle contemplait sa maison, les bras croisés sur la poitrine. Elle avait laissé Kitty et Thierry dans l'appartement avec les cousins, prétextant une course à faire. Mais au lieu de se diriger vers la banque ou le supermarché, elle avait tourné au niveau de la porcherie et roulé sur le chemin plein d'ornières menant à la pancarte qui continuait de la mettre en garde, trop tard : « *Cave* ». Elle s'était dit qu'elle ne poserait plus jamais les yeux sur la maison. Mais elle n'avait pu s'empêcher d'y revenir. Il fallait qu'elle la voie. À deux reprises, tandis qu'elle roulait dans les bois, elle avait voulu renoncer, en proie au doute. Mais ce chemin était ainsi : une fois qu'on s'y était engagé, on ne pouvait plus faire demi-tour. La clairière lui parut étonnamment lumineuse. D'abord déroutée, Isabel comprit soudain pourquoi, comme une évidence : la masse de brique rouge qui masquait le soleil n'existait plus. Elle ralentit et se gara dans l'allée près du monceau de gravats et de bois. Le spectacle la fit frissonner, malgré la douceur de l'air. Elle avait beau s'être maintes fois répété que ce n'était pas chez elle, que ce n'était qu'un logement provisoire, la maison espagnole était devenue un prolongement de sa famille ; leurs espoirs, leurs aspirations, leurs sentiments, et même tout leur passé en avaient imprégné les murs. La voir démolie revenait à voir sa famille à terre. C'était un désastre intime. Isabel se mit à pleurer, ne sachant plus pour quoi ni pour qui étaient ses larmes. La maison dévastée lui inspirait une immense tristesse. Elle pleurait parce qu'il n'y avait plus rien, là où autrefois s'était tenu quelque chose. Parce qu'une étape s'achevait sans qu'elle puisse passer à la suivante. Elle perdit la notion du temps. Grâce à la tranquillité du lac ou des bruits de la nature, le choc et l'horreur qu'elle ressentait s'estompèrent, et la résignation les remplaça. Une maison n'était rien d'autre qu'une maison, et devant le tas de ruines, cette vérité lui apparut plus nue que jamais. Il n'y avait aucun sens caché dans ce désastre, aucun mauvais présage à y lire. C'était un bâtiment sinistre que personne n'aimait, un amas de briques, de mortier, de bois et de verre. Rien qui ne puisse être remplacé.

— Vous pouvez l'avoir, avait-elle dit à Nicholas Trent lorsqu'il l'avait appelée dans l'après-midi.

Il avait voulu prendre de leurs nouvelles après le choc. Puis il n'avait pas manqué d'ajouter :

— J'étais sincère quand j'ai dit que l'état de la maison n'était pas un problème pour moi.

— Je vous la laisse au prix que vous m'aviez proposé, l'avait-elle interrompu. À condition qu'on règle ça très vite. Je veux tourner la page.

Alors qu'elle se remémorait cette conversation, un chien fourra sa truffe froide dans sa main. Elle se retourna d'un coup, et il était là, sur un monticule de briques à quelques mètres d'elle, les contusions de son visage et de ses bras tournant au bleu-vert. Elle se retrouva à court de mots. Il avait l'air si différent, si loin de l'homme qu'elle avait quitté le matin même. La catastrophe les avait rapprochés, comme sous l'influence d'une force magnétique, puis séparés presque immédiatement après. Elle aurait préféré ne pas le croiser. Mais elle était également contente qu'il soit là.

— Il fallait que je la voie, dit-elle, sentant le besoin de justifier sa présence.

Il hocha la tête.

— C'est… Ce n'est pas si terrible que ça, ajouta-t-elle.

L'absurdité de sa remarque la fit rire.

— Je veux dire… Ça ne me fait plus peur.

— On a eu de la chance.

— D'une certaine façon, précisa-t-elle, incapable de taire son amertume.

Elle fit lentement le tour de la maison en ruine, ramassa une photo, une brosse à cheveux, refusant de pleurer la perte de leurs biens ensevelis sous les décombres. Les pompiers avaient essayé de rassembler tous les objets de valeurs le jour du désastre.

— Mais les risques de pillage sont faibles, lui avait dit un des hommes. La plupart des gens ne savent même pas qu'il y a une maison ici.

C'était une remarque indélicate. Il n'y avait plus de maison. Mais elle s'en moquait bien. Elle ne possédait plus rien de précieux. Et tant pis pour Byron. Elle savait désormais qu'elle pouvait survivre seule. C'était un nouveau départ. Elle se retourna et vit qu'il la regardait toujours. L'espace d'un instant, il sembla sur le point de parler, mais se ravisa. Elle se fraya un chemin dans les débris de son ancienne vie, et une fureur muette monta en elle tandis que les yeux de Byron lui brûlaient la peau. Il la regarda errer au milieu des objets qui jonchaient l'herbe, observa la façon dont son tee-shirt trop grand flottait autour de sa taille. Il remarqua les égratignures sur ses bras et ses doigts, les cicatrices qui n'étaient pas seulement le résultat de la veille mais de toute l'année passée. Il ne savait pas quoi lui dire, comment s'excuser. Comment lui parler de ce qu'il avait vécu, lui expliquer qu'une vie pouvait être détruite et reconstruite en même temps. Finalement, serrant quelques objets contre sa poitrine, elle le regarda et se mit à rougir.

—Je dois aller retrouver les enfants. Je reviendrai à un autre moment.

Il ne bougea pas. Elle non plus, attendant qu'il dise quelque chose. Puis elle eut un sourire crispé.

—Alors au revoir, dit-elle.

Elle se coinça une mèche de cheveux derrière l'oreille. Ils étaient comme deux étrangers se croisant dans la rue.

—Isabel! s'écria-t-il, d'une voix qui parut irréelle dans la torpeur ambiante.

Elle mit sa main en visière au-dessus de ses yeux pour le voir plus nettement dans les derniers rayons du soleil.

—J'ai trouvé ça, dit-il.

Il lui tendit une liasse de feuilles froissées. Elle avança vers lui et s'arrêta à quelques centimètres. Sans un mot, elle la lui prit des mains.

—Mes partitions?

Il ne la quittait pas des yeux.

—Je sais à quel point elles sont importantes pour toi.

—Tu n'as aucune idée de ce qui compte pour moi, rétorqua-t-elle, agacée.

Il fut choqué par ce qu'il vit sur son visage, la brutalité du sentiment qu'il avait provoqué en elle. Il n'y avait rien d'ordinaire là-dedans. Rien de déguisé. Dans le chagrin, la rage de cette femme, il lut ce qu'il avait lui-même ressenti, et qu'il avait refusé de s'avouer pendant des semaines, des mois. Et en quelques instants, elle pourrait quitter sa vie pour toujours.

Que dois-je faire ? se demanda-t-il. *Je croyais avoir plusieurs jours pour régler ça.*

— Bonne chance à Brancaster, dit-elle sèchement.

Puis elle s'éloigna en direction de sa voiture. Il sentit tout son corps se contracter de douleur, de frustration. C'était si intense, si nouveau pour lui, qu'il trouva la sensation intenable. Il prit alors sa décision.

— Isabel !

Elle ne se retourna pas.

— Isabel !

Elle s'arrêta.

— Écoute… J'ai eu tort.

Elle inclina la tête. Perplexe.

— Non, tu avais raison.

Il s'avança vers elle, enjambant des briques, évitant de trébucher sur les banderoles. Ils se faisaient face. Il attendit, sachant que ce qu'elle dirait à présent changerait tout.

— J'ai besoin que tu me dises la vérité, lâcha-t-il finalement. Tu pensais vraiment ce que tu as dit ? Que ce n'est pas important de savoir qui possède quoi ?

Isabel le dévisagea.

Tu ne comprends vraiment pas, hein ? pensa-t-elle. *C'est moi qui ai dû apprendre la dure vérité sur ce qui compte dans la vie. Je voudrais être avec toi même si tu ne devais plus rien posséder pour le reste de tes jours.*

Le beau visage était soudain vulnérable, et elle se rappela la façon dont il avait crié son nom lorsqu'il était coincé sous les décombres. Elle qui était capable de déceler les moindres nuances de ton avait perçu la vérité dans sa voix, même si lui n'en avait pas eu conscience. « Isabel », avait-il dit, et le soulagement qu'il avait exprimé n'avait rien eu à voir avec son sauvetage. Il leva une main en grimaçant de douleur. Elle la regarda, puis regarda son visage.

— Alors ? dit-il.

— Ce n'est qu'une maison, Byron.

Sa main était toujours en l'air. Elle leva la sienne, et leurs doigts s'entrelacèrent, la finesse d'Isabel contre la force de Byron.

Ne me dis plus jamais non, lui intima-t-elle en silence. Son visage, ses yeux, sa main l'exigèrent de lui. *Si je peux prendre ce risque, alors toi aussi.*

— Ce n'est qu'une maison, répéta-t-elle lentement.

Il plongea dans ses yeux un regard sombre et grave, et elle eut soudain peur.

— Tu sais quoi ? dit-il alors, un sourire illuminant ses traits. Je suis d'accord.

Il l'attira vers lui et enfin, après une brève hésitation, l'embrassa. D'abord timidement, puis de plus en plus fougueusement. Elle respira alors le parfum de sa peau, s'abandonna à son étreinte. Il l'embrassa de nouveau : le monde lui appartenait. Isabel passa les bras autour de son cou, riant sous le baiser, et ils restèrent enlacés près des ruines pendant une éternité. Les ombres s'allongeaient tandis que les partitions s'échappaient des mains d'Isabel et s'envolaient, emportées par la brise. Le soleil avait glissé sous les arbres quand ils décidèrent de repartir. Il retournerait travailler le lendemain. Ce soir-là, il resterait avec les Delancey dans le petit appartement au-dessus du magasin. Il dormirait sur le canapé. Ou peut-être au rez-de-chaussée. Il savait qu'il y avait un temps et un endroit pour tout dans la vie. Alors qu'ils approchaient de la voiture, il se souvint. Il retira son bras des épaules d'Isabel et se baissa pour ramasser un gros caillou. Il sortit deux feuilles de papier froissé de sa poche, en enveloppa la pierre et, après une brève hésitation, la lança dans le lac.

— C'était quoi ? demanda-t-elle.

Il regarda les rides de l'eau se répandre et s'estomper.

— Rien, répondit-il en s'époussetant les mains. Rien du tout.

Épilogue

Matt McCarthy n'est jamais revenu dans les Barton. Sa femme et lui sont allés vivre près de chez ses parents. Quelques jours après l'effondrement, Anthony a appelé le magasin pour nous annoncer qu'ils déménageaient. Un panneau « À vendre » a été posé devant leur maison, et elle s'est vendue en une semaine. Ce n'est pas surprenant : cette maison n'avait rien qui clochait. Anthony va à l'université, il prend des cours de mécanique automobile, et je ne le vois pas souvent. Il en a beaucoup voulu à ses parents au début, mais quelque temps après leur départ il m'a dit que son père avait fait une dépression nerveuse et que sa mère ne voyait pas l'intérêt de punir quelqu'un simplement parce qu'il est humain. Une famille du Suffolk s'est installée dans leur maison. Ils ont deux enfants dont Thierry trouve parfois les jouets dans les bois. Il aime les leur rapporter au petit matin, les poser sur le rebord de leurs fenêtres ou sur la clôture, pour qu'ils pensent qu'il y a des fées dans les arbres. Nicholas – on l'appelle par son prénom vu qu'on a été amenés à le voir tous les jours pendant les travaux – ne voulait pas acheter la maison des parents d'Anthony, même si M. Todd, l'agent immobilier, lui avait dit que c'était une affaire. Il devenait un peu bizarre chaque fois qu'on parlait des McCarthy, mais ça a été le cas de beaucoup de gens pendant un certain temps. Il est reparti à Londres pour d'autres projets de construction. Les nouveaux voisins sont sympas. On n'a pas beaucoup affaire à eux. Personne n'a été poursuivi pour ce qui est arrivé à la maison espagnole. Les enquêteurs ont dit qu'il était difficile de savoir ce qui avait provoqué l'effondrement, vu que la maison avait été négligée pendant des décennies. Ils ont trouvé des traces de vers à bois et de moisissure dans les poutres, et nous ont dit qu'on ne pouvait pas poursuivre quelqu'un pour la mauvaise qualité des travaux. Maman n'a pas cherché plus loin. Selon elle, toute cette histoire appartient au passé et doit y rester. Elle va bien. Elle se rend à Londres deux fois par semaine en train pour jouer avec l'orchestre et elle ne cultive plus de légumes. Elle les achète désormais aux cousins, et dit que ça lui fait très plaisir. Byron a quitté son mobile home au printemps dernier. Il vit dans une petite maison qu'il a eue grâce à son nouveau job à quelques kilomètres de Long Barton. Les jeudis et vendredis, il s'occupe du terrain pour le projet qui doit remplacer la maison espagnole, et il passe les week-ends avec nous. J'ai dit à maman que ça ne me dérangerait pas qu'il s'installe avec nous (ce n'est pas comme si Thierry et moi n'avions pas deviné – nous ne sommes pas stupides), et en plus je serai sûrement à la fac l'année prochaine, mais elle dit qu'ils sont heureux comme ça, et que tout le monde a besoin d'espace, surtout Byron. Quand il ne travaille pas, il donne des cours aux gens sur les arbres, comment les tailler pour qu'ils poussent mieux, quelles plantes sont comestibles, ce genre de trucs. Thierry et lui passent leur temps dehors, à déterrer des choses ou à planter. On ne voit plus rien de la maison espagnole. Depuis plus d'un an, on vit dans une des nouvelles maisons près du lac. Il y en a huit, et elles sont toutes séparées par un beau morceau de terrain et une haie de troènes toute fine, qui n'a jamais poussé comme les dessins de l'architecte l'avaient promis. La maison n'est pas particulièrement belle. Elle a quatre chambres et un jardin correct, que Thierry et Pepper ont massacré avec leur ballon de foot, et l'intérieur n'est pas vraiment décoré – ni poutres apparentes ni corniches. Maman dit que c'est une maison tout à fait ordinaire, qui demande peu d'entretien, et quand les gens la regardent bizarrement et se demandent pourquoi ça la comble de joie, alors que tout le monde se vante de la superficie et des détails d'époque de la sienne, elle a ce truc dans les yeux, cette étincelle, comme juste avant d'éclater de rire. Et puis elle n'en parle plus et passe à quelque chose de plus intéressant.

Remerciements

Je tiens à remercier Karin Leishman et Matthew Souter de l'Alberni Quartet, dont le génie musical et le foyer accueillant ont été source d'inspiration. Ma gratitude va, comme toujours, à mon agente Sheila Crowley, ainsi qu'à Linda Shaughnessy, Teresa Nicholls et Rob Kraitt de chez AP Watt. Je remercie également Carolyn Mays pour ses talents de correctrice et son amitié sans faille, ainsi que Lucy Hale, Auriol Bishop, Leni Fostiropolous, Kate Howard, Jamie Hodder-Williams et toute l'équipe de Hodder, en particulier le service commercial. Merci pour la confiance que vous m'avez accordée.

Ma gratitude va également à Hazel Orme pour son savoir-faire éditorial et son œil de lynx. Et aussi, dans le désordre, à Tony Chapman, Drew Hazell, Barbara Ralph, Fiona Turner, Chris Cheel, Hannah Collins, Jenny Colgan, Cathy Runciman, tous les membres de Writersblock. Mes remerciements à Cambridge University Press pour m'avoir autorisée à reproduire un extrait de *Lettre à Lady Cynthia Asquith* de D.H. Lawrence.

Merci à ma famille : Lizzie et Brian Sanders, Jim et Alison Moyes. Et tout particulièrement à Charles, Saskia, Harry et Lockie, les personnes que j'aime le plus au monde.

Enfin, merci à l'équipe de l'Emmeline Centre, Addenbrookes Hospital Trust, en particulier Patrick Axon, qui, durant l'écriture de ce livre, a radicalement changé nos vies.

DE LA MÊME AUTEURE

« Un roman qui fera fondre
les plus émotives. »
Elle

Lou est une fille ordinaire qui mène une vie monotone dans un trou paumé de l'Angleterre dont elle n'est jamais sortie. Quand elle se retrouve au chômage, elle accepte un contrat de six mois pour tenir compagnie à un handicapé. Malgré l'accueil glacial qu'il lui réserve, Lou va découvrir en lui un jeune homme exceptionnel, brillant dans les affaires, accro aux sensations fortes et voyageur invétéré. Mais depuis l'accident qui l'a rendu tétraplégique, Will veut mettre fin à ses jours. Lou n'a que quelques mois pour le faire changer d'avis.

DE LA MÊME AUTEURE

« Cette histoire d'amour inespérée est un véritable choc émotionnel – sortez les mouchoirs. »
Elle

Depuis que son mari a disparu de la circulation, Jess se bat pour élever seule ses deux enfants. Alors qu'elle ne s'y attendait plus, la chance lui sourit enfin. La chance, ou plutôt le millionnaire dont Jess entretient la résidence. Accusé de délit d'initié, Ed risque la prison. Soucieux de s'acheter une conduite et d'oublier ses ennuis, il se propose de venir en aide à la jeune femme. Que va donner l'addition de leurs petits et grands désastres individuels ?
Une histoire d'amour aussi bouleversante qu'inattendue mettant en scène la rencontre improbable de deux êtres en perdition.

PRIX DES LECTRICES
2015

Jojo Moyes – *Jamais deux sans toi*
Disponible dans toutes les bonnes librairies et au format numérique chez **Milady**

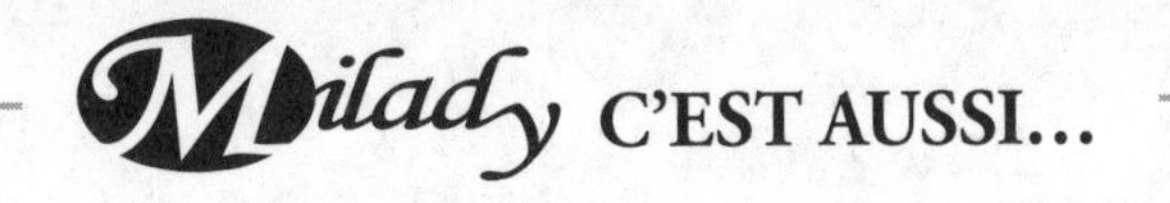
Milady C'EST AUSSI…

MARQUIS
Québec, Canada